ISBN 978-0-428-46313-7
PIBN 11221865

# Gesammelte Schriften

von

# Bauernfeld.

---

## Eilfter Band.

---

## Reime und Rhythmen.

Reiner Menschheit schönste Blüte
Heg' ich treulich im Gemüthe;
Doch fühl ich ab und zu ein Drängen,
Den Menschlein etwas anzuhängen.

---

**Wien, 1873.**

**Wilhelm Braumüller**
k. k. Hof= und Universitätsbuchhändler.

MEH

Das Recht der Ueberfetzung vorbehalten.

# Inhalt.

---

## Vormärzliches.

|  |  | Seite |
|---|---|---|
| An die Studierlampe | | 3 |
| Nach dem Concert | | — |
| Junger Mensch | | 4 |
| Sonntagsempfindung | | 5 |
| Still=Leben | | — |
| Der Traum ein Leben | | 6 |
| Immer daßfelbe | | — |
| Göttliche Raupen | | 7 |
| Einsamkeit | | — |
| In der Krankheit | | 8 |
| Beschränkung | | — |
| Die Mücken | | 9 |
| Gelegenheitsdichter | | 10 |
| An Grillparzer | | — |
| Junge Liebe | | 14 |
| I. | April | — |
| II. | Auf dem Balle | — |
| III. | Sie in Allem | 15 |
| IV. | Doppelte Liebe | 16 |
| V. | Die thörichten Lippen | — |
| VI. | Die Thränen | 17 |
| VII. | Traum | — |
| VIII. | Nach der ersten Trennung | 18 |
| IX. | Tagebuch | — |
| X. | Zwiespalt | 19 |
| XI. | Stillstand | — |
| XII. | Der beste Zustand | 20 |

                                                        Seite
    XIII. Vorsatz . . . . . . . . .                      20
    XIV. Die Liebespfänder . . . . .                     21
    XV. Rückblick . . . . . . . . . .                    22
Der neue Midas . . . . . . . . . . . . . . .             23
Guter Rath . . . . . . . . . . . . . . . . .             —
Selbstanklage . . . . . . . . . . . . . . .              24
Bettlerlied . . . . . . . . . . . . . . . . .            —
Im warmen Frühling . . . . . . . . . . .                 26
Die Spaziergänger . . . . . . . . . . . .                —
Aberglaube . . . . . . . . . . . . . . . .               28
Verschiedene Stufen . . . . . . . . . . .                29
Ewiger Widerspruch . . . . . . . . . . .                 —
Unvorsichtig . . . . . . . . . . . . . . .               30
In der Assemblée . . . . . . . . . . . .                 31
Leichtsinn . . . . . . . . . . . . . . . .               —
Phönix . . . . . . . . . . . . . . . . . .               32
Romanzenartiges . . . . . . . . . . . . .                33
    I. Das Todtenhembchen . . . . .                      —
    II. Die Sternthaler . . . . . . .                    34
Thier=Fabeln . . . . . . . . . . . . . . .               35
    I. König Dagobert und seine Hunde . . . . . . . . .  —
    II. Der kranke Löwe . . . . . . . . . . .            37
    III. Die Reichsversammlung der Thiere . . . . . . . .  38
Berg und Thal . . . . . . . . . . . . . . .              48
Speculation . . . . . . . . . . . . . . . . . .          49
Jugendfreunde . . . . . . . . . . . . . . .              50
Todeswund . . . . . . . . . . . . . . . .                51

## Neue Zeit.

Alt=Liberal                                              55
Ex trunco fit Mercurius . . . . . . . . . .              —
Ausgebraten . . . . . . . . . . . . . . .                56
Der politische Wanderer . . . . . . . . .                58
Frühlingslied des Gutgesinnten . . . . . .               63
Frauenpolitik . . . . . . . . . . . . . .                64
Das Leben ein Tanz . . . . . . . . . . .                 65
Reaction . . . . . . . . . . . . . . . . .               66
Genesis der Revolution . . . . . . . . . .               67
Der Missionär . . . . . . . . . . . . . .                —
Proletariers Unmuth . . . . . . . . . . .                68
Zahme Barbarei . . . . . . . . . . . . .                 69
Veränderte Bestimmung . . . . . . . . .                  70

# Inhalt.

| | Seite |
|---|---|
| Minister-Rath | 70 |
| Ex-Freund | 71 |
| Kleine Beamte | — |
| Halb-officieller Artikel | 72 |
| Ein Büchlein von den Wienern | 73 |
|     I. Genesis der Stadt | — |
|     II. Bamschabel | 76 |
|     III. Alt-Wien. Alte Zeit | 77 |
|     IV. Ferdinand Raimund | 79 |
|     V. Castelli | 81 |
|     VI. Ein Wiener Censor | 84 |
|     VII. Franz Liszt in Wien | 88 |
|     VIII. Die Wiener Reisende erzählt | 90 |
|     IX. Der fromme Dichter | 91 |
|     X. Flügelmann | 92 |
|     XI. Bruder Augustin | 93 |
|     XII. Die Hetze | 94 |
|     XIII. Viribus unitis | — |
|     XIV. Wiener Dialekt | 96 |
|     XV. Herr Knöpfelmeier oder Metamorphosen des Gutgesinnten | 97 |
| Historisch-politisches Resumé | 101 |
| Der weise König Salomo und der Spatz | 104 |
| Das letzte Abenteuer | 105 |
| Beatus ille! | 107 |
| Zum Romanzero | 108 |
| Grillparzer-Feier | 110 |
| Fontes Melusinae | 113 |
| Moriz Schwind | — |
| Grillparzer's Gedichte | 114 |

## Xenien.

| | |
|---|---|
| Welt-Theater | 119 |
| Wiener Damen-Toilette | — |
| Salon-Karyatide | — |
| Die Häßliche | — |
| Das Fehlende in der Schöpfung | 120 |
| Gegenseitige Schwäche | — |
| Ein passendes Paar | — |
| Chacun à son goût | — |
| Sohn und Vater | — |
| Herausforderung | — |
| Foubourg St. Germain | 121 |

|  | Seite |
|---|---|
| Frei nach Schiller | 121 |
| Honnête homme | — |
| Utile Dulci | — |
| Die Leser | — |
| Der Cabel | — |
| Vereinzelt | — |
| Mitleid | 122 |
| Tanzmeister | — |
| Ennui | — |
| Gehaut wie gestochen | — |
| Kinderfrage | — |
| Bexier-Spiegel | — |
| Ausgewachsen | 123 |
| Die Wiener | — |
| Erspectanz | — |
| Schlechte Bespannung | — |
| Gradatim | — |
| Föderalismus | — |
| Ausgleich | 124 |
| Rüstung | — |
| Spar-System | — |
| Staats-Grundlage | — |
| Genetischer Vortheil | — |
| Das freie Volk in ****** | — |
| Europa | 125 |
| Volkswehr | — |
| Vorsicht des Patrioten | — |
| Hausmittel | — |
| Kant | — |
| Goethe und Schiller | — |
| Deutsche Literaturgeschichte | 126 |
| Buch-Dramen | — |
| Schiller's Epigonen | — |
| Jean Paul | — |
| Classiker | — |
| Victor Hugo | 127 |
| Voltaire | — |
| Hoftheater | — |
| Anciennität | — |
| Stoßseufzer des Intendanten | — |
| Einer Schauspielerin | — |
| Louise Neumann | 128 |
| Modernes Drama | — |
| Le supplice d'une femme | — |

                                                        Seite
Frou=Frou=Theater . . . . . . . . . . . . . . . . .    128
Laokoon . . . . . . . . . . . . . . . .                  —
Lieder ohne Worte . . . . . . . . . . . . .              —
Richard Wagner . . . . . . . . . . . . . .              129
Lohengrin . . . . . . . . . . . . . . . . .              —
Walküre . . . . . . . . . . . . . . . . . .              —
Trilogie . . . . . . . . . . . . . . . .                 —
Melodie . . . . . . . . . . . . . . . . . .              —
Franz Schubert . . . . . . . . . . . . . .               —
Niederländer . . . . . . . . . . . . . . .               —
Publikum . . . . . . . . . . . . . . . . .              130
Unwissenheit . . . . . . . . . . . . . . .               —
Absolutum definitum . . . . . . . . . . .                —
Pantheist . . . . . . . . . . . . . . . . .              —
Individualismus . . . . . . . . . . . . . .              —
Hegelianer . . . . . . . . . . . . . . . .               —
Stuart Mill . . . . . . . . . . . . . . . .              —
Cultus . . . . . . . . . . . . . . . . . .              131
Französische Religiosität . . . . . . . . .              —
Cölibat . . . . . . . . . . . . . . . . . .              —
Katholischer Pfarrer spricht: . . . . . . .              —
An die Alt=Katholiken . . . . . . . . . .                —
Zeitvertreib . . . . . . . . . . . . . . . .             —
Sprachgebrauch . . . . . . . . . . . . . .               —
Infallibilität . . . . . . . . . . . . . . . .          134
Döllinger . . . . . . . . . . . . . . . . .              —
Menschen=Anfang . . . . . . . . . . . .                  —
Sonnen=Mikroskop . . . . . . . . . . . .                 —
Auf Abschlag . . . . . . . . . . . . . . .               —
Vorsehung . . . . . . . . . . . . . . . .               135
Aufschluß . . . . . . . . . . . . . . . . .              —
Pessimismus. Nihilismus . . . . . . . . .                —
Philosophie des Unbewußten . . . . . . . .               —

## Poetisches Tagebuch.

L. (Von 1825 bis 1847) . . . . . . . . . . . . . . . . . . . .   136
II. (Seit 1848) . . . . . . . . . . . . . . . . . . . . . . .    172

# Vormärzliches.

---

Jugendjahre, sie verflogen,
Um das Beste schier betrogen!

## An die Studierlampe.

(1823.)

Gern blick' ich in Dein klares, kluges Licht,
Das mir so freundlich und so heiter brennt,
Doch in dem aufgeschlag'nen Pergament
Find' ich den Aufschluß, den ich suchte, nicht.

Um ungewisses Wissen zu gewinnen,
Will ich bei Deinem Schein nicht länger sinnen;
Dein Athem modert und der Tag ist frisch,
Du bringst nicht Wahrheit, Lampe — so verlisch!

———

## Nach dem Concert.

Hochberühmte Sängerin,
    Mit geschmeid'ger Kehle
Trillerst Du, bist Künstlerin —
    Aber ohne Seele!

1*

Unbefriedigt schreit' ich hin
  Durch die dunklen Gassen;
Catalani, Herz und Sinn
  Hast mir leer gelassen. —

Horch! Da will's mit süßem Schall
  In den Lüften zittern —
Schmelzend klagt die Nachtigall
  Zwischen Käfig-Gittern.

Wie der Ton sich mächtig schwingt
  Durch die Nacht, die schwüle!
Dieses kleine Böglein singt
  Menschliche Gefühle.

---

## Junger Mensch.

### (1824.)

Der junge Mensch ist blöde
Beim Tanz wie bei der Rede;
So steht er stumm und düster,
Horcht scheu dem Mädchengeflüster;
Wie ungeschickt sein Grüßen!
Er stolpert mit Worten und Füßen;
Die Mädchen lachen im Uebermuth,
Er steht wie begossen, das junge Blut; —
Wem ist nicht Aehnliches widerfahren,
So in den lieben „Flegeljahren?"

## Sonntagsempfindung.

Oft sitzt man so an trüben Feiertagen
Und sieht die Leute fröhlich geh'n und weilen,
Hört fernes Rauschen, Rollen leichter Wagen,
Sieht Kinder, Mädchen hell gekleidet eilen; —
S'ist Sonntagsluft — doch kann ich sie nicht theilen!
Die Wehmut will aus meiner Brust nicht weichen,
Wie Wolkenschatten über Thäler streichen.

---

## Still-Leben.

Früh ist's in mich gefahren,
Hab' mich bei Zeiten geübt;
Als Knabe von sieben Jahren
Da war ich schon verliebt!

Sie ging mit mir in die Schule —
Ob sie's wohl noch gedenkt?
Ich hab' als zärtlicher Buhle
Ein Ringlein ihr geschenkt.

Es folgte mir unabläffig
Ihr Bruder auf jedem Schritt;
Der Junge war sehr gefräßig,
Ich bracht' ihm Birnen mit.

Er fraß, sie schritt daneben
An meiner Hand, so still;
Es war ein trautes Leben,
Ein kindliches Idill.

---

## Der Traum ein Leben.

Schlaf, Du bist ein volles Leben,
Ohne dieses Daseins Qual;
Schlaf, Du bist ein süßes ·Sterben,
Und Du tödtest nicht einmal!

Das Dasein ist ein Traum, ein böser,
Traum ist ein Leben bessern Schlages;
Darum zu Dir, Du Traum-Erlöser,
Flieh' ich vor eitlem Schein des Tages!

---

## Immer dasselbe.

Die Raupe kriecht und frißt, spinnt sich zur Puppe ein,
Bald fliegt der Schmetterling im hellen Sonnenschein,
Nippt Blumenstaub und liebt, legt Eier auch indessen,
Und Raupen werden d'raus, zu kriechen und zu fressen —
So geht's in Einem fort, schon seit den Schöpfungswochen:
Es wird ohn' Unterlaß gefressen und — gekrochen!

## Göttliche Raupen.

Das zarte Bäumchen ist zu eigen
Dort der Dryade in den Zweigen;
Für sie nur grünt der Baum und blüht,
Für sie die Frucht im Laube glüht;
So wächst und reift es durch der Göttin Hauch,
Und wenn ihr Geist entschwebt, verdorrt das Bäumchen auch.

Der Gärtner aber meint indessen,
Die Raupen hätten ihm's zerfressen!

## Einsamkeit.

Soll ein tüchtig Werk gelingen,
Schließ' Dich in die Kammer ein;
Mit dem Geiste mußt Du ringen,
D'rum gesammelt — einsam sein.

Und zum allergrößten Werke:
Eins mit Dir im Denken, Handeln,
Fehlte Dir der Muth, die Stärke?
Laß die Hunderttausend wandeln!

## In der Krankheit.

Decke mich mit Deinen Schwingen
Jetzt, Du starker Tod, noch nicht!
Manches möcht' ich gern vollbringen,
So im Leben, im Gedicht.

Manches Mannes Lieb' erwerben,
Küssen manchen schönen Mund —
Götter! Lasset mich nicht sterben,
Himmlische! Macht mich gesund.

———

## Beschränkung.

Kannst Du das Schönste nicht erringen,
So mag das Gute Dir gelingen.

Ist nicht der große Garten Dein,
Wird doch für Dich ein Blümchen sein.

Nach Großem drängt's Dich in der Seele?
Daß sie im Kleinen nur nicht fehle!

Thu' heute recht — so ziemt es Dir;
Der Tag kommt, der Dich lohnt dafür.

So geh' es Tag für Tag; doch eben
Aus Tagen, Freund, besteht das Leben.

Gar Viele sind, die das vergessen:
Man muß es nicht nach Jahren messen.

---

## Die Mücken.

Als jüngst — weiß ich warum? — mein Mädchen grollte,
Ging ich allein, mißmuthig in den Wald;
Mißmuthig ging ich, doch ich dachte bald
An sie, die einsam wohl zu Hause schmollte.
Ein Maitag war's, mild fächelte die Luft,
Rings Vogelsang und süßer Blütenduft —
„Zu schöne Zeit, als daß man trauern sollte!"
Dacht' ich bei mir und schritt so vor mich hin.
Da ward es Abend, Schwärme kleiner Mücken
Begannen sich zur Wolke zu verdicken,
Und stachen, weil ich süßen Blutes bin. —
„Stecht immerhin!" So rief ich lachend aus, —
„Ein bischen Qual ist überall zu Haus;
Es ist doch schön an solchen Frühlingstagen,
Ob Mücken uns, ob uns die Weiber plagen!"

## Gelegenheitsdichter.

Was braucht's erfundene Geschichten?
Ich halte mich an Ort und Zeit;
Doch gilts, gelegentlich zu dichten,
So gebt mir auch Gelegenheit!

---

## An Grillparzer*).

### (Im Sommer 1827.)

Die Erde schimmert längst im reichsten Segen,
Die Frucht hat ihre Blüte schon verdrängt,
Der Sense reift die Saat bereits entgegen,
Zu Gold ihr Grün durch Sirius gesengt,
Bald wehret man dem Gang auf Bergeswegen,
Wenn reif die jetzt noch grüne Traube hängt:
Es ist die Zeit des Lebens und der Fülle,
Und jede Frucht löst, die sie barg, die Hülle.

Ja, Alles sucht auf's beste sich zu schmücken,
Fügt seinen Glanz zur allgemeinen Pracht,
Lebendig wird's im Thal, auf Bergesrücken,
Der Vogel flattert und die Blume lacht;

---

*) Er hat durch das Gedicht: Rechtfertigung erwiedert.
Gesammtausgabe I. Band, Seite 41.)

Dir aber schwand solch sommerlich Entzücken
Schon mehr mal hin, und hatte keine Macht:
Drei Lenze blühten schon, so reich wie immer,
Drei Lenze blühten schon — Du schweigst noch immer?


Was hilft die Pracht der Blumen und der Früchte?
Was hilft die segenspendende Natur?
Sie lebt nicht, gibt uns leere Schaugerichte,
Der Sang begreift, belebt ihr Leben nur;
Der Geist ist da, daß er die Gaben sichte,
Und leite den Genuß auf beff're Spur:
Was hilft mir's, wenn ich alle Sinne labe,
Und meine Seele fern von allen habe?


Du aber schweigst — so muß ich wieder rufen,
Du schweigst, der Beste, der da reden soll?
Der Priester auf des Tempels obern Stufen,
Der ihn betreten darf, der Gottheit voll:
Du, den die Götter uns zum Sprecher schufen,
Entziehst Dich uns, wie im verhalt'nen Groll?
Wir sollen, die wir Deines Sangs uns freuen,
Die süßgewohnte Freude nicht erneuen?


Hältst Du für der erhab'nen Lyra Klingen
Uns eine unempfänglich rohe Schar?
O gern erkennt die Menge das Gelingen,
Und reicht dem Mitgebor'nen Kränze dar.
Hältst Du vielleicht, sie singend zu vollbringen,
Die Zeit zu ernst, den Sinn zu wandelbar?
Es kann, was immer auch für Kräfte gähren,
Doch des Gesanges keine Zeit entbehren.

Die Luft an ernsten und an bunten Bildern
Wächst mit dem Kinde, mit dem Knaben groß;
Die Leiden singen heißt die Leiden mildern,
Gemalter Schmerz macht uns des wahren los;
Ein doppelt Leben ist's: das Leben schildern,
Die Kunst ist eines neuen Lebens Schooß,
Aus dem Gestalten, bunt und herrlich, sprießen,
Und, Geistern gleich, in leichte Lüfte fließen.


Wie, und erfreu'n Dich nicht mehr die Gestalten,
Und lockt's Dich nicht, sie aus dem Nichts zu zieh'n?
Befreie sie der Bande, die sie halten!
Die Rosen warten auf der Sonne Glüh'n:
Willst Du nicht Sonne sein, sie zu entfalten?
Nicht Zephyr, dem sie ihre Düfte sprüh'n?
Willst Du der See nicht sein, in dessen Dunkeln
Das Erdgrün und die Sterne schöner funkeln?


O halte Dich nicht länger mehr verborgen,
Brich los, ein Bergstrom, mit gewalt'gem Wort,
Und was es wirke, laß die Hörer sorgen,
Und haftet's nicht, so reißt's doch immer fort!
Bedenk': nicht jedes Heut' hat auch sein Morgen,
D'rum hebe frisch des Liedes goldnen Hort;
Erschütt're sie — sonst glaubt das Volk, das plaudert,
Es leiste mehr als Du, der edel zaudert.


Laß Dich die Mißgunst und den Neid nicht grämen,
Fürwahr, dem neid' ich's nicht, den Niemand haßt!
Auch wird's der Krähe bald die Flügel lähmen,
Kreischt sie dem Adler nach, mit thör'ger Hast! —

Doch sollten Dich die heisern Stimmen zähmen,
Und ist's Geschwätze, das Dich schweigen laßt?
Die Schlange spritzt auf Blumen gern den Geifer:
Blüht d'rum die Blume wohl mit minderm Eifer?


O sieh! der Lenz und seine Blüten schwinden,
Unhaltbar folgt der Tag dem Tage nach,
Bald lagert sich der Schnee auf diesen Gründen,
Wo ein Beglückter dunkle Veilchen brach;
D'rum laß Dich schnell bereit zum Worte finden,
Das länger als der Mund währt, der es sprach;
Uns aber, die wir Dich dazu getrieben,
Uns zürne nicht, und denk', daß wir Dich lieben.

# Junge Liebe.

(1827 u. s. w.)

## I.

## April.

Wenn der Maien golden schiene,
Sollte sie die Meine sein;
Bebend späh' ich, ob es grüne —
Da weht der Schnee zum Fenster herein!

———

## II.

## Auf dem Balle.

Auf einem Ball war's, unter Leuten,
Da saß geputzt ein steifer Mädchenchor;
Sie hatten wenig zu bedeuten,
Kam Eine mir schier wie die And're vor.

Beim ersten Strich des Fidelbogen
Da regte sich die weiße Lämmerschaar;
Ich hatte mich zurück gezogen,
Weil mir nicht just zum tanzen war.

Die Sehnsucht wollte mich verzehren —
Da trat die Liebste in den Saal,
Und ihres Auges sanfter Strahl
Schien alle Andern zu verklären.

Und so an jedem neuen Tag
Fühl' ich mein Glück stets voller reifen,
Und wie man anders leben mag,
Ich kann es nimmermehr begreifen!

------

III.

## Sie in Allem.

Wie reich ist, was ich thu' und bin,
Wie unerschöpflich Herz und Sinn!
Wie fröhlich lebt sichs mit den Leuten,
Wie hat ein Jeder sein Bedeuten!

\* \* \*

Was der Himmel Gutes gibt,
Gibt er mir durch sie —
Nein, so ward ich nie geliebt,
Und so lieb' ich nie!

## IV.

### Doppelte Liebe.

Ich liebe die, die mich nicht wieder liebt,
Ich liebe die, die Liebe mir gewährt;
Die Grausamkeit, die jene mich gelehrt,
Hab' ich sogleich an dieser ausgeübt;
So trieb und treib' ich's immerfort —
Ein Lehrer hier, ein Lehrling dort.

---

## V.

### Die thörichten Lippen.

Lippen, Lippen, nicht geplaudert!
Denn nur Thorheit plaudert ihr,
Hemmt die Worte! Nicht gezaudert!
Trefflich schweigt ihr, glaubt es mir.
Thöricht Plaudern kann ich missen —
Thoren, schweigt, und laßt Euch küssen!

VI.

## Die Thränen.

Wie ihre lieben Augen
Heut so verweinet sind!
Wer konnte Dich betrüben,
Du trautes, süßes Kind?

Magst lachen oder weinen,
Bist immer hold und lieb!
Der Himmel bleibt der Himmel,
Sind auch die Wolken trüb'.

---

VII.

## Traum.

Mir träumte neulich, ich wäre
Vermählt mit der Liebsten mein —
Da bangte mir auf Ehre,
Ich sah betroffen d'rein.

Doch als ich wieder erwachte,
Stand mein Johann am Bett;
Er sah mich an und lachte:
Wie lang ich geschlafen hätt'?

Die Sonne schien so golden
Mir auf das Angesicht;
Ein Briefchen meiner Holden
Lag mir vor den Augen dicht.

Bauernfeld. Gesammelte Schriften XI. Bd.

Es war ein freundlich Grüßen,
Sie lud mich in ihr Haus;
Da sprang ich mit gleichen Füßen
Und frei aus dem Bett heraus!

---

## VIII.

### Nach der ersten Trennung.

Die Tage strichen, die Wochen hin,
Ich lebte recht nach meinem Sinn;
Mir war so behaglich, so wohl dabei —
Jetzt aber merk' ich's, ich war nicht frei!
Ich fühl's an diesem Leersein eben:
Sie, sie gehört zu meinem Leben.
Kommt Zeit, kommt Rath! — Wenn ich nur wüßt',
Wie's ihr mit mir ergangen ist!

---

## IX.

### Tagebuch.

Als ich glücklich war, da blieben
Diese Blätter leer —
Setz' ich nun mein Elend her? —
Ach, wir lieben uns nicht mehr —
Nun da steht es aufgeschrieben!

## X.

### Zwiespalt.

Ich fühl's in meiner tiefsten Brust:
Sie ist nicht für Beständigkeit —
So bin ich's deutlich mir bewußt:
Das Scheiden ist Nothwendigkeit.

Die Seele seufzt im tiefsten Weh!
Ich schleppe schwer den matten Leib —
Es ist ein Schmerz, d'ran ich vergeh' —
Leichtsinnig ist das beste Weib!

---

## XI.

### Stillstand.

Es wehen kalte Flocken
Mir in das Angesicht —
Die Lebenspulse stocken,
Es ist wie vormals nicht!

Verweht die holden Maienglocken,
Die Friedensglöcklein sind verhallt —
Das warme Herz gerieth in's Stocken,
Und Schnee bedeckt den dürren Wald.

---

## XII.

### Der beste Zustand.

Nicht verliebt zu sein ist herrlich!
Alle Tagesstunden sind
Nun mein köstlicher Gewinn;
Muß jetzt nicht zu halben Tagen
Vor gewissen Fenstern lauschen,
Bin zu Allem aufgelegt,
Habe Schlaf und Appetit;
Die Lecture darf nicht ruh'n,
Und der Menschen buntes Treiben
Steigt in klaren, frischen Bildern
Vor der freien Seele auf —
Und das freie Herz erstarkt,
Harrt in Ruhe seiner nächsten,
Seiner süßer'n Sklaverei!

## XIII.

### Vorsatz.

Keinen frischen Mund will ich berühren,
Keine weiche Locke mehr erfassen,
Selbst den ersten Händedruck vermeiden
Und das trauliche Gespräch, den Faden,
Der sich später leicht zum Netze schlingt!

Bringt kein schönes Weib in meine Nähe —
Oder ich betrachte sie als Kunstwerk,
Und ich will sie kritisch Euch beleuchten!
Ihre Reize kenn' ich, ihre Fehler,
Denn wer Eine kennt, der kennt sie Alle!

---

## XIV.

## Die Liebespfänder.

Ueber meine Liebespfänder
Hielt ich jüngst die Musterung,
Schleifen lagen da und Bänder —
O, wie ist man doch so jung!

Briefchen fand ich mancher Art,
An Gefühl ganz sapphisch;
Ernst und heiter, tief und zart,
Auch unorthographisch.

Einen eignen Moder hauchen
Die vergilbten Brief-Ruinen,
Aus den blassen Lettern tauchen
Süße Blicke, holde Mienen.

## XV.

### Rückblick.

(1845.)

Und so sind sie hingeschwunden,
Jahre, voll von Leid und Glück,
Tief im Innersten empfunden —
Lächelnd schau' ich jetzt zurück.

Jugendgährung ist vorüber,
Fühle Ruhe, fühle Kraft;
Doch die Unruh' war mir lieber,
Die nur einzig zeugt und schafft!

## Der neue Midas.

Was der König nur berührte,
Seltsam ändert' es die Weise;
Wenn er sie zum Munde führte,
Ward zum harten Gold die Speise.

Und so wird mir unter'n Händen
Alles Leben zum Gedicht;
Geistig soll ich es vollenden,
Aber, ach! besitzen nicht.

---

## Guter Rath.

Bist Du arm, so kannst Du darben,
Hast Du Wunden, werden's Narben;
Liebt Dein Mädchen einen Andern,
Darfst zur Nachbarin nur wandern.

Aber bist Du Dir zu weise,
Wie erhältst Du Dich im Gleise?
Nur Ein Mittel gibt's auf Erden:
Du mußt noch gescheidter werden!

## Selbstanklage.

Wirthshaus — wir schämen uns —
'Hat uns ergötzt;
Faulheit — wir grämen uns —
Hat uns geletzt.
So lebten wir Alle,
Vergaßen der Pflicht;
Und im günstigsten Falle —
Was gab's? Ein Gedicht.

## Bettlerlied.

Betracht' ich auch jedes Geschäft in der Welt,
Ich weiß mir kein besser's als betteln;
Da kann ich bequem und so wie mir's gefällt,
Das Leben, die Tage verzetteln;
Den Bettler nenn' ich den freiesten Mann,
Der nichts besitzt, nichts verlieren kann.

Die Arbeit, die jeder Vernünftige scheut,
Die heiß' ich vom Halse mir bleiben;
Der Gott, der dem Sperling sein Futter streut,
Läßt mich's wie die Sperlinge treiben:
Sie fliegen und flattern munter und frei,
Hungern ein bischen — und leben dabei.

Und eigentlich treib' ich, was Jeglicher thut,
Es betteln die ehrlichsten Leute;
Doch hat nicht Jeder den seligen Muth,
Zu sorgen nur immer für heute;
Betrachtet das Treiben der Menschen nur recht —
Es ist mir ein völliges Bettlergeschlecht.


Der bettelt um Reichthum, um Ehren und Macht,
Und Jener um gnädige Worte;
Der Liebende lauert in schweigsamer Nacht,
Und bettelt sich ein in die Pforte;
Es quält sich der Künstler am Musenaltar,
Erbettelt sich Beifall von thörichter Schaar.


Das hilflose Kind, eh' es sprechen noch kann,
Es bettelt mit Mien' und Geberde,
Damit es dereinst, als völliger Mann,
Ein völliger Bettler auch werde;
Schenk' diesem die Erde, so weit sie bewohnt,
Er will noch die Stern', er will noch den Mond!


Ich aber will fürder mit fröhlichem Sinn
Durch's Leben als Bettler nur schleichen;
Demüthig reich' ich die Mütze Dir hin,
Und seh' ich den glücklichen Reichen,
So denk' ich mir lächelnd: Du Stolzer, nur zu!
Ein Bettelmann bist doch am Ende auch Du.

## Im warmen Frühling.

Ich fühle mich so wohl,
Trotz allen meinen Sünden,
Und denke mit dem Himmel
Mich gütlich abzufinden.

Ich hab' nicht eben schlecht,
Nur manchmal dumm gehandelt;
Heut ist mir Alles recht,
Ich bin wie umgewandelt!

---

## Die Spaziergänger.

### Bürger.

Wie ist das Alles schön gemacht!
Gott mag's dem lieben Gott vergelten!
Zwar ist die Arbeit nicht vollbracht,
Doch kommt der erste Mai gar selten.

### Beamter.

Sind die Acten durchgemacht,
Fühl' ich mich zufrieden;
Ein Spaziergang in die Nacht
Ist mir dann beschieden.

### Bürgermädchen.

Vater, Mutter gingen aus,
Jetzt ist was zu hoffen;
Abends kommt er an das Haus —
Nun, das Thor steht offen.

### Einsamer.

Möcht' mich heut' aus Herzensgrund
Mit dem Freund' ergehen,
Doch so hab' ich nur den Hund —
Der kann mich nicht verstehen.

### Naturkundiger.

Wissenschaft, Dich bet' ich an!
Sei mir hoch gesegnet!
Das Barometer zeigt an,
Daß es morgen regnet.

### Philosoph.

Sonn' und Lenz ist Sinnlichkeit —
Das muß ich verstehen;
Doch man muß in Raum und Zeit
Auch spazieren gehen.

### Künstler.

Welche Bläue! Welches Roth!
Das soll Einer malen!
Hat man mit Natur doch Noth,
Wie mit Idealen.

### Gesellen.

Holla, pfeift und singet mir!
Heute war der Montag!
Haben wir doch auch dafür
Jeden Abend Sonntag.

### Dame.

Sehr ergötzlich ist es doch,
Unter diese Schaaren
In der Kutsche, schön und hoch,
Zwischen b'rein zu fahren.

### Soldat.

Wär' Ein Tag dem andern gleich,
Führt' ich sie spazieren?
Heut' soll mich der Zapfenstreich
Einmal nicht geniren.

### Bettler.

Leben kann man einmal nicht
Blos vom Sonne scheinen;
Lieben Leut', ein armer Wicht!
Denkt an unser Einen!

---

# Aberglaube.

Helden sah ich abergläubisch,
Helden, Liebende und Dichter;
Helden lauschten auf die Adler,
Dichter blickten in die Wolken,
Liebende auf Blatt und Blume.
Wenn die Kraft, die Kunst, die Liebe
Sich dem Aberglauben weihen,
Mag er doch so schlimm nicht sein,
Als ihn ausschrei'n Alltagsleute!

## Verschiedene Stufen.

Nicht Schlaf, nicht Hunger und nicht Ruh' —
So kann's nicht länger bleiben;
Die heiße Leidenschaft dazu —
Das taugt, uns aufzureiben.

\* \* \*

Der Hunger stellt sich wieder ein,
Gesunder Schlaf kehrt wieder,
Geendet ist so manche Pein,
Und Ruhe senkt sich nieder.

\* \* \*

Nichts auf der Welt, was Dauer hat!
Mir hat sich's neu bestätigt:
Erst war ich glücklich, war ich satt,
Nun bin ich übersättigt!

---

## Ewiger Widerspruch.

Wie der Baum von Blüthen strotzt!
Kaum ein Blatt dazwischen!
Doch es will Dir keine Frucht
Aug' und Herz erfrischen.

Wie die Früchte voll und fest
Von den Bäumen hangen!
Aber ach! Wo ist der Lenz?
Wo der Blüten Prangen?

Und so führt Dich keine Zeit
Zum ersehnten Ziele;
Der sie reifte, der Verstand
Tödtet die Gefühle.

---

## Unvorsichtig.

Wenn Du schürst und Flamme
Häufig will's nicht brennen;
Wie Du auch die Scheite legst,
Wirst Du's zwingen können?

Aber laß ein Fünkchen Du
Unvorsichtig fallen,
Und die Flamme wird im Nu
Bis zum Himmel wallen.

---

## In der Assemblée.

Saßen jüngst die Herrn und Damen
In gar glänzendem Vereine,
Machten ein Geräusch mit Worten,
Das ich noch zu hören meine.

Und es war der Kreis gebildet
Zum Entzücken, zum Verzweifeln;
Wünscht' ihn etwas mehr verwildert,
Oder gar zu allen Teufeln!

---

## Leichtsinn.

Der Westwind fächelt mild der Blume Haupt,
Und flüstert in den Kelch — sie nickt und glaubt;
Dann streift er munter über Busch und Baum,
Und schüttelt manche Blüte aus dem Traum.

Der Kuckuk lebt und scherzt im weiten Gau,
Und kennt nicht seine Kinder ganz genau;
Die Leut' im Walde locken ihn von fern —
Der Schalk spielt den Propheten gar so gern!

Wer kennt des Schmetterlings Charakter nicht?
Er ist ein arger, unbeständ'ger Wicht,
Und dennoch zieren ihn die Götterflügel,
Der Götterabkunft leicht erkennbar Siegel.

Ich mag nicht besser sein als Vögel sind,
Und Schmetterling und leichter Morgenwind;
Die Erde mag uns Raum und Freiheit geben,
Mit süßer Oberflächlichkeit zu leben!

---

## Phönix.

Hoch auf den Bergesgipfeln will ich thronen
Des Libanon mit seinen alten Palmen,
Wo nicht des niedern Herdes Dünste qualmen:
Hier waren meiner Väter Regionen.

Ihr mögt dort unten in der Tiefe wohnen
Bei Euren Feldern, Euren Ackerhalmen;
Die Einsamkeit — Euch würde sie zermalmen! —
Will mich mit himmlischen Gedanken lohnen.

Und fühl' ich einst die matten Schwingen beben,
Den Geist erlahmt, sich himmelwärts zu kehren,
So soll der Opferaltar sich erheben.

Dann möge mich die heil'ge Glut verzehren!
Aus meiner Asch' entsteigt ein neues Leben,
Es dient mein Schmerz, mich schöner zu verkläre

# Romanzenartiges.

## I.

## Das Todtenhemdchen.

(Musik von Schubert.)

Starb das Kindlein.
Ach, die Mutter
Saß am Tag und weinte, weinte,
Saß zur Nacht und weinte.

Da erscheint das Kindlein wieder,
In dem Todtenhemd, so blaß;
Sagt zur Mutter: „Leg' Dich nieder!
Sieh, mein Hemdchen
Wird von Deinen lieben Thränen
Gar so naß,
Und ich kann nicht schlafen, Mutter!" —

Und das Kind verschwindet wieder,
Und die Mutter weint nicht mehr.

———— ————

## II.

## Die Sternthaler.

Es zog ein kleines Mädchen
Wol über Feld und Land,
Und hatt' ein bischen Essen,
Das trug es in der Hand.

Da weint' es schwer und bitter:
„Wie bin ich doch allein!
Ach, ohne Vater, Mutter —
Und bin so schwach, so klein!"

Und wie sie also seufzet,
Da naht ein alter Mann
Auf Krücken, und er fleht sie
Um eine Gabe an.

Sie gibt ihm gleich ihr Essen,
Der läßt sich wol gescheh'n; —
Bald sieht sie d'rauf ein kleines,
Barhauptes Kindlein steh'n.

Dem gibt sie ihre Mütze;
Und weiter fort am Fluß
Sitzt ein halbnacktes Mädchen,
Das wol recht frieren muß.

Dem gibt sie gleich ihr Leibchen,
Und hüllt es selber ein,
So schenkt sie auch ihr Röckchen
Einem Bettelkindelein.

Und wie sie in den Wald kam,
Da lag ein krankes Kind,
Das schauderte gar bänglich
Vor jedem schwachen Wind.

„Ei", denkt das fromme Mädchen,
„Es ist ja eitel Nacht!"
Und gab das Hemd vom Leibe —
Das hat sie gut gemacht.

Da plötzlich zog der Nebel
Hernieder auf das Land,
Und wob ihr um den Körper
Das niedlichste Gewand.

Und funkelhelle Sterne
Dreh'n sich vom Himmel los,
Und roll'n als blanke Thaler
Dem Mädchen in den Schooß.

## Thier-Fabeln.

### I.

### König Dagobert und seine Hunde.

Wenn König Dagobert g'nug gegessen,
Ließ er auch seine Hunde fressen.

Der König in seiner letzten Stunde
Berief seine Großen und seine Hunde.

Und als der König zum Sterben kam,
So redet' er seine Hunde an:


„Keine Gesellschaft ist so gut,
Aus der man nicht endlich scheiden thut.


Ihr Hunde dientet mir treu und gern,
Und ohne Titel und Ordensstern.


Demüthig seid Ihr vor mir gekrochen,
Dankbar für jeden Brocken und Knochen.


Mir durfte nahen kein kecker Geselle,
Denn sorgsam bewachtet Ihr meine Schwelle.


Ihr saht mir in's Aug' — ein Wink, ein Blick
Hui, packtet Ihr Jeden beim Genick!


Wart mir auch wackere Jagdkumpane,
Ihr standet die Hühner und die Fasane.


Habt freilich oft wild herumgebissen,
Des Höflings Jacke nicht selten zerrissen —


Auch nährtet Ihr ohne Unterlaß
Schier ungegründeten Katzenhaß —


Ich sag's Euch endlich unverholen:
Ihr habt auch manche Wurst gestohlen.


Doch welche geschaffene Creatur
Hat keine Fehler, Tugenden nur?


Im Ganzen wart Ihr mir brave Gesellen,
Im Grabe noch hör' ich Euer Bellen.

So segn' ich Euch mit Herz und Munde,
Ihr meine treugehorsamsten Hunde!" —

Des Königs Rede vernahmen die Großen
Des Reiches, seiner Macht Genossen.

Sie schauten einander an mit Schmunzeln,
Mit Augenwinken und Stirnerunzeln.

Die Hunde streckten alle Viere,
Vor Rührung heulten die guten Thiere.

Die Rüden wollten auch nicht mehr fressen,
Sie konnten den König nicht vergessen.

Die Großen aber, zunächst dem Throne,
Hofirten auch des Königs Sohne.

---

## II.

## Der kranke Löwe.

Es lag der gnädige Löwe krank —
In seiner Höhle war großer Stank;
Sich zu zerstreu'n ließ seine Gnaden
Die Thiere zum Besuche laden.
Des Kämm'rers Ruf erging an drei:
An den Esel, den Bock und Fuchsen dabei;
Die hätten sich gern der Ehr' enthoben,
So ward der Esel vorgeschoben,
Der zitternd trat in die Höhle ein —
Da lag der König im Dämmerschein.
Der spricht, indem die heiße Gier
Aus seinem Feuerauge blinkt:
„Freund Baldwyn, sag', wie riecht es hier?" —
„Herr König", schnuppert der Esel, „es stinkt." —

Das Eselein, der Wahrheit beflissen,
Ward für sein keckes Wort zerrissen.
Kam drauf der Bock gehüpft, vor Graus
Steh'n ihm die Augen beim Kopf heraus.
„Mein Böcklein, sprich, wie riecht es Dir?" —
„Herr König, wie Bisam duftet's mir." —
Der Schmeichler war nichts Bess'res werth:
Ihm ward sein Inn'res herausgekehrt.
Nun kam der Fuchs auf leisen Sohlen,
Was wird Herr Reineke sich holen? —
„Mein guter Fuchs, Du treue Seele,
Sprich doch, wie riecht's in meiner Höhle?" —
Der Reinhard niest: „Ich kann's nicht sagen,
Mich thut ein arger Schnupfen plagen." —
Der König schweigt, beißt in die Lippe,
Und reicht ihm eine Eselsrippe:
„Da nimm und iß, Du kluger Mann,
Ich seh's, Du bist kein heuriger Hase;
Wer den Geruch verläugnen kann,
Der hat die allerfeinste Nase."


## III.

## Die Reichsversammlung der Thiere.

### (1845.)

**Windspiel** (als Herold tritt auf).

Beschlossen ward's im ganzen Reich:
Die Thiere sind sich alle gleich;
Mit kurzen oder langen Beinen,
Mit Flügeln oder auch mit keinen,

Mit Rüssel, Schnabel, Schnauz' und Rachen;
Vom Elefanten bis zur Schneck' und Maus,
Mit eingeschlossen selbst die Drachen,
Wir machen ein einiges Thierreich aus.
Der tyrannische Löwe ist vertrieben,
Wir wählen den Hamster nach unserm Belieben.

#### Die Thiere.

Vivat!

#### Herold.

Da wir nun Brüder sind sofort,
So wär' es hier vielleicht am Ort,
Die Herren zu mahnen unterdessen,
Daß Keiner darf den Andern fressen.

#### Bär (brummend).

Was? Keiner?

#### Herold.

Keiner, Herr Baron!
Es ist gegen die Constitution.

#### Alle zahmen Thiere.

Es lebe die Constitution!

#### Bär (für sich).

Mir knurrt bereits der Magen davon.

#### Herold.

So künd' ich Frieden, frei Geleit
Die ganze volle Reichstagszeit,
Bis die Volksvertreter ernannt sind,
Bis die neuen Minister bekannt sind.
Heil unserm König, Hamster dem Ersten

(Verneigt sich und tritt ab.)

**Wilde Katze** (zum Luchs).

Was soll das heißen? Man möchte bersten!
Das Faustrecht wollen sie stellen ein?
Das Volk soll frei und unfreßbar sein?

**Luchs.**

So ist's — zum allgemeinen Frommen.

**Wilde Katze.**

Sind denn die Mäuse nicht ausgenommen?

**Luchs.**

Vielleicht. Nur still! Ein Wort in's Ohr:
Gevatter, ich sag', 's geht nach wie vor;
Laß nur den Reichstag vorüber sein,
Dann lad' ich Dich auf ein Hühnchen ein.

(Gehen vorüber.)

**Elefant** (als Wahlcandidat).

Liebe, gute Herrn, um Eure Stimmen bestens seit gebeten,
Aber geht mir aus dem Wege, denn sonst könnt' ich Euch zertreten;
Fest und sicher, wie ich wandle, halt' ich auf das alte Recht,
Denn ich bin aus einem antediluvianischen Geschlecht.
Seht die Ohren, schaut den Rüssel! Ist das Tüchtigkeit? Sagt
selber!
Ja, mich müssen sie erwählen, sind die Wähler keine Kälber.

(Er will weiter schreiten.)

**Milbe** (stellt sich ihm in den Weg).

Bon jour, Elefant, Herr Bruder!

**Elefant** (sieht sie über die Achsel an).

Servus! — Was will das kleine Luder!

(Trabt weiter.)

**Milbe.**

Ich bin eine Milbe,
Und sag' keine Sylbe,
Als: Vivat, daß man zur Wahl uns berief!
Wir haben Eine Stimme cumulativ.

**Chor von Millionen Milben** (jubelnd).

Vivat! Éljen!
Wir haben Eine Stimme cumulativ!

**Chamäleon** (zu seinen Wählern).

Meine Herren, Sie kennen meine Natur,
Sie wissen, ich will Niemand bethören;
Sagen sie mir nur,
Welcher Farbe Sie angehören?

**Die Wähler.**

Wir sind Alle roth.

**Chamäleon** (erscheint roth).

Ganz nach Ihrem Gebot.

**Die Wähler.**

Welche herrliche Purpurglut!

**Chamäleon** (verneigt sich).

Für meine Committenten mein Blut!

**Andere Wähler.**

Wir aber sind blau.

**Chamäleon** (erscheint blau).

Meine Farbe genau.

**Wähler.**

Indigo! Sie sind unser Mann.

### Chamäleon.

Man thut, was man kann.

### Andere Wähler.

Nichts da! Nur gelb kann uns behagen.

### Chamäleon (erscheint gelb).

Sie dürfen's ja nur sagen.
> (Wendet sich nach verschiedenen Seite
Roth — blau — gelb — ich bitt' um Acclamat

### Alle Wähler.

Vivat unser Vertreter Chamäleon!

### Ameisenbär (zu den Ameisen).

Meine Herren, ich will's nicht läugnen,
Vor Zeiten hat Sie mein Vater gefressen;
Aber das wird sich nicht mehr ereignen,
Der Sohn schützt in Zukunft Ihre Interessen.

### Wolf (zu den Lämmern).

So schwör' auch ich, hinfürder nur allein
Ein constitutioneller Wolf zu sein.

### Ein Lamm.

Schön! Doch möchten Sie nicht erst zum Nägelschneide
bequeme
Und erlauben, daß die Zähnchen wir aus Ihrem Rachen neh

### Wolf.

Das geht nicht an, mein Sohn,
Die brauch' ich zur Opposition.

### Chor von Füchsen.

Wir kommen vom Karpath und Ural her,
Vom Dnieper, Don und Dniester;

Zu Deputirten taugen wir freilich nicht sehr,
Doch braucht man auch Minister.

### Nachteulen als Wähler.

Das Amt ist schwer,
Doch frischen Muth!
Die Augen zu,
So geht es gut.

### Schafheerden.

Wir leben still, man nennt uns das Volk,
Wir kauen mit ruh'gem Gemüth;
Nach hohen Würden streben wir nicht,
Wenn nur häusliches Glück uns blüht.

### Bock (lorgnirend).

Was das für allerliebste Kinder sind!
Man kann sich da vortrefflich delectiren;
Was kümmert's mich, wer heut' ein Portefeuille gewinnt!
Ich denke drauf, mein Herz hier zu verlieren.

(Er eilt einer Gazelle nach.)

### Affe.

Vive le roi! Ihm dien' ich gern,
Geht nichts über einen Kammerherrn!

### Enten (untereinander).

Anstand! Nur Anstand!
Feiner Anstand
Ist kein leerer Tand.
Wir Hofdamen
Erscheinen mit Anstand
Und mit dem Hauskreuzordensband.
Anstand! Nur Anstand!
Feiner Anstand ist kein Tand.
Nur Anstand!

**Staar** (zum Papagei).

Was wählen Sie sich aus, mein Schatz?

**Papagei.**

Im Staatsrath, denk' ich, ist mein Platz.

**Staar.**

Da wollen wir zusammenhalten.

**Papagei.**

Nun freilich wol! Es bleibt beim Alten!

**Esel.**

Mein Grundsatz ist — das weiß ein Jeder, der mich kennt:
Nur Keinem seine Stellung weggenommen!
Doch möcht' ein mäßiges Talent
Denn endlich auch in's Ministerium kommen.

**Ochse.**

Herr Bruder, nein!
Wir kommen nie hinein!
Wir finden keine Gnade:
Du bist zu gut, ich bin zu grade.

**Wurm** (für sich).

Zu dumm, zu plump. Ihr werdet's nie gewinnen!
Es gilt: sich einzubeißen, einzuspinnen.

**Hahn.**

Das Militärische ist mein Fach;
Ihr seht's an meines Federbusches Wehen;
Ich hoffe, bald als General
Den neuen König anzukrähen.

### Dompfaff.

Dominus vobiscum. Amen.
Und so bleibt's wie es gewesen:
Auch im neuen Wahlreich, denk' ich,
Wird man wieder Messe lesen.

### Der Löwe (als vertriebener König).

Ich sehe wol ihr thörichtes Beginnen,
Und möchte helfen diesen armen Thieren;
Sie werden bei dem Wechsel nichts gewinnen,
Und da sie mich verjagt, sich selbst verlieren.
Was aber hilft's? Sie sind einmal von Sinnen,
Und müssen diesen Unsinn durchprobiren.
Lebt wohl! Verwirrt euch nur, ihr kleinen Geister:
Zur rechten Zeit doch bändigt Euch der Meister.
(Er geht in eine Wildniß.)

### Herold (mit dem Stab geht vorüber).

Ruhe, Friede, frei Geleit,
Durch die ganze Reichstagszeit!

### Leopard, Tiger, Hyäne (beim Bankett).
#### Leopard.

Frei Geleit — es ist zum Lachen!

### Tiger (verzehrt einen Rehrücken).

Frei Geleit — in meinen Rachen.

### Hyäne (ebenso).

Frei Geleit — die Rippen krachen.

### Leopard.

Tiger, willst du Minister sein?

### Tiger.

Ich nicht, nein.

**Leopard.**

Hyäne, oder du?

**Hyäne.**

Laßt mich in Ruh'.

**Leopard.**

So sucht euch eine andere Stellung aus;
Ich hab' die Wähler in meinem Sold.

**Tiger.**

Wir haben Macht, wir haben Gold,
Ich denke, wir bilden das Oberhaus.

**Leopard.**

Recht, Ihr Freunde. Auf mich könnt Ihr zähl(

**Hyäne.**

Nun gut! So laßt die Esel wählen.

**Dachs.**

Ich trau' dem Reichstag nicht, mir schwant das alte
Drum kriecht ein kluger Mann bei Zeiten in sein Loc
(Er versteckt {

**König Hamster**
(hält die Thronrede, wovon man nur abgerissene Sätze vernim

Der wünschenswertheste der Thronen —
Mit liberalen Institutionen —
Kammer voll Intelligenz —
Conservative Tendenz —
Glorreiche Revolution —
Civilliste — Dotation.

**Alle Thiere.**

Vivat!

### Herold.

Der Reichstag ist aus,
Geht Alle nach Haus!
Das Budget ist votirt,
Jetzt wird weiter regiert.
Kein Platz mehr vacant,
Die Minister ernannt.
Der Bock hat den Cultus
Und sittlichen Wandel,
Wolf und Schnecke Justiz,
Und der Esel den Handel.
Marine und Krieg
Hat die Taube allein,
Und die Schlange soll künftig
Für's Auswärtige sein.
Der schlanke Blutegel
Besorgt die Finanzen —
Just contrasigniren sie
Die Ordonnanzen.
Es lebe das Reich!
Alle Thiere sind gleich!

### Chorus.

Es lebe das Reich!
Alle Thiere sind gleich!

### Huhn (gackernd).

Es lebe —

### Luchs (beißt ihm den Kopf ab).

Halt den Schnabel!
Die Gleichheit ist nur eine Fabel.
Wer tücht'ge Tatzen und Zähne hat,
Der ist ein mächtiger Potentat!

Geier

(packt ihn, und trägt ihn sammt dem Huhn in die Lü

Und wer Flügel hat und Krallen,
Der ist der Mächtigste von Allen.

———— · ————

## Berg und Thal.

Der Ritter haust auf dem Berge,
Der Pfaffe wohnt im Thal;
Der Ritter baut eine Feste,
Der Pfaff' ein Kloster zumal.

Der Ritter abgeschieden
In seinem Felsenhaus,
Er trinkt und hält Gelage
Und plündert den Wanderer aus.

Das Pfäfflein schlau macht urbar
Acker und Wiesengrund,
Läßt sich den Zehent entrichten —
Das ist dem Kloster gesund.

Dem Ritter wild und trutzig
Zürnt Kaiser bald und Reich,
Bedräut sein festes Raubnest
Mit manchem harten Streich.

Der Mönch indeß hält Freundschaft
Mit Bürger und Bürgerrath;
Er spendet Seelenspeise,
Und pflegt der ird'schen Saat.

Die Feste ist längst zerfallen
Da droben in Schutt und Graus —
Im Thale breitet das Kloster
Sich fett und friedlich aus.

## Speculation.

Die Spinne sah den Schmetterling
Aus seiner Puppe fliegen;
„Wie“, rief sie, „ist das eitle Ding
Aus seinem Grab erstiegen?

Ich thu's ihm nach. Hinaus, hinaus!
Und über Thal und Hügel;
Ich spinne mir im stillen Haus
Wol auch so bunte Flügel.“ —

Sie sprach's, und spann, und spann und spann —
Nach innerstem Gesetze,
Wie man's nicht besser spinnen kann,
Ein wunderkünstlich Netze.

Und manche Mücke fängt sich d'rein,
Doch mehr will nicht gelingen:
Die Netze, noch so zart und fein,
Sie werden keine Schwingen.

## Jugendfreunde.

Die Sehnsucht zieht mit Allgewalt
Durch alle die Tage und Stunden —
Mein Schubert! Wie bist Du doch so bald
Dem trauten Kreis entschwunden!

Und war's nach Dir so stumm und still,
Wir mußten d'rein uns schicken;
Ein ewig junger Ton-Achill
Stehst Du vor unsern Blicken!

Gesegnet, wer den Lorbeerkranz
Frühzeitig sich erworben,
Und wer im Jugend- und Ruhmes-Glanz,
Ein Götterliebling, gestorben! —

Ein And'rer noch war, an Gemüt ein Kind,
Dem sich die Kunst erschlossen,
Mein allerliebster Moriz Schwind —
Wir waren uns treue Genossen.

Mein Schubert! Mein Schwind! Könnt' ich ei...
Traut mit Euch plaudern, ein Stündchen!
Doch ach, der Ein' ist im Jenseits dort,
Dar Andere gar in München.

# Todeswund.

## (1847.)

Im ewig glühenden Tropenland,
An einsam schauriger Stelle,
Lag stumm, dahin gestreckt im Sand
Verwundet die Gazelle.

Die braunen Äuglein, so treu und klar,
Sie schossen in zuckenden Flammen,
Die zarten Glieder, die bogen gar
Im Schmerze sich zusammen.

Dies Bild vor meiner Seele stand
In schmerzlich-süßer Stunde,
Als ich die holde Anmut fand
Mit ihrer ewigen Wunde.

Süßes Geschöpf, du stehst allein!
Wo, der Dich pflege und heile?
Nur tiefer in die Brust hinein
Drückst Du die brennenden Pfeile.

Das Schöne trägt ewig den Pfeil in der Brust,
Es tritt mit dem Stachel in's Leben;
So kann sich's der rauschenden Daseins-Lust
Nie voll und freudig ergeben.

Du bist so innig, so warm und gut —
Daß Dir das Beste fehle!
Im Innern brennt und zehrt die Glut,
Nach Liebe lechzt die Seele.

4*

Du schönes Leiden, ach vergib,
Daß ich Dich kränkte zuweilen,
Ich hatte Dich ja so lieb, so lieb,
Und dachte, Du wärst zu heilen.

Wer heilt die Leiden der Phantasie?
Das innerste Verbrennen!
Wer heilt das Leid: Melancholie,
Des Lebens krankes Verkennen!

Vor Deiner Seele schweben Dir
Die schaurigen Gestalten,
Du nennst sie Geister, sie leben Dir,
Bist unter ihren Gewalten.

Mit leisem Finger droh'n sie Dir,
Sie wollen Dich verderben,
Und Todesangst erfüllt Dich — schier
Ein ärger Uebel als sterben! — —

Und so im glühenden Tropenland,
An einsam schauriger Stelle,
Verschmachtet im dürren Lebenssand
Die todeswunde Gazelle.

# Neue Zeit.

(Seit 1848.)

---

Freiheit, Brüder, frei und gleich —
Tönt der Jubelpsalter;
Uns erschließt sich neues Reich —
Leider erst im Alter!

# Alt-liberal.

(April 1848.)

Altliberal! — Ob Schimpf? Ob Lob?
Nenn's wie Du willst, ich freu' mich drob!
Du kannst's in diesen Blättern lesen:
Stets bin ich freien Sinn's gewesen;
Und als Du noch der Macht Dich beugtest,
Da trug ich schon mein Haupt so hoch!
Und als Du der Gewalt Dich neigtest,
Da schüttelt' ich am alten Joch.
Und denkst Du jetzt dem Volk zu schmeicheln,
Ich nenne Dich darum nicht frei;
Volk oder Fürst — ich kann nicht heucheln —
Ich hasse jede Tyrannei!

---

# Ex trunco fit Mercurius.

Der Baum war dürr und blätterbar,
Kein Vogel drauf wollt' sitzen;
Da dachten die lieben Leute gar
D'raus einen Gott zu schnitzen.

Ich kannte einen Gesellen gut,
War immer ein Philister;
Ihn hebt das Volk in trunk'nem Muth,
Und macht ihn zum Minister.

---

## Ausgebraten.

Zu Presburg in Ungaren
War großer Jubel im Land,
Da krönte man vor Jahren
Den König Ferdinand.

Es ritten die Magnaten
In ihrem Kalpak reich
Auf köstlichen Schabracken —
Sie machen gerne Streich'!

Und Kronbeamte wie Prinzen
Saßen da hoch zu Roß,
Und schmissen die Krönungsmünzen
Hinunter in den Troß.

Da balgten sich drum die Leute,
Und traten sich auf den Leib,
Und hinkend bringt die Beute
Der Glückliche seinem Weib.

Und wie der König geritten
Auf grünem Tuche kam,
Ward's hinter ihm weggeschnitten,
Ein Jeder sein Theil sich nahm.

Und weiter dort am Platze
Fließt weiß und rother Wein,
Ein Jeder reckt die Tatze
Und will der Erste sein.


Da pufft sich der Kroate
Bis zum Gerüste hin,
Und klettert kerzengrade
Zu köstlichen Tranks Gewinn.


Er stößt die durstige Lippe
Des Bormann's weg, nicht faul,
Und an die sprudelnde Piepe
Preßt er sein breites Maul.


Doch Einer versteht es besser,
Das ist ein schlauer Kopf,
Der haut mit einem Messer
Den Säufer auf den Schopf.


Und blutend plumpt der Trinker
Hinunter in den Hauf',
Und jubelnd schwingt ein Flinker
Zum Krönungswein sich hinauf.


So säuft und blutet zur Wette
Das Volk, der wilde Schwall;
Drein schmettert die Trommete,
Pufft der Kanone Knall.


Und Nachts am hellen Feuer —
Sagt, was da brät und schmort?
Was für ein Ungeheuer
Dreht sich am Spieße dort?

Die alte Reichshistorie
Hat Euch's ja längst gelehrt:
Zur wahren Krönungsglorie
Ein Ochs, ein gebrat'ner, gehört.

Die Sitte ist geblieben
Aus grauem Alterthum;
Herr Wolfgang hat's beschrieben
Zu seines Frankfurt Ruhm.

Zu Presburg in Ungaren
Da macht' ich die Krönung mit,
Wo man vor manchen Jahren
Den Krönungsochsen briet.

In Frankfurt aber am Maine
Da ist es länger her,
In Frankfurt, wie ich meine,
Da braten sie Keinen mehr.

———

## Der politische Wanderer.

### (Frühjahr 1849.)

#### Deputirter (als Wanderer).

Nun hab' ich satt das Parlament,
Die Rechte wie die Linke!
Natur, du frisches Element,
Gib, daß ich Labung trinke!
Mach' mich der Sectionen los,
Und nimm mich auf in deinen Schooß,
Worein ich süß versinke!

## Wiese.

Darf ich den grünen Rücken Dir bieten?
Nur keck geschritten und nichts geschont!
Zertritt nur das Gras, die Blumen, die Blüthen —
Solch' Volk wird getreten — es ist's gewohnt.

## Weizenfeld.

Nur Brot, nur frisches Brot!
Nur keine Hungersnoth!
Bin ich's nicht, das regiert?
Schon reich' ich Dir zum Nacken!
Ich seh' mich exportirt,
Ich fühl' mich schon gebacken.
Nur keine Hungersnoth,
Ihr Staatsutilitarier!
Nur Brot, nur frisches Brot
Für uns're Proletarier!

## Dohlen und Raben auf dem Acker.

Wie tummelt sich auf frischer Saat
Das liebe Völklein alt und jung!
Sie fressen auf den ganzen Staat —
Das ist die Gleichberechtigung!

## Vogelscheuche.

So ein Stecken mit einem Hut,
Das war zu des Tellen Zeiten gut!
Wenn jetzt eine Kron' auf der Stange steckt,
Verloren han sie den Respect.

## Mückenschwarm.

Wie wirbelt die Säule
So mächtig empor
Im sonnigen Knäule
Ein seliger Chor.

Sie flattern so munter
Zu Jupiters Thron,
Und so kunterbunter —
Als Sturmpetition.


### Kröten und Eidechsen.

Wie munter hüpft sich's,
Wie selig schlüpft sich's
Durch's Moos, das klebrig=nasse!
Fragt Niemand nach einem Passe.


### Unter'm Holzapfelbaum.

So streck' ich mich im Schatten hin,
Und schau' in's Blaue, lieg' im Grase. —
„Ich weiß, was ich Dir schuldig bin:
Mein Zehent fällt Dir auf die Nase."


### Hochwald.

Der deutschen Wälder König,
Wo manch' ein Sänger gedichtet,
.Ich rausche jetzt nur wenig —
Sie haben mich stark gelichtet,
Seit sie nicht mehr unterthänig.
Der Holzstoß nimmt Dich Wunder?
Fast jeder Baum ist Leiche!
So brennen sie jetzunder
Im Ofen die Hermannseiche.


### Waldhütte.

Wie romantisch ich Dir scheine,
Etwas Prosa ist dabei;
Einsam bin ich, nicht alleine —
Mich bewacht die Polizei.

### Sangvögelein.

Wir singen und flattern,
Wir zwitschern und schnattern:
„Waldeinsamkeit,
Die uns erfreut
So morgen wie heut'" —
Und Preßfreiheit! Und Preßfreiheit!

### Sumpf.

Unk, Unk, Unk!
Beliebt ein frischer Trunk?
Hier sitzt der Frosch, die Wasserschlang',
Und quakt und zischt — sei nur nicht bang',
Und komm' aus Deiner Stub'
In unseren freien Club!
Unk, Unk, Unk —
Beliebt ein frischer Trunk?

### Uhu.

Wie brütend dort der Vogel sitzt!
Er mahnt mich an die Isispriester;
Und wie's aus hohlem Baume glitzt,
Gleich rothem Gold entgegenblitzt —
Wär's etwa ein Finanzminister?

### Wildniß.

Verirrter Wanderer, auf den Blick!
Ich grenze dicht an's Leben;
Dort unten steht die Spinnfabrik,
Die Eisenbahn daneben;
So aus der wildesten Natur
Entwickelt sich Cultur — Cultur!

### Die Sonne.

Bin ich zu heiß? Das ist ja gut!
Wollt's endlich doch begreifen!
Denn schien' ich nicht so absolut,
So würde gar nichts reifen.

### Mond und Sterne.

Da sammelt sich das Parlament
In weiter Himmelsferne;
Willkommen, Mond, Herr Präsident!
Ihr Deputirten, Sterne!

### Donner und Blitz.

Nichts da! Ihr sollt nicht leuchten
Im Dunkeln und im Feuchten!
Wir spotten Eurer Pracht,
Wir hüllen Euch in Nacht,
Wir jagen Euch davon —
Wir sind die Reaction!

### Wanderer (flieht nach Hause).

„Süße, heilige Natur,
Laß mich geh'n auf Deiner Spur" —

### Schildwache (ruft).

Wer da?

### Wanderer.

Deputirter.

### Schildwache.

Passirt er.

### Wanderer.

Was hilft mir Wies' und Wald und Flur?
Die ganze Weltfabrik?
Aus allem klingt mir wieder nur
Die leid'ge Politik!

## Frühlingslied des Gutgesinnten.

(Im Mai 1849.)

Die Sonne lacht,
Radetzky wacht,
Rings überall ist Leben;
Der Blütenpracht
Und Wrangel's Macht
Kann Niemand widerstreben.

Der Käfer schwirrt,
Der Hecker irrt
In Wüsten und Savannen;
Die Taube girrt,
Vogt ist verwirrt,
Und Gagern zählt die Mannen.

Das ganze Land
Im Festgewand
Des wunderholden Maien —
Ein festes Band:
Belag'rungsstand
Läßt Deutschland nicht entzweien.

Es grünt die Saat,
Bald blüht der Staat,
Es heben sich die Kurse;
Der Sommer nah't,
Der Demokrat
Hält seine letzten Discurse.

Der laute Schall
Der Nachtigall
Weckt alle Liebeskräfte;
Ist ein Krawall,
Kanonenknall —
D'rauf macht man wieder Geschäfte.

Rings Frühlingsgruß
Und Sonnenkuß,
Die Welt wird immer bunter —
Und kommt der Ruff',
Welch' ein Genuß!
Deutschland geht niemals unter.

## Frauenpolitik.

Jung ist der Demokrat
Und jung ist der Soldat;
Sie mögen kämpfen auf Tod und Leben ·
So hielt's von jeher unser Geschlecht,
Dem Sieger will mein Herz ich geben,
Der Ueberwund'ne hat niemals recht.

## Das Leben ein Tanz.

### (Zum 27. September 1849.)

Wien, du Hauptstadt der Phäaken,
Falstaff Du der deutschen Städte,
Dicker, sorgenloser Schlemmer,
Sag', was hat Dich so verwandelt?

Scholz und Nestroy, Deine Liebling',
Zwingen Dir kein Lächeln ab mehr,
Einöd' ist Dein Wurstelprater,
Wie Dein neues Karltheater.

Armes Wien! Die Götter haben
Dich nicht lieb mehr, denn sie nahmen
Dir Dein Liebstes — Deinen Strauß,
Deinen letzten Trost und Ruhm.

Was da singt und klingt und springt,
Alle harmlosfreud'ge Lust,
Heute fördern wir's zur Ruh', heut'
Wird das alte Wien begraben.

Schmückt den Hügel, der es birgt,
Immer frisch mit Blumenkränzen,
Schreibt: „Das Leben ist ein Tanz"
Auf des Wiener Geigers Denkmal!

Ja, das Leben ist ein Tanz!
Altes Wien, Dir war's ein Walzer,
Der zuletzt im tollen Rasen
Bis zum Veitstanz umgeschlagen.

Neues Wien, doch fasse Muth!
Laß Dich aus dem Kreis nicht schleudern,
Blos um zuzuschauen, wie
Die „Dreikönigstänzer" meinen.

Nichts da! Du gehörst zum Ganzen,
Ohne Dich wär' eine Lücke,
Und Du sollst mir noch, das schwör' ich,
Ehrlich Deinen Deutschen tanzen!


## Reaction.

### (1850.)

Lag Einer im Fieber und träumte schwer ——
Kam gleich ein gelehrter Doctor her,
Der gab ihm Mittel und trieb den Schweiß,
Und reagirte auf Kopf und St—;
Bald war vorbei das Delirium,
Der Kranke schlug nicht mehr herum,
Lag ruhig da und athmet' kaum,
Es wich das Uebel, es wich der Traum.
Stolz saß der Doctor am Krankenbett,
Es dankten ihm Alle um die Wett'; —
Der Patient im süßen Frieden
Indessen war aus Schwäche verschieden.

## Genesis der Revolution.

Raubritters Söhn' — man nennt sie Ständ' —
Die han zuerst sich aufgelehnt;
Hofräthe setzten sich zur Wehr,
Und Actenstaub flog hin und her.
Kam drauf die kecke Jugend frisch
Und schmiß die Acten unter'n Tisch,
Zerbrach auch einige Fensterscheiben —
Im Ganzen war's ein lustig Treiben.
So ward befreit das Volk, der Thron —
Man heißt das: Constitution;
Volkswehr und Preßfreiheit dabei,
Verbrüderung und noch Allerlei!
Und über Nacht, das geht gar schnell,
Wird Jeder constitutionell.
Und so bekommt noch seinen Lohn,
Der erst gemacht Rebellion,
Raubritters edler, reuiger Sohn —
Das ist die Genesis der Revolution. —

Hat Einer drüber ein Buch geschrieben —
's wär' besser in der Feder blieben.

---

## Der Missionär.

Mitten unter wilden Völkern
Hielt er muthig eine Rede,
Wie so schlecht und unmoralisch
Das Geschäft des Menschenfressens.

Und sie hören zu, aufmerksam.
Und zum Schlusse sagt ein Wilder,
Naß das Auge, tief gerührt:
„Kann's nicht lassen — schmeckt zu gut!"

---

## Proletariers Anmuth.

Wie die Reichen mich verdrießen,
Die den Mammon, den ererbten,
Unbarmherzig frech genießen,
Die Selbstsüchtigen, Verderbten!

So die Leute mit Talenten,
Sogenannte Literaten,
Die bei ihren Geistesrenten
Gar nicht übel sind berathen.

Brauchen wir die Talentirten
Die an Adels Stelle treten?
Oder auch die Deputirten
Mit den ewigen Diäten?

Ich bin Mensch und weiter gar nichts,
Menschenwürde muß man ehren;
Ich besitze nichts und spar' nichts,
Darum soll man mich ernähren.

Arbeit scheu' ich, das versteht sich!
Ordnung mag ein Andrer loben!
Doch Geduld — die Welt, sie dreht sich
Und wir kommen noch nach oben.

## Ex-Freund.

(Unter dem Ministerium Bach.)

Bester, ei Du bist verändert —
Doch das liegt im Lauf der Zeit!
Schlägst ein Kreuz und gehst bebändert,
Gehst uns aus dem Wege weit.

Lächeln muß ich solchem Wesen!
Täusche Du die Welt, nicht mich!
Bist Du nicht mein Freund gewesen,
Liberaler fast als ich?

---

## Kleine Beamte.

Im Stillen untergräbt den Staat,
Wird gegen ihn sich rüsten
Das neue Proletariat:
Verheiratete Kopisten.

Sie sind eine Macht, sie sind ein Heer,
Sie trotzen allen Gewalten,
Und unzufrieden sind sie sehr
Mit ihren kleinen Gehalten.

Sie zeugen Kinder, hohl und bleich,
Die zum Bureau Verdammten;
Zitt're, Du großes Oesterreich,
Vor Deinen kleinen Beamten!

Und sie hören zu, aufmerksam.
Und zum Schlusse sagt ein Wilder,
Naß das Auge, tief gerührt:
„Kann's nicht lassen — schmeckt zu gut!"

---

## Proletariers Anmuth.

Wie die Reichen mich verdrießen,
Die den Mammon, den ererbten,
Unbarmherzig frech genießen,
Die Selbstsüchtigen, Verderbten!

So die Leute mit Talenten,
Sogenannte Literaten,
Die bei ihren Geistesrenten
Gar nicht übel sind berathen.

Brauchen wir die Talentirten
Die an Adels Stelle treten?
Oder auch die Deputirten
Mit den ewigen Diäten?

Ich bin Mensch und weiter gar nichts,
Menschenwürde muß man ehren;
Ich besitze nichts und spar' nichts,
Darum soll man mich ernähren.

Arbeit scheu' ich, das versteht sich!
Ordnung mag ein Andrer loben!
Doch Geduld — die Welt, sie dreht sich
Und wir kommen noch nach oben.

Gute Bürger werden d'rum
Nicht auf Truggerüchte hören,
Ausgeheckt von der Partei,
Rastlos thät'gen, des Umsturzes.

Ausgetreten, das ist richtig,
Sind zwar einige Gewässer,
Doch die Anstalt ist getroffen,
Daß sie wieder sich verlaufen.

Ruh'ge Bürger werden d'rum
Sich zur eig'nen Sicherheit
Still und brav zu Hause halten,
Und abwarten den Verlauf.

Sollte wider all' Vermuthen
Diese Welt doch untergeh'n,
Hat man sich mit einem Passe
Nach dem Jenseits zu verseh'n."

---

# Ein Büchlein von den Wienern.

### (1858 u. s. w.)

## I.

## Genesis der Stadt.

Das alte Wien, behaupten keck
Gewisse Geschichtsverdreher,
Erbauten zu ihrem Handelzweck
Phönicische Hebräer.

## Veränderte Bestimmung.

Längst gereinigt ist die „Aula",
Gleich dem Stalle des Augias,
Von Kroat'scher Martis-Söhne
Mist und kriegerischen Keulen;
Nisten werden dort Minerva's
Vierzig weise, blinde Eulen.

## Minister-Rath.

„Gleich sechse!" ruft der Präsident —
„Entscheidet Euch, Ihr Herren, frisch!
Centralisirung oder nicht?
Ich bin geladen, ich muß zu Tisch." —

Es wirkte die Mahnung an den Bauch,
Zu Tische wollten die Andern auch —
Schnell kam in diesem glücklichen Lande
Das wichtigste Statut zu Stande!

## Ex-Freund.

### (Unter dem Ministerium Bach.)

Bester, ei Du bist verändert —
Doch das liegt im Lauf der Zeit!
Schlägst ein Kreuz und gehst bebändert,
Gehst uns aus dem Wege weit.

Lächeln muß ich solchem Wesen!
Täusche Du die Welt, nicht mich!
Bist Du nicht mein Freund gewesen,
Liberaler fast als ich?

---

## Kleine Beamte.

Im Stillen untergräbt den Staat,
Wird gegen ihn sich rüsten
Das neue Proletariat:
Verheiratete Kopisten.

Sie sind eine Macht, sie sind ein Heer,
Sie trotzen allen Gewalten,
Und unzufrieden sind sie sehr
Mit ihren kleinen Gehalten.

Sie zeugen Kinder, hohl und bleich,
Die zum Bureau Verdammten;
Zitt're, Du großes Oesterreich,
Vor Deinen kleinen Beamten!

---

## Halb-officieller Artikel.

### (Zur Zeit der Reaction.)

Wär's bewiesen mathematisch,
Daß die Welt dem Untergange
Nah', und daß die Erde morgen
Von dem Meer verschlungen würde —

Eine Stunde noch vorher
Würde das die Zeitung läugnen,
Und im Wiener Moniteur
Stünde folgender Artikel:

„Wühler haben ein Gerücht,
Ein grundfalsches, da verbreitet,
Das in sich zerfällt und das wir
Näher nicht bezeichnen wollen.

Amtlich ist es nachgewiesen,
Daß ein „sicherer" Planet,
Dem man nachsagt, daß er kränkle,
Sich vollkommen wohl befindet.

Der Gesundheitszustand ist
Ueberhaupt beruhigend;
Man verspricht sich gute Ernte,
Handel blüht und Industrie.

Eben so die Wissenschaft.
Die Akademie berechnet,
Daß das Alles noch so fortgeht
Zweimal hunderttausend Jahre.

Gute Bürger werden d'rum
Nicht auf Truggerüchte hören,
Ausgeheckt von der Partei,
Rastlos thät'gen, des Umsturzes.

Ausgetreten, das ist richtig,
Sind zwar einige Gewässer,
Doch die Anstalt ist getroffen,
Daß sie wieder sich verlaufen.

Ruh'ge Bürger werden d'rum
Sich zur eig'nen Sicherheit
Still und brav zu Hause halten,
Und abwarten den Verlauf.

Sollte wider all' Vermuthen
Diese Welt doch untergeh'n,
Hat man sich mit einem Passe
Nach dem Jenseits zu verseh'n."

————

# Ein Büchlein von den Wienern.
## (1858 u. s. w.)

### I.

## Genesis der Stadt.

Das alte Wien, behaupten keck
Gewisse Geschichtsverdreher,
Erbauten zu ihrem Handelzweck
Phönicische Hebräer.

Erzähl's dem Leser nur zum Spaß,
Und nicht zu ernster Erwägung;
In Hormayr's Schriften findet man das
Dabei auch die Widerlegung.


Doch angenommen, es wäre wahr,
Was so gefabelt die Alten,
Es hätten die Juden geherrscht, sich gar
Als Herrscher bis heut' erhalten —


Von Juden würd' es wimmeln jetzt
In allen Facultäten,
Und alle Stellen wären besetzt
Mit jüdischen Hofräthen.


Es wär' ein Hebräer Referent
In jedem Viertel und Kreise,
Vielleicht fungirte als Präsident
Im Reichsrath „Nathan der Weise“.


Doch säß' wohl der, längst fortgedrängt,
Im „wohlverdienten“ Ruhstand!
Ein Jud' hätt' über uns verhängt
Auch den Belagerungszustand.


Wir Christen wären unterdrückt
Und unterjocht geblieben,
Doch hätten wir uns d'rein geschickt,
Und später Handel getrieben.


Von reichen Christen wären da
Erfüllt Comtoire und Buden,
Das Geld im Sack, auslachten wir ja
Die dummen und armen Juden.

Wir wären die Herren mit unserm Geld,
Mit unserm Tauschen und Tauscheln!
Was kümmert's uns in aller Welt,
Daß Hofton jetzt — das Mauscheln!

Daß „Eitel Itzig" stolz behängt
Mit dem Kammerherren-Schlüssel,
Daß als Hof=Leib=Vorschneider sich drängt
Der „Löbeles" mit der Schüssel!

Doch ist das leider aus alter Zeit
Nur Fabel der Chronisten;
Reich sind die Juden und gescheidt,
Und wir sind — arme Christen.

So manches alten Hebräers Grab
Ward zwar bei Wien gefunden,
Doch stammt Vindobona von Römern ab,
Ist noch mit Rom verbunden.

Und hatt' uns auf den Hals gehetzt
Freischaren der heilige Vater,
So ist das ja vorüber jetzt,
Geschlossen der flammende Krater.

Der heilige Vater ist wieder in Rom,
Vorüber das Toben und Tosen;
Ihn schützen in Sankt Peter's Dom
Napoleon's Franzosen.

Wir auch, wir sind des Krieges satt,
Wir gute und friedliche Wiener;
D'rum schlossen wir ab das Concordat,
Der Kirche getreue Diener.

So ftreuen wir ohn' Unterlaß
Den friedlich frommen Samen,
Mit Klingelbeutel und Weihrauchfaß
Und Peterspfennig. Amen.

---

## II.

## Bamſchabel.

Der „Baumſchaber" hieß ein Bürger der Stadt
Der Name ift keine Fabel,
Der fich bis heut' auch erhalten hat
Im Wiener=Wort: „Bamſchabel!"

„Bamſchabel" heißt — bornirt? Doch nein!
Man kann's nicht expliciren,
Man muß ein geborner Wiener ſein,
Das Wort ganz zu goutiren.

„Bamſchabel" ſchwankt ſo hin und her;
Der Mann, von dem es ſtammte,
War 'n ſimpler Bürger — doch paßt's auch ſehr
Auf hochgeſtellte Beamte.

Einft kannt' ich Einen, hieß Ercellenz,
Man folgte ſeinem Rathe,
Und alles erwies ihm Reverenz,
War Einer der Erften im Staate.

So ein österreich'scher Censor
Sprach vor etwa vierzig Jahren;
Wörtlich weiß ich's nicht — doch schwör' ich,
Daß es die Gedanken waren!

Und im Leben hat der Mann
So gesprochen wohl nur Ein Mal,
Trocken saß er sonst und stumm,
Wie auf einem Grab das Stein-Mal.

Und am nächsten Morgen saß er
Als Beamter am Censur-Tisch,
Streng, gewissenhaft und Pflicht-treu
Strich er jede Geistes-Spur frisch.

Einmal kam er frühen Morgens
In's Bureau, begann zu schreiben,
Stand dann wieder auf — die Unruh'
Ließ ihn nicht im Zimmer bleiben.

Durch die düstern Gänge schritt er
Starr und langsam wie in Träumen,
Der Kollegen Gruß nicht achtend,
Stieg er nach den obern Räumen.

Steht und stiert durch's off'ne Fenster,
Draußen wehen Frühlingslüfte,
Doch den Mann, der finster brütet,
Haucht es an wie Grabesdüfte.

An dem off'nen Fenster kreiselt
Sonnenstaub im Morgenscheine —
Und der Mann lag auf der Straße
Mit zerschmettertem Gebeine.

Doch hör' ich's noch schwirren und knistern
Die Hexen zu ihrer Pein
Im Zauberschlafe flüstern,
Sind eingemauert im Stein.

Wir hatten die alten Häuser
Mit Höfen und Winkeln so gern!
Da spielten wir König und Kaiser,
Und Ritter und vornehme Herrn.

Da haben wir Knaben verrichtet
Gar Großes in unf'rer Idee;
Es war die Zeit, wo gedichtet
Der ritterliche Fouqué.

Es war die Zeit des Tirannen,
Des großen Napoleon;
Doch jagte man ihn von bannen,
Zu Gunsten des dicken „Bourbon."

Es war die Zeit der Waffen,
Der Gottesseligkeit;
Nichts als Soldaten und Pfaffen
In der „deutsch=romantischen" Zeit!

Da griffen mit Verzücken
So Görres als Ludwig Tieck,
Die Neo=Katholiken,
In's Mittelalter zurück.

Und Polizei und Päffe
Florirten in jener Zeit,
Auch sorgten die „Congreffe"
Für Deutschland's Sicherheit.

Und hieß es nach vielen Jahren:
„Der Liszt ist wieder hier!"
Da war ein großes Treiben,
Gestimmt ward jedes Klavier.


Der Meister aber gab sich
Zum Spiele nicht wieder her;
Er war Schriftsteller geworden,
Gelehrter und Compositeur.


Die schönen langen Haare
Sind grau geworden meist,
Die Miene gar ernst und strenge,
Doch zeigt sie noch Feuer und Geist.


Er hatte wohl auch noch etwas
Vom fascinirenden Blick,
Im Ganzen doch war's der Eindruck
So mehr von Zukunfts-Musik.


Und in den deutschen Journalen
Ward damals referirt,
Daß er den Franziskanern
Als Bruder sich affiliirt.


Ist das der frische Junge,
Das feurige Ungar-Blut?
Champagner geword'ner Tokaier,
Bezaubernder Uebermuth?


Ist das der Liebling der Damen?
Der Kunst hellstrahlender Stern?
Ein Frater in der Kutte!
War das des Pudels Kern?

Und der Komiker, bejubelt,
Ist doch innerlich zerrissen,
Schwankend zwischen Idealen
Und papierenen Coulissen.

Die Gestalten, die er schafft,
Grinsen ihn wie höhnisch an —
Und so wird er bald sein eig'ner
„Rappelkopf" und „Aschenmann."

Und sein eig'nes Lied, das alte:
„Scheint die Sonne noch so schön" —
Summt er brütend vor sich hin:
„Einmal muß sie untergeh'n!"

Und es treibt ihn durch die Klüfte,
In Verzweiflung, in's Verderben,
Bis er naht der unbekannten
Ewigkeit, sie nennen's sterben.

Poesie, der höchste Schmerz,
Nagt in seines Herzens Grund —
Ungenügen heißt der wilde
Schwarze Dämon, „tolle Hund!"

Angeschmiedet war der Dichter
An den Fels Melancholie,
Und ein Geier fraß das Herz ihm,
Riesen=Geier: Phantasie.

# V.

## Castelli.

(† 1862.)

Es schuppt die Wiener Köchin
Den Fisch bei lebendigem Leib;
Noch schlimmer mit den Krebsen
Verfährt das grausame Weib.

Die Krebse mit schwarzen Kutten
Die schmeißt sie in den Topf,
Und kaltes Brunnenwasser
Gießt ihnen über den Kopf.

Froh sind die schwarzen Krebse
Erst über das kühlende Naß,
Sie krabbeln durcheinander
Und murmeln ein Gratias.

Der schwarze Krebs am Feuer,
Nach langer, langer Qual,
Gradatim durchgesotten,
Wird endlich Krebs-Cardinal.

Da sitzen im Conclave
Der Schüssel sie ringsherum,
Die krabbelnden schwarzen Krebse
Sie sind jetzt roth und stumm.

Ein Dichter ist barmherzig,
Ein Dichter kennt die Natur;
Er liebt die Blumen, nicht minder
Die thierische Creatur.

enfeld. Gesammelte Schriften XI. Bd.

So hatte der alte Castelli
Auch nimmer Ruh' und Rast,
Bis er ein ganzes Gesetzbuch,
Ein thierisches, verfaßt.

Den Dichter unterstützen
Da im Bureau die Herrn;
Und wär's für Ratten und Mäuse,
Gesetze machen sie gern.

Die armen krabbelnden Krebse
Sind ewig dankbar dafür;
Jetzt werden legal sie gesotten
Bei achtzig Grad Réaumur.

Auch über die Karpfen und Hechte
Ist längst das Urtheil geschöpft;
Sie werden geschuppt wie früher,
Doch werden sie erst geköpft.

Und martert ein Bube die Katzen,
So wird er flugs verklagt;
Auch Finken und Dichter zu blenden
Ist strenge untersagt.

Castelli, mein Alter, Guter,
Mit Recht bekämpftest Du frei
Als letzter alter Wiener
Die alte Barbarei.

Uns Dichter, stumme Fische,
Gesetzlose Creatur —
Uns schuppte damals lebendig
Die alte Köchin, Censur.

# Neue Zeit.

Sie haben Dir Deine Gedanken
Und Deine Stücke zerstückt,
Die Blüthen Deiner Reimlein
Mit plumper Hand geknickt.

Du haft, voll Patriotismus,
Gepackt den Napoleon
Als guter Oesterreicher
Mit keck gereimtem Hohn.

Und tratſt Du dem Welt-Thrannen
Entgegen mit Liebeskraft,
Da ſagte Dir Dein Kaiſer:
„Wer hat Ihnen's denn g'ſchafft?" —

Du haßteſt die zahmen Thrannen,
Du liebteſt Geſang und Wein,
Und auch die Weiber — wollten
Sie nicht geheirathet ſein.

Biel tauſend luſtige Streiche
Erzählen die Leute von Dir —
Aus altem Oeſterreiche
Klingt das wie Mährlein ſchier.

Du hieltſt Dir auch zwei Hunde
(Die Rache iſt ſo ſüß!)
Wovon der Eine „Sedl",
Der andere „Nitzli" hieß.

———————————

So hatte der alte Castelli
Auch nimmer Ruh' und Rast,
Bis er ein ganzes Gesetzbuch,
Ein thierisches, verfaßt.


Den Dichter unterstützen
Da im Bureau die Herrn;
Und wär's für Ratten und Mäuse,
Gesetze machen sie gern.


Die armen krabbelnden Krebse
Sind ewig dankbar dafür;
Jetzt werden legal sie gesotten
Bei achtzig Grad Réaumur.


Auch über die Karpfen und Hechte
Ist längst das Urtheil geschöpft;
Sie werden geschuppt wie früher,
Doch werden sie erst geköpft.


Und martert ein Bube die Katzen,
So wird er flugs verklagt;
Auch Finken und Dichter zu blenden
Ist strenge untersagt.


Castelli, mein Alter, Guter,
Mit Recht bekämpftest Du frei
Als letzter alter Wiener
Die alte Barbarei.


Uns Dichter, stumme Fische,
Gesetzlose Creatur —
Uns schuppte damals lebendig
Die alte Köchin, Censur.

Alles jubelt da entgegen
Seinen Witzen und Sarkasmen,
Wiener Bürgerthum wie Adel
Liegt in wahren Lachkrampf-Spasmen.

Und so kam es, daß in Kurzem
Alles voll war seines Ruhmes,
Und zum Flügelmann er wurde
Unser's Wiener Lumpenthumes!

———— — — ··—··

## XI.

### Bruder Augustin!

Bruder Lustig, der vor langer,
   Langer Zeit gelebt in Wien,
Einen Gassenhauer sang er:
   „O Du lieber Augustin!"

Sehr beliebt beim großen Haufen
   War der Bruder Augustin,
Konnte musiciren, saufen,
   Und dann sang er: „'s Geld ist hin!" —

Seitdem sind die lieben Wiener
Lauter Brüder Augustiner!

————————

## XII.

### Die „Hetze".

In dem alten Wiener Hetzhaus
Da bekämpften sich die Stiere,
Bären auch zu Volk's Ergötzen —
Wilde Menschen, wilde Thiere!

Wird, Gott Lob, nicht mehr gehetzt,
S'ist kein Kampf und kein Gebrülle,
Milder sind die Sitten jetzt,
Selbst die Ochsen schreiten stille.

---

## XIII.

### Viribus unitis!

Wir leben jetzt in den Zeiten
Der praktischen Philosophie,
Die Welt will sich erneuern
Mit Hilfe der Chemie.

In München dort der Liebig,
In Zürich der Moleschott,
Der Eine braut Bier, backt Semmeln,
Der Andere kocht gar Gott.

Alles jubelt da entgegen
Seinen Witzen und Sarkasmen,
Wiener Bürgerthum wie Adel
Liegt in wahren Lachkrampf-Spasmen.

Und so kam es, daß in Kurzem
Alles voll war seines Ruhmes,
Und zum Flügelmann er wurde
Unser's Wiener Lumpenthumes!

———— — · · ——·

## XI.

### Bruder Augustin!

Bruder Lustig, der vor langer,
    Langer Zeit gelebt in Wien,
Einen Gassenhauer sang er:
    „O Du lieber Augustin!"

Sehr beliebt beim großen Haufen
    War der Bruder Augustin,
Konnte musiciren, saufen,
    Und dann sang er: „'s Geld ist hin!" —

Seitdem sind die lieben Wiener
    Lauter Brüder Augustiner!

Für Ungar, Italiener,
Deutsch=Oesterreicher, Kroat —
Gibt's nur Ein Centralistren:
Man mache sie alle satt.


Und dreht sich frisch der Bratspieß,
Wir essen durch sogleich
Uns viribus unitis
Zum einigen Oesterreich!


## XIV.

## Wiener Dialekt.

Johannis=Beer ist süße Frucht,
Doch süßer klingt: „Ribisel";
Der Deutsche sagt: „Ein hübsches Gesicht"!
Der Wiener: „A hübsch G'friesel"!


Die deutschen Jungfrau'n zieren sich
Spröd=ernsten Wesens, strengens;
Die Wienerin hält sich den Mann vom Leib,
Und lacht und sagt: „Jetzt gengen's!"


Und wenn er dringend wird und spricht
Von seinem gebrochenen Herzen,
Dann schaut sie ihm ernsthaft in's Gesicht:
„Sonst haben's keine Schmerzen?"

Aus Säuren und Elementen
Besteht der Mensch, der Mann,
Und auf die Nahrungsstoffe
Darauf kommt Alles an!

Es ist die Menschenseele,
Wie sie sich birgt und duckt,
Nur ein, aus chem'schen Processen
Hervorgegang'nes Produkt.

Die Säuren werden Oxyde
Durch Destillation —
Vielleicht ist der Seelenfriede
Blos Oxydation.

Und wechselt die Nahrungsstoffe
Der Mensch, die Nation,
Gelangen sie zur neuen
Organisation.

Die Deutschen im Mittelalter
Die aßen derb und brav,
D'rauf nickten sie ein im langen
Jahrhundert-Nachmittags-Schlaf.

So gebt den braven Völkern —
(Das hilft zu jeder Frist)
Gebt ihnen gesunde Nahrung!
„Der Mensch ist, was er ißt."

Glaubt mir, eine tüchtige Küche
Taugt mehr als jedes Statut;
Gut essen, gut verdauen
Macht Menschen und Völker gut.

Herr Knöpfelmeier als Industrieller
War überdies ein Kopf, ein heller,
Und hatte ganz gesunde Begriffe
Von Gewerb=Freiheit, vom Zoll=Tariffe —
Nach List'schen Theorien.

Da kam der März — und Knöpfelmeier
Ein Bürger plötzlich wird, ein freier,
Zugleich auch National=Gardist,
Weiß nicht, wie ihm geschehen ist —
Herr Knöpfelmeier wird Wahlmann.

Und Reden ertönen auf allen Gassen,
Ein Jeder will helfen mit verfassen,
Ein Jeder helfen mit regieren,
Ein neues Oesterreich construiren —
Und Alles schwärmt für Deutschland!

Hofräthe gehen da im Stürmer,
Und ganz gewöhnliche Erdenwürmer
Hoch zu Ministern werden erhoben —
Der Herr kann seine Diener loben!
War wenig Ruh' und Ordnung.

Im Stillen denkt Herr Knöpfelmeier,
Die Sache sei nicht recht geheuer;
Die Garden müssen ausmarschiren,
Schlecht steht es mit den Staatspapieren —
Die „Grenzboten" liest Niemand.

Herr Knöpfelmeier im Monat Mai
Ruft aus: „Weh! nun ist Alles vorbei!"
Stellt weg die Flinte, vor Schrecken krank,
Und holt sich Zwanziger aus der Bank;
Flugs wendet Wien den Rücken.

Dort haust gar wild der Demokrat,
Bald aber trommelt der Kroat,
Und macht ein End' dem tollen Reich,
Schafft Ruh' und Ordnung alsogleich,
Erobert das Burgtheater.


Herr Knöpfelmeier kehrt nach Haus,
Zerschossen war's — macht sich nichts d'raus;
Ein Pereat den März-Idussen!
Wir haben jetzt die lieben „Russen" —
Die helfen uns in Ungarn.


Und so geschah's! Beruhigt waren
Die Italiener, die Magyaren; —
Doch plötzlich wieder sich Wolken thürmen,
Droht Politik mit neuen Stürmen —
Wir haben Krieg mit Preußen!


Macht der Berliner sich mobil,
Das ist kein Spaß, das ist kein Spiel!
In diesen Tagen Alles trübt sich,
Das Silber steht schon über siebzig —
Die Eier geh'n mit Agio.


Die Wiener Hausfrauen lamentiren,
Eilt Jede sich zu verproviantiren;
Enorm da werden hinauf getrieben
Die Erdäpfel und die gelben Rüben,
Und auch die sauern Gurken.


Doch lösen sich die bangen Zweifel,
Als Friedenstaube kommt Manteufel
Flugs nach Kremsier, Oelzweig im Munde;
Es haben noch in der „eilften Stunde"
Die Preußen nachgegeben.

7*

Kaum freu'n sich die Leute über die Wendung
Naht wieder ein Bote mit böser Sendung:
Der Nikolaus, der Ordnungsmacher,
Steht plötzlich auf als Kriegs-Anfacher —
Die bösen — lieben Russen!

Zerrissen die alten Liebes-Bänder,
Wir halten's jetzt mit dem Engelländer
Und mit dem Mann auf Frankreich's Thron,
Mit dem klugen Louis Napoleon —
Dem neugeback'nen Kaiser!

Hat jede Zeit so ihren Heiland!
Auf ihn hofft Knöpfelmeier, wie weiland
Auf Louis Philippe und Metternich,
Die Tage folgen und gleichen sich —
Wir haben jetzt „Conferenzen".

Die Staatsmaschine thut sich rühren,
Ist bald ein groß Organisiren,
Herr Knöpfelmeier als Mann der Stadt
Zeigt Eifer als „Gemeinderath" —
Erbaut „Commoditäten".

Ist gut gesinnt Herr Knöpfelmeier,
Der ehmals liberale Schreier;
Der Tages-Richtung an sich schließt,
Sein Credo: „Der kleine Kapitalist" —
Geht täglich auf die Börse.

Fern sind wir jetzt jedwedem Umstürzen,
Wir würden ja nur uns selbst verkürzen,
D'rum müssen uns gegenseit unterstützen,
Da wir sämmtlich Staatspapiere besitzen —
So meint Herr Knöpfelmeier!

## Historisch-politisches Resumé.

### (1858.)

Was man auch fable, was man dichte,
Real war immer die Weltgeschichte,
Staats-ökonomisch — das zeigt sich schon
Bei der großen Revolution
Vom Jahre neun und achtzig.

Ein König trug die Idee im Kopfe:
Der Bauer soll haben sein „Huhn im Topfe";
Das ärgert die privilegirten Stände,
Sie dungen dem König Mörder-Hände —
Leer blieb der Topf des Bauern.

Aristokratie und Geistlichkeit
Besaßen das „Huhn" geraume Zeit;
Das Volk nach langem Murren und Schweigen
Zerbrach die alten Hühnersteigen —
Das Huhn flog in die Lüfte!

Die Leute schlugen sich auf den Kopf,
Doch Keiner besaß das Huhn im Topf;
Da kam der große Napoleon,
Der Schließer der Revolution —
Und suchte das Huhn in Deutschland.

Der große Napoleon mußte stürzen
Durch sein Verbot von Kaffee und Gewürzen;
Den deutschen Frauen unangenehm
War dieses Continental-System,
Den deutschen Kaffee-Schwestern.

D'rum rüsteten sich die deutschen Männer,
Und auch die deutschen Kaffeebrenner;
Sie stifteten den Tugend-Bund,
Haß gegen Cichorien gaben kund,
Und andere Surrogate.

Sie kämpften die Völkerschlacht bei Leipzig,
Die deutsche Hausfrau wieder reibt sich
Seitdem den echten Mokka-Kaffee,
Napoleon kriegte seinen Thee
Und Deutschland seine Freiheit.

Ein Jubel war in jenen Tagen,
Man aß und trank, sorgt' für den Magen,
D'rum heißt auch die Zeit: „Restauration" —
Ward hergestellt Altar und Thron,
Und ein Congreß gehalten.

D'rauf wurde gegen die Dämagogen
Mit ernster Miene losgezogen,
Auch gegen die böse freie Presse —
Daß Niemand jemals sie vergesse
Die Karlsbader-Beschlüsse!

Da gab's entsetzlich Klagen und Jammern
So in den kleinen deutschen Kammern,
Doch Wien und Berlin ging Hand in Hand,
„Was ist des Deutschen Vaterland"
Verboten war's zu singen.

Ein Friede herrschte bald, ein stiller;
Mit Schlegel im Bunde und Adam Müller
Tieck die „Romantik" da erfand,
Heißt aufgewärmt jetzt: „Amaranth" —
Im Grunde heißt es gar nichts!

Das Huhn — so ist's denn weiter ergangen —
Von Krämern und Juden ward eingefangen,
Die thäten es sorgsam hegen und pflegen,
Und ließen es goldene Eier legen,
Was „juste milieu" man nannte.

Das Huhn beschützen jetzt die Soldaten,
Sonst möcht's der Pöbel gern rupfen und braten;
Es ist ein Treiben fast dämonisch!
Wir Uebrigen sind „staats=ökonomisch",
Man nennt's auch „Communismus".

Vorüber die alten Heldenzeiten!
Selbst bei Sebastopol das Streiten
Ist, wie wir in den Zeitungen lesen,
Nur für „Staatswirthschaftszwecke" gewesen
Und für „Cultur=Int'ressen".

Gegründet ist die neue Base,
So sind wir gerathen in diese Phase,
Und bleiben wohl bis zu unserm Tode
In dieser Uebergangs=Periode —
Und zahlen uns're Steuern!

# Der weise König Salomo und der Spatz

## (Perfische Legende.)

In dem Tempel Salomonis
Stand der große König finnend;
Vor dem Fenster auf dem Bäumchen
Prahlt ein Spatz zu seiner Spätzin:

„Elfenbein und Gold die Säulen!
Die Verschwendung, Gottes Wunder!
Stoß' ich d'ran mit Einem Beine,
Flugs in Trümmer fällt der Plunder." —

Und der weise König zürnend:
„Meinen Tempel willst Du brechen,
Kleiner Schwächling, dummer Spatz?
Welche Kühnheit, welch' Erfrechen!" —

D'rauf das Spätzlein: „Weiser König!
Ob wir so Dich nennen sollen?
Hab' ja dort nur meinem Weibchen
Meine Mannskraft rühmen wollen!"

## Das letzte Abenteuer.

(Erinnerung aus den fünfziger Jahren.)

Anno damals dacht' ich wenig
Meiner Jahre, wollte gleichen
Unsern jüngsten Liebesleuten,
Auch in ihren dummen Streichen.

Stunden galt es zu erhaschen,
Wollt' ich mich der Holden nähern,
Oft in Schnee und Regen harrt' ich,
Bis sie schlau entschlüpft den Spähern.

Anno damals bin ich etwas
Buch- und schreibe-faul gewesen,
Nur in ihren schönen Augen,
Schönem Herzen wollt' ich lesen! —

Doch es gab auch Streit bisweilen
Liebchen war sehr eifersüchtig;
Ging ich zur Theaterprobe,
Ward ich ausgescholten tüchtig.

„Mit geschminkten Primadonnen
Sollst Du nicht herum dich treiben,
Brauchst auch, wenn ich's recht bedenke,
Keine Stücke mehr zu schreiben.

„Dichten macht zerstreut — drum will ich,
Komm' ich wieder, Dir zerstören
All' die dummen Manuscripte!
Mir nur sollst Du angehören." —

Folgt' ich ihr in allen Dingen,
Grausam bleibt's von meiner Schönen,
Wollt' sie auch das lang gewohnte
Kartenspiel mir abgewöhnen.

Gold'nes Herz und gold'ne Seele
Sonst in dieser einzig-Einen!
Kindern gleich, in Einem Sacke
Hatte Lachen sie und Weinen.

Weiber, weiß ich, haben Launen,
So nicht minder meine Herrin;
Stunden gab's — mein liebes Närrchen
Wurde da zur vollen Närrin.

Heute sanft und morgen glühend,
Drauf ein plötzliches Erkalten,
Wieder Klagen, Thränen, Stürme —
Kurz, es war nicht auszuhalten! —

Süße Zeit der ersten Liebe,
Wo man recht von Grund sich aussehnt,
Ein Gemengsel von Gefühlen,
Das zur Ewigkeit sich ausdehnt!

Aber wenn in reifen Jahren
Die Gefühle frisch erwachten,
Die Dir neue Jugend bringen,
Das ist auch nicht zu verachten.

Wie's vor Jahren mich durchglühte,
Heut' empfind' ich's noch, das Feuer —
Und somit bereu' ich nimmer
Dieses „letzte Abenteuer!"

―――――――――

# Beatus ille!

(Im niederländischen Styl.)

(1870.)

Im Schatten lagern derb und breit
Die tüchtigen Wiederkäuer,
Der Bauer ist bei der Arebeit,
S'gibt gute Fechsung heuer.

Die Buben helfen dem Vater treu,
Sie sind auf's Mäh'n versessen,
In Bündeln häufen sie das Heu,
Die Mutter bringt das Essen.

D'rauf zu den Thieren lagert der Mann,
Die Buben lachen und boxen —
Glücklich der Bauer mit seinem Gespann,
Noch glücklicher die Ochsen!

## Zum Romanzero.

### (1871.)

Wie er sich den Schnabel wetzt,
Jenseits noch, der kecke Spötter!
Schau' Dein Frankfurt — preußisch jetzt
Mit den Preußen sind die Götter.


Haben schon bei Sadowa
Großen Ruhm davon getragen,
Und zuletzt mit Gloria
Packen gall'schen Hahn beim Kragen.


Und als Kaiser krönt man bald,
Denk' Dir, einen Hohenzollern!
Hörst Du, wie der Jubel schallt?
S'ist ein Traum! Gibt's einen tollern? —


Als der Dichter das erfuhr
D'rüben in Elysium's Räumen,
Ward er, heftig von Natur,
Wüthend fast, die Lippen schäumen:


„Deutsche", rief er, „sind verrückt,
So die Großen wie die Kleinen;
Ist's die Krone, die beglückt?
Kaiser! Pah! Wir brauchen keinen!

„Hab' ich einen großen Mann
Einst besungen und bewundert —
Scheltet Ihr ihn auch Tyrann,
Er beherrschte das Jahrhundert!

„Denn nur seines Namens Klang
Hob auf seinen Thron den Vetter,
Der, sein Aefflein, herrschte lang,
Bis zum deutschen Schlachtenwetter.

„Habt Ihr nun ihn weggeputzt
Diesen kleinen Kaiser-Affen,
Sagt, zum Teufel, was es nutzt,
Einen neuen flugs zu schaffen?

„Deutsches Wesen ändert nie,
Und die Dummheit scheint unsterblich!
Rückendörre, Monarchie —
Ist denn jedes Uebel erblich?"

## Grillparzer=Feier.

### (Am 15. Jänner 1871.)

Nach dem Helikon, vier Treppen —
Hoch, wie gern die Musen wohnen,
Seht nur, wie sich mühsam schleppen
Keuchende Deputationen!

Tragen Ordensband und Stern,
Herrenhauses feste Säulen —
Fast nur lauter alte Herrn,
Fortschrittsmänner, die nicht eilen.

Ihnen folgen and're Alte,
Aber noch voll Schreibekraft;
Daß Dein Eifer nie erkalte,
Akademie der Wissenschaft!

And're noch zu ihnen halten:
Ausschuß vom Gemeinderathe,
Von dem wackern, wohlbestallten
Straßenreinigungs=Senate.

Und noch and're Greisen=Chöre
Seh' ich an dem Thore harren,
Die Theater=Regisseure
Steigen aus dem Thespiskarren.

D'rauf ein Kranz von edlen Damen,
Neigen sich dem Greise tief,
Wollen mit des Dichters Namen
Schmücken einen „Stiftungsbrief".

Nimmer soll die Kunst veröden,
D'rum ein Preis nach Dichters Wahl
Für den jüngeren Tragöden —
Weilen oder Mosenthal.

Oder mögen neue Lichter
Durch den Preis gelockt erstehen,
Mögen krönen künft'ge Richter
Künft'ge „Sapphos" und „Medeen".

Herrn und Damen sind beflissen,
Glück zu wünschen dem Poeten,
Der, trotz manchen Hindernissen,
In sein achtzigstes getreten.

Achtzig Jahr'! Wer thut's ihm gleich?
Und der Mann ist so bescheiden!
Achtzig Jahr' in Oesterreich
Auszuharren, auszuleiden!

Immer zu besteh'n mit Ehre!
Achtzig Jahre! Lange Zeit!
Sechzig unter Censor's Scheere,
Zwanzig mit der Preßfreiheit.

Zwischen diesen dumpfen Mengen
Achtzig Jahr'! Wer thut's ihm nach?
Unter Kaiser Franz, dem strengen,
Unter Metternich und Bach!

Und so ging es kunterbunter
Immerdar im Kreis herum,
Unter Concordat wie unter
Bürger=Ministerium.

Unter manchem Schicksalsstreich,
Unter Wunden, nie geheilten,
Unter'm alten Oesterreich,
Unter'm neuen — zweigetheilten!

Doch wer weiß! Am Ziel des Zieles
Sind wir nicht mit unserm Staate,
Und zu theilen gibt's noch Vieles
In dem Volks-Conglomerate! —

Aber still von all' den Wunden,
Von Verlust an Macht und Pracht!
Heut' in diesen Feierstunden
Sei des Dichters nur gedacht.

Ueberschüttet — welche Plage!
Wird mit Blumen und Adressen,
Er an seinem Ehrentage
Festgeredet, festgegessen.

Und der Festtag kaum vorbei,
Kommt ein Orden angeflogen,
Auch aus hoher Kanzellei
Höherer Besoldungsbogen.

Zählt ein Dichter achtzig Jahr',
Kommt er hier zu hohen Ehren,
Auch zu höherem Salar —
Es im Jenseits zu verzehren!

# Fontes Melusinae.

Die Nymphe kehrt zu ihrem Quell,
Dir, armer Mann, versiegte schnell
Die Fluth des Liebelebens —
So klagst Du nun vergebens!

Doch fließt der Quell noch immer rein,
Der Quell des ewig Schönen;
D'raus schöpft der Künstler nur allein,
In Bildern, Farben, Tönen.

———————

## Moriz Schwind.

### († 8. Februar 1871.)

Unser Bund, er hat gehalten
Seit den Jünglingsjahren fest —
Plötzlich waren wir die Alten,
Doch es blieb ein Jugendrest!

Kräftig edle Ritterleiber
Blüh'n aus Deinem Stift hervor,
Wundervolle Zauberweiber
Tauchen aus dem Schilf empor.

Wie zog es diesen tragischen Leander
Zu seiner Hero! Doch kein sonnig Meer,
Ein düster=dunkler, schauriger Mäander
Wälzt seine Fluten zwischen ihnen schwer.

Streng tadelt er das ihm verwandte Wesen,
Die arme Hero macht ihm nichts zu Dank!
Man kann's auf allen diesen Blättern lesen:
Er kränkte die Geliebte — weil er krank.

Doch schlugen bald dem ernsten Liebesritter
Die Wellen mächtig über Brust und Haupt —
Er seufzt und zankt, wird wechselnd wild und bitter,
zweifelt, verzweifelt, flucht und hofft und glaubt! — —

Das Alles ist in diesem Buch zu finden,
und Vieles noch; die alt' wie neue Zeit
Genügt ihm nicht. Kann er sie überwinden?
Mit ihr, mit uns, wie mit sich selbst im Streit!

Genügt er sich und ihm das eig'ne Schaffen?
Der Lorbeer dünkt ihm welt, sobald er reif,
Und rostig seine gold'nen Siegeswaffen,
Das heißersehnte Bild ein Nebelstreif!

Ein eigner Mann! Mit grübelndem Verstande,
Sich zürnend selbst, daß sein Gemüth so weich;
Und doch — ein Leben strömt aus diesem Bande,
Ein deutsches auch — schilt er die Deutschen gleich! —

Ein Dichter=Leidensbuch! Man muß ihn lieben,
Reiß' er den Busen sich wie uns entzwei;
kaum hat der Dichter das allein geschrieben —
Der düst're „Dänenprinz" half mit dabei.

———

## Der weise König Salomo und der Spatz.

(Persische Legende.)

In dem Tempel Salomonis
Stand der große König sinnend;
Vor dem Fenster auf dem Bäumchen
Prahlt ein Spatz zu seiner Spätzin:

„Elfenbein und Gold die Säulen!
Die Verschwendung, Gottes Wunder!
Stoß' ich d'ran mit Einem Beine,
Flugs in Trümmer fällt der Plunder." —

Und der weise König zürnend:
„Meinen Tempel willst Du brechen,
Kleiner Schwächling, dummer Spatz?
Welche Kühnheit, welch' Erfrechen!" —

D'rauf das Spätzlein: „Weiser König!
Ob wir so Dich nennen sollen?
Hab' ja dort nur meinem Weibchen
Meine Mannskraft rühmen wollen!"

„Hab' ich einen großen Mann
Einst besungen und bewundert —
Scheltet Ihr ihn auch Tyrann,
Er beherrschte das Jahrhundert!

„Denn nur seines Namens Klang
Hob auf seinen Thron den Vetter,
Der, sein Aefflein, herrschte lang,
Bis zum deutschen Schlachtenwetter.

„Habt Ihr nun ihn weggeputzt
Diesen kleinen Kaiser=Affen,
Sagt, zum Teufel, was es nutzt,
Einen neuen flugs zu schaffen?

„Deutsches Wesen ändert nie,
Und die Dummheit scheint unsterblich!
Rückendörre, Monarchie —
Ist denn jedes Uebel erblich?“

Jmmer steht er vor dem Bilde,
Sanft in Trauer ist's gehaucht,
Es [...] zu [...] Milde,
Sie in Schuld [...].

Sie der Trauer immer diene,
Es zerfällt die Zaubermacht —
Denn [...] Mienen
[...] Tod in Todesnacht!

---

## Grillparzer's Gedichte.

> Rest, rest, perturbed spirit
> Hamlet

Das sagt mit Löhre, mit treuu und [...] bisweilen,
Wühlt in den Leiden der zerrissnen Brust —
Und Menschenhaß und Zorn die nächsten Zeilen,
Drauf bittrer Scherz, ironisch-wilde Lust.

Oft mitten in der Dichtung süße Reden
Ein schriller Laut, ein schneidender Accord;
Bald der Gemeinheit kündet er die Fehde
Mit treffend scharfgeschliff'nem Dolcheswort.

Und Alles ist erlebt und ist empfunden,
Gedanken sind's, Gedanken schwer und tief;
Ureignes Selbst, das schmerzlich sich gefunden,
Wie es ein Gott ihm in die Seele rief.

Und Liebe, die die Dichter gern besingen,
Sie war ihm tiefster Ernst, kein Freudenziel —
Sein Dasein war ein ewig Liebesringen,
Der Liebesseufzer ward zum Trauerspiel.

# Xenien.

## (1870. 1871.)

Nergeln und Tadeln, Ihr mögt es verzeih'n,
          ist Sache des Alters,
Und das bischen Humor noch so ein Jugend-
          Reflex!

# Xenien.

## (1870. 1871.)

———————

Nergeln und Tadeln, Ihr mögt es verzeih'n,
ist Sache des Alters,
Und das bischen Humor noch so ein Jugend-
Reflex!

## Welt=Theater.

Griechischer Held, Raubritter, Verwaltungsräthe von heute,
  Tunika, Wamms wie Frack — steckt doch in jedem der
                                                    Mensch!
Aus dem alten Costüm nur wird das neue geschnitten,
  Und der Leander von einst wird zum Romeo von jetzt.

---

## Wiener Damen=Toilette.

Mächtig die Crinolin', auch rauscht's in Bändern und
                                                Bauschen;
  D'rinnen ein bischen von Leib — und in dem Leibchen?
                                                Wer sagt's?

---

## Salon=Karyatide.

Starr die Augen, der Blick — gewaltige Büste! So gleicht sie
Einer gemüthlichen Sphinx — aber kein Räthsel dabei!

---

## Die Häßliche.

Tragischen Eindruck macht, ist eine Tragödie selber
Diese Frau! Sie erregt Schrecken und Mitleid zugleich.

---

### Das Fehlende in der Schöpfung.

Setze die Flügel zum Mädchengebild' und der Engel ist f
Wie ihn der Mensch sich erträumt, Gott ihn zu schaffen
vergaß.

---

### Gegenseitige Schwäche.

„Schwachheit, Dein Namen ist Weib!" so meint ein Dicht
ein großer;
Aber das Weibchen, es weiß: Schwachheit, Dein Namer
ist Mann!

---

### Ein passendes Paar.

„Jeglicher weiß, was ihm taugt!" So sagte der Eber und
wälzt sich
Mit der Gemalin, der Sau, überbehaglich im Schlamm

---

### Chacun à son goût.

Wenn die Wanze Dir stinkt — sich selber duftet sie Ambr
Und der Esel gähnt, unter den Disteln ein Gott.

---

### Sohn und Vater.

„Vater, die nicht! Ich mag sie nicht leiden." — Nun, die
Dich gebar, auch
War mir unleiblich, mein Sohn, und Du bist doch au
Welt!

---

### Herausforderung.

„Sage, wer hat mich geschmäht? Wer nennt mich Schurk
Ich fordr' ihn!"
S'ist kein Einzelner, Freund! Kannst Du sie fordern? [
Welt!

### Foubourg St. Germain.

Laßt doch die adligen Narr'n sich abschließen mit ihrer Caprice,
Gilt die verständige Welt ihnen hier außen für toll.

----

### Frei nach Schiller.

Immer strebe zum Ganzen! Und bist Du selber ein Halbes,
Nimmt Dich als dienendes Glied „Michael-Bruderschaft" auf.

----

### Honnête homme.

Wandelt der friedliche Mond, flugs bellen die Spitze. Kein
Wunder!
Licht und Klarheit, es ist Hunden wie Lumpen verhaßt.

----

### Utile Dulci.

Goldener Sonnenstrahl, er reift die grünenden Saaten,
Spielt im Wasser und geußt Wonnen in menschliche Brust.

----

### Die Leser.

Dilettantischer Leser bewegt beim Buche die Lippen,
Tüchtiger Leser, er liest nur mit den Augen allein.

----

### Der Cabel.

Welch ein Völker- und Welt-Zusammenhang! Nießt am La
Plata
Einer, der And're sogleich ruft an der Themse: „Gott helf'!"

----

### Vereinzelt.

Einsam und Millionär! Weit lieber wär' ich der blinde
Bettler am Weg! Ihn führt liebend sein Weib und sein
Hund.

----

### Mitleid.

Gut ist der Mensch, und das Leid und die bitteren Schm
der Andern
Thun ihm entsetzlich weh — aber die eig'nen noch meh

---

### Tanzmeister.

Jeden ernährt sein Geschäft: Der schreibt, der Andere hü
Euch,
Jener lebt von der Hand — dieser vom Fuß in den A

---

### Ennui.

Spinne, sie webt, Ameisen und Bienen arbeiten so rastlos
Aber das Hündchen, es gähnt! Wißt Ihr? Das „Hund
Ennui!"

---

### Gehaut wie gestochen.

Roh verschlingt Euch die Lämmer der Wolf, Ihr verspeist
gebraten —
Aber dem Lämmchen, dem gilt's gleich, wer und wie
es frißt!

---

### Kinderfrage.

Gott hat die Welt geschaffen, ich weiß, dann ruht' er; doch
nachher?
Was hat der liebe Gott nur seit der Schöpfung getha

---

### Vexier-Spiegel.

Wie er die Züge verzerrt in's Ungeheure, Groteske,
Bleibt er doch wahrhaft und weist ehrlich den Makel Dir

---

### Ausgewachsen.

Siehe, das Bäumchen, es keimt, treibt Blüten und Früchte —
doch bald wächst
Nur in die Breite der Baum! Nehmt mit den Blättern
vorlieb.

---

### Die Wiener.

Wiener frondiren und spötteln gar gern — so ruht mir ein
Stück auch,
Und ein erkleckliches zwar, Wienerthum selbst in der Brust.

---

## II.

### Exspectanz.

Sagst Du: „Wir können warten?" — Wie lang? Schon wart'
ich ein halbes
Säculum auf die Vernunft! Oben wie unten gebricht's.

---

### Schlechte Bespannung.

Staatskarosse im Koth, der Schwächling soll sie heraus zieh'n?
Spannt der Bauer dem Pflug Mücken und Kolibri's an?

---

### Gradatim.

Schlecht hat jener Minister regiert und schlechter noch dieser —
Aber es stellt sich zuletzt stets noch ein schlechtester ein.

---

### Föderalismus.

Einer besaß ein kostbar Gefäß und schlug es in Scherben —
„Scivio", rief er, „nun ist's föderalistisch geformt!"

### Ausgleich.

Gleicht mir Feuer und Wasser, und gleicht mir die feindli
Gase,
Gleicht mir Leben und Tod, gleicht mir die Furien aus!

---

### Rüstung.

Kriegerisch tönt's im April! Wir kaufen die theuren Remoi
Schlagen im friedlichen Mai flugs um ein Spottgeld sie

---

### Spar=System.

Ex=Minister, an dreißig und mehr, mit Ruhegehalten!
Aber es wurden dafür sechs Diurnisten erspart.

---

### Staats=Grundlage.

Immer noch fehlt uns in Wien das Parlamentshaus, die
Hochschul',
Aber das Opernhaus, monumentales, es steht.

---

### Genetischer Vortheil.

Arpad's männlicher Sproß mißfällt den Damen in Wien r
Österreichs Jünglinge sind hoch von der Polin entzückt;
Auch semitisches Blut trägt bei zur „Kreuzung der Racen",
Und im guten Moment wird Euch ein Deutscher daraus.

---

### Das freie Volk in ******.

Abhorrirt in dem Reich sind Bildung und Straßen und E
Und so bewohnt es ein Volk, schmutzig und lausig und –
frei!

### Europa.

Hörtet den Mann Ihr jüngst ausrufen: „Ich seh' kein
Europa?“ —
Schaut nur nach Osten, Euch rückt Asien bald auf den
Leib.

---

### Volkswehr.

Ist erst der Bürger gefallen, der Fabrikant und der Kaufmann,
Und der Professor dazu, macht sich der Frieden von selbst.

---

### Vorsicht des Patrioten.

Süß für's Vaterland sterben! Doch möcht' ich schließlich dabei
sein,
Wenn man beim Siegesbankett seine Gefall'nen beklagt.

---

## III.

### Hausmittel.

Ist die barbarische Zeit, die Verwilderung stürmisch im Anzug,
Lasset sie brausen und bleibt Weisen und Dichtern geneigt.

---

### Kant.

Zog er mit kritischem Geiste die zwingende Grenze des Wissens,
Dien' ich der Wahrheit, dem Recht, und dem Humanen,
wie er.

---

### Goethe und Schiller.

#### 1.

Daß sie so groß geworden im kleinsten Staate, das nimmt uns
Wunder, die wir so klein blieben im riesigen Reich!

## 2.

Was sie geschaffen, ist groß! Doch sie wären noch gro[
geworden,
Hätte das Meer, statt der Ilm, jene Giganten umr[

---

### Deutsche Literaturgeschichte.

„Goethe ein Aristokrat und Schiller der Dichter der Fr[
Solchem Gemeinplatz steh'n tausend der Seiten zu ?

---

### Buch=Dramen.

Deutschen wird jegliches Jahr ein neuer Schiller gebo[
Cotta druckt ihn und legt seufzend den „Krebsen" i[

---

### Schiller's Epigonen.

Immer sein Feld noch ackern sie um, doch invita Min[
Pflanzt er Melonen, sie zieh'n tragische Gurken nur[

---

### Jean Paul.

Hätten wir, die Du verschleuderst, von Deinen Ideen
Zehntheil!
Leider es fehlt die Gestalt, fehlt die harmonische ?[

---

### Classiker.

#### (An G.)

Haben sie Dich im Leben gehunzt, als Fremden behan[
Stirb nur getrost, und man reiht flugs Dich den Class[

### Victor Hugo.

Wie Du auch dichtest, in Versen, in Prosa, Dir lächelt die
Muse!
Aber aus Brief und Pamphlet grinset die Narrheit uns an.

---

### Voltaire.

Über die achtzig hatt' es gebracht der Weise von Ferney,
Und so bestand er zuletzt nur mehr aus Knochen und Geist.

---

### Hoftheater.

Cassa entscheidet, nicht Kunst! Sei künftig für den Geschäfts-
gang
Eng verbunden: „Tabak-, Salz- und Theater-Gefäll".

---

### Anciennität.

#### (Decret der Intendanz.)

„Welche die Julia hat seit dreißig Jahren, der bleibt sie,
Und auch der Romeo spielt, bis Quiescirung erfolgt.

---

### Stoßseufzer des Intendanten.

„Hätte kein Lessing doch je, kein Goethe geschrieben, kein
Schiller!
Darf man da streichen? Doch Geld tragen sie ein —
das versöhnt!"

---

### Einer Schauspielerin.

Göttlicher Funke der Kunst, Du hast in dem flüchtigen Seelchen
Nur gepraffelt — so flog's leicht in Raketen dahin.

---

### Louise Neumann.

Wie Du Dein schönes Talent so treu und edel verwe⸗
Dir nur gebührte der Kranz, nimmer dem Wander⸗(

---

### Modernes Drama.

Krankheit der Zeit bringt Ihr und sociale Geschwüre!
Aber der Poesie heilender Balsam, er fehlt.

---

### Le supplice d'une femme.

Seid Ihr denn nicht Familienväter mit Frauen und !
„Schuld einer Frau!" Und Ihr führt Töchter und
dazu?

---

### Frou-Frou-Theater.

Möbel und Roben, die Pracht! Auch hübsche und will
Mädchen!
Was sie spielen und wie? Fragt kein Verständ'ger

---

### Laokoon.

Musiker denken in Tönen gar tief, die Maler in Fa⸗
Dichter dichten abstract — wo nur die Grenzen der

---

### Lieder ohne Worte.

Was auch bedarf des Worts die Musik? Sie genügt
selber!
Doch Polyhymnia stirbt in dem Programmen⸗Gewi

## Richard Wagner.

Groß Dein Wissen und Können, auch fehlt Dir der Geist, das
Geschick nicht,
Aber der „Humbug" nur schraubt zum Genie Dich hinauf.

---

## Lohengrin.

Schöpft er aus Verdi und Weber und Gluck die Phrase,
den Rhythmus,
Hier in dem Meisterwerk, weh' uns, ist Alles von ihm!

---

## Walküre.

Ueber den Regenbogen, da seht, spazieren die Götter,
Odin und Freia und Thor — Thoren, sie klatschen dazu!

---

## Trilogie.

Tripartitum das Opus, es nimmt drei Abend' in Anspruch —
Ist's vorüber, er läßt, hoff' ich, uns endlich in Ruh'.

---

## Melodie.

„Ewige Melodie!" Wie Rattenkönige, Raupen-
Nester! Die Köchin, sie zieht also den „Strudelteig" aus.

---

## Franz Schubert.

Hat er studirt, speculirt? Der Lieder entzückende Springflut,
Sonder Pumpe, sie quillt frisch aus der fühlenden Brust.

---

## Niederländer.

Geistreich malen und dichten, was nützt es? Wir brauchen
Talente!
Immer Lebendiges schafft, wär's nur die „pissende Kuh".

---

### Publikum.

„Sage, was treibst Du die Kunst? Erreichst doch nimmer das
Höchste!" —
Pah! Ich befriedige mich und ich genüge für Euch.

---

### Unwissenheit.

„Nein, die Unwissenheit! Nein, das viele unnöthige Wissen!" —
In der Schule hab' ich dieses „nichts wissen" gelernt.

---

### Absolutum definitum.

Dieses beschränkte Unendliche: Mensch — in der Schul' absolutum
Definitum genannt — ist, ach, unendlich beschränkt!

---

### Pantheist.

Ich bin ich, und bin ich's nicht mehr, dann bin ich das Nicht-Ich;
Mensch oder Pilz, gleich viel! Wenn ich im Ganzen nur bin.

---

### Individualismus.

Bin ich im Ganzen, was soll's? Dann wär' ich eben wie gar
nicht!
War ich schon Einmal? Wer weiß! Fehlt die Erinn'rung,
was hilft's?

---

### Hegelianer.

Obstfrucht, saftige, hängt, Birn', Pflaum' und Apfel in's Maul ihm,
Aber ihn lockt der Begriff, „Obstliches an sich" allein.

---

### Stuart Mill.

„Tauglich für jegliches Thun der Männer erklär' ich die Frauen!" —
Recht! Und ein Superplus noch: Kinder gebären nur sie.

### Cultus.

Gold, den gediegenen Barren, man schlägt ihn in Blätter und
Blättchen;
Alle die Culten, sie sind „Kleingeld" der Religion.

---

### Französische Religiosität.

„Entrer en religion!" — Gibt's einen frivoleren Ausdruck?
Klingt wie ein Rendez-Vous zum „Trinitäten-Salon".

---

### Cölibat.

Beten und Fasten ist leicht, auch in guten Werken sich üben,
Aber das Reizendste selbst Höchstem zu opfern, ist groß!

---

### Katholischer Pfarrer spricht:

„Deutsch-Katholiken, was soll's? Ich bin für's Beten und Messe
Lesen, nur ich und allein! Störet mir nicht das Gewerb!"

---

### An die Alt-Katholiken.

Sagt Ihr vom Papst Euch los, dem unfehlbaren? Will es
nicht tadeln!
Aber „Unsinniges" noch bleibt Euch zu glauben genug.

---

### Zeitvertreib.

Alte katholische Weiber, sie geh'n in den „Segen" und beten; —
Doch die lutherischen und jüdischen Alten, was die?

---

### Sprachgebrauch.

Herrschende Religion! Das klingt bedenklich. Man sagt auch:
„Herrschende Dynastie", „herrschender Typhus" und so.

---

## Infallibilität.

### 1.

Denkende Geister, Spinoza und Kant — wer nennt sie
unfehlbar?
Dünkst Du Dich größer als sie — mit dem „anathema sit?"

### 2.

Zorniger Fluch, Weihrauch und Pfaffengeplärr'! — Was
erschreckt Ihr?
Rufen wir ihnen getrost unser „non possumus" zu!

---

## Döllinger.

Alter Dogmatiker, sprich! Ein einziges Dogma verneinst Du?
Glaubst Du die Hölle, so glaub' frisch auch den Satan
dazu!

---

## Menschen-Anfang.

Adam, erschaffener Mensch, von keiner Mutter geboren!
Und Du zeugtest den Sohn, welcher den Bruder erschlug.

---

## Sonnen-Mikroskop.

Wie in dem Tropfen sich balgt das Gewürm, am Ende sich
auffrißt!
„Kampf um die Existenz!" Menschen- und Völker-Symbol.

---

## Auf Abschlag.

Ewige Seligkeit! Nun, das ist ein Wechsel auf Jenseits;
Wer honorirt mir ihn hier? Zahlt Ihr Disconto, so nehmt!

### Vorsehung.

Sperling verhungert, die Lilie welkt, das Sterbliche stirbt denn,
Und Gott kümmert zuletzt sich einen Teufel um Dich!

---

### Aufschluß.

Warum schlafen die Menschen so gern und sterben so ungern? —
Weiß doch Keiner, ob auch „Ewigkeitswecker" besteh'n!

---

### Pessimismus. Nihilismus.

Schlecht ist die Welt, so wird uns gelehrt, ein Gräuel die
Schöpfung! —
Pflanzt sie nicht fort und Ihr habt flugs das gepriesene
Nichts.

---

### Philosophie des Unbewußten.

Stark ist der zwingende Trieb! Mein Freund, was lehrst Du
da Neues?
Bin ich mir längst doch bewußt, daß ich mir unbewußt bin!

# Poetisches Tagebuch.

## (Von 1825 bis Ende 1871.)

———

Warmes Herz und spitze Zunge —
So der Alte wie der Junge.

# I.

(Von 1825 bis Ende 1847.)

———

## Jugendempfindungen und Reflexionen.

(1825 bis Ende 1830.)

Und der Tag — er ist vorüber,
Seine Schmerzen sind erlitten,
Und die todesmüde Fiber
Hat sich neue Rast erstritten.

———

Und so wandeln wir in Kreisen,
Die uns nie erquicken können,
Wie in den bestaubten Gleisen
Wohl die edlen Rosse rennen.

———

Nun vorüber diese Herzenswallungen,
Hurtig Phöbus' Ross' aus ihren Stallungen!

———

Bei Tages hellem Angesicht
Magst Manches Du verrichten,
Doch einzig ist das Sternenlicht
Zum Lieben und zum Dichten.

———

Stern, mich hat Dein Angesicht
Zu dem Lied getrieben;
Lampe, gabst mir karges Licht,
Da ich es geschrieben.

———

Zur schlimmen Stunde soll ich ruh'n?
Der Ausspruch macht mich schier beklommen!
Ich werd' am Ende gar nichts thun,
Da lauter schlimme Stunden kommen.

———

Die Stunde wird verpaßt,
Das Jahr verpraßt.

———

Was läßt sich in zwei Zeilen denken?
Es ist nicht viel, doch kann's Dich kränken.

———

Bei bösem Wetter und bei Reue
Da schmerzen alte Wunden auf's Neue.

———

Rufst Du dem schönen Augenblick: „Verweile" —
O, wie verkennst Du seine holde Sendung!
Er ist in seiner ruhelosen Wendung
Ein stetes Abbild von des Lebens Eile.

———

Ich bin nicht gern allein,
Gewiß mein Mädchen auch nicht!
Doch läßt sie mich nicht in's Kämmerlein —
Es ist einmal der Brauch nicht!

Ach, was für bitt're Schmerzen!
S' ist zum Erbarmen!
Ich habe Dich im Herzen,
Und leider nicht in den Armen!

———

Das Lieben ist wohl süß, mein Kind —
Heiraten geht nicht so geschwind!
So bleib' nur immerhin mein Herzchen
Auch ohne Hymen's Sparerkerzchen.

———

Wie ich das täglich sehe;
Sie leben in „zahmer Ehe".

———

Die Leute haben das Geschick,
Sich täglich neu zu ennuiren;
Sie nennen das: „Familienglück" —
Ich mag davon nicht profitiren.

———

Es bildet sich auch im Philisterhaus
Bisweilen ein kluges Mädchen heraus.

———

Wie mich die holde Kleine rührt!
Sie wäre gar so gern verführt.

———

Der Seele bist Du ledig,
Treib's mit dem Leibe gnädig.

———

Gott der Herr erschuf den Mann,
Und das Weib aus seiner Rippe;
Ob der Schöpfer wohl gethan,
Kommt nicht über meine Lippe.

———

Holzruder das Schiff von Holze führt
Und leitet's über die Klippe;
So wird der ganze Mann regiert
Von seiner eigenen Rippe.

———

Und wenn ich erst gestorben bin,
Ich könnt' mich d'rein nicht finden!
Mir ist, als müßte die ganze Welt
Mit mir aus der Welt verschwinden.

———

Das aber wähne nur Keiner,
Daß er sich nicht entbehren ließ'!
Dein Tod oder meiner
Macht in der Welt noch keinen Riß.

———

Lebt man lang auf Erden,
　Kann man zuletzt verderben;
Um nicht dumm zu werden,
　Muß man bei Zeiten sterben.

———

Was ich bin und was ich habe,
Ward mir durch der Götter Huld;
Jedes Glück ist Himmelsgabe,
Jeder Schmerz ist eig'ne Schuld.

„Im Anfang war das Wort" —
Es ist auch immer fort.

———

Gäb' es wirklich Offenbarung,
Wozu brauchten wir Erfahrung?

———

Als Du so aufgestellt
Mit vielen Sorgen und Schweißen
Deine kleine Gedankenwelt —
Wie schlimm Dir da zu Muth war!
Durft' nicht wie beim lieben Herrgott heißen:
„Er sahe, daß Alles gut war!"

———

Was betet nur das Gewimmel:
„Vater, der Du bist im Himmel!" —
Ich bete — anders begriff' ich's nie —
„Der Du bist in der Phantasie!"

———

Und wie ich's immer überdenke,
S' bleibt eine zweifelhafte Sache:
Ob die Sprache ein Gottesgeschenke,
Ob Gott ein Geschenk der Sprache?

———

Am besten ich das fromme Volk vermeide,
Ich mag mich an der Trübsal nicht betheiligen;
Was soll ein gesunder Heide
Unter den kranken Heiligen?

———

Mit der Tugend steht's bisweilen schief,
Trotz dem „kategorischen Imperativ".

Die Wahrheit lehrt sich nicht in Cursen,
Noch in Discursen.

———  -

Für schwere Sünden wie für leichte
Geh' ich im Tagebuch zur Beichte.

———

Erforsch' ich mein Gewissen,
Erweck' ich Reu' und Leid —
Es kommt doch wieder die Zeit,
Wo ich werde sündigen müssen!

———

Weh' Dir, ungläubiger Geselle,
Der uns den Himmel raubt!
Flugs kommst Du in die Hölle,
An die Du nicht geglaubt.

———

Bleibt Alles wie es ist, und sei auch
Die Welt in schweren Weh'n,
Denn Klingelbeutel und Weihrauch
Die werden immer zusammen steh'n.

———

Vierzig Jahr' auf einer Säule steh'n —
Ist ein wunderlich Streben!
Vierzig Jahr' in's Amt zu geh'n —
Nicht viel klüger eben.

———

Zwecklos wandeln seine Gleise
Ist das Beste und das Schlimmste;
Und so trifft's der höchste Weise,
Aber auch der Allerdümmste.

———

Es darf Dir nicht den Sinn verwirren,
Dein Herz für's Gute nicht erkalten:
Weit lieber mit dem Edlen irren,
Als mit dem Schurken Recht behalten.

---

Es gießt vom Himmel — laß es regnen!
Was hilft die Hemmung!
Wir wollen's segnen,
Und gibt's auch Ueberschwemmung.

---

„Das Ding, es macht mich übeln Muthes,
Wie sie Verkehrtes trachten!" —
Hilft Alles nichts! Thu' ihnen Gutes,
Mußt Du sie gleich verachten.

---

Aus der Seele welch' Gewühle
Bricht hervor mit Allgewalt!
Da ich mich noch wachsen fühle,
Bin ich noch nicht alt.

---

Diese Welt ist doch die beste,
Und sie lebt sich ziemlich gut,
Mit Gesundheit, Geld und Jugend,
Und ein bischen Uebermuth.

---

Welcher Sterbliche kann sagen,
Welch ein Sohn ihm einst zu eigen?
Zeus nur wußt' es, daß er würde
Einen Herkules erzeugen.

---

„Nicht wie jener Pharisäer
Bin ich, Herr! Du kennst mich näher.“ —
Dieser übertrifft den Alten —
Ei Du Doppelpharisäer!

***

Du bist ein ölgetränkt Papier:
Du scheinst nicht — nur das Licht hinter Dir!

***

Nenn' ihm ein Uebel, er hat's —
Bald quält ihn sein Freund, bald sein Schatz;
Was das für närrisch Treiben ist!
Du armer Kerl, Hipochondrist!

***

Ward Einer erschlagen vom Aërolythen —
Im Leben hielt er die Dinger für Mythen.

***

So einen Thoren fand ich bald nicht!
Er sieht die Bäume vor lauter Wald nicht.

***

Es fährt wol Einer sicher über's Meer,
Und ersäuft im süßen Wasser hinterher.

***

Wie man's nur bezweifeln kann!
Jedes Genie ist ein Thrann.

***

Wer sich am besten kennen lernt?
Der sich vom Täglichen entfernt.

Fühle zart und denke scharf,
Was nicht Jeder kann;
Gib der Welt, was sie bedarf,
Und Du bist ihr Mann.

---

Wenn Dir ein schöner Fruchtbaum ward,
So scheuch' das Spaßenpack mit Knütteln,
Doch laß den West nach seiner Art
Alles durcheinander schütteln.

---

Der Eine treibt's,
Der Andre schreibt's;
So leben wir ein Jeder:
Der von der Gans, der von der Feder.

---

Wann ich am glücklichsten gewesen?
Beim Schreiben oder Lesen.

---

Ward Euch von Achilles Speer die Kunde?
So ist's mit der Poesie!
Jede tiefe Herzenswunde,
Die sie schlägt, die heilet sie.

---

Man kommt niemals zur Ruh',
Und bleibt doch stets auf dem alten Fleck;
Heut' strömen mir die Gedanken zu
Und morgen schwemmt es sie wieder weg.

---

Das gibt denn immer Zerwürfnisse,
Ist Einer nicht völlig geborgen,
Hat geistige Bedürfnisse,
Und muß für leibliche sorgen.

---

Die Wände haben Ohren,
Da ist man bald verloren;
Wie schlimmer man sich noch befände,
Hätten die Ohren nicht auch Wände.

---

Und Bettler oder Könige,
Sie gleichen sich in dem Einen:
Zufriedene gibt's wenige,
Glückliche keinen.

---

Du willst ihnen das Leben versüßen?
Ja, wenn sie Dich verständen!
Aber tritt sie nur mit Füßen,
Und sie tragen Dich auf den Händen.

---

Mein Haus ist bestellt nach meinem Sinn:
Sind viele Möbel, keine Menschen drin.

---

Wie's in der Welt zu halten sei,
Darüber kam ich längst in's Reine:
Dummheiten gibt's gar vielerlei,
Vernunft ist nur die Eine.

---

Klug sein ist jederzeit gefährlich,
Erlaubt ist dumm sein überall;
Verständig aber zugleich und ehrlich —
Das ist ein hängenswerther Fall!

So Manchem fällt ein Amt zu,
Wofür er nicht geboren;
Und wenn ein Esel zu Ehren kommt,
So wachsen ihm noch die Ohren.

———

Ja, selbst an Juno schickt er Grüße,
Und hat vom Pfau doch nichts als die Füße.

———

Wie die alten Götter herunterkamen!
Sie leben nur mehr in Hundenamen.

———

Was soll mir diese dürre Pflaume?
Ich mag sie gerne frisch vom Baume.

———

Zwei Dinge kann ich nicht aussteh'n,
Daß Leute vor und hinter mir geh'n;
Und noch ein Drittes wurmt mich schier:
Spaziert so Einer neben mir.

———

Wenn Du plauderst, soll ich schweigen,
Wenn Du tanzest, soll ich geigen!

———

Ich ging beschämten Angesichts
So zwischen den besternten Leuten;
Daß Einer ein Mensch ist und weiter nichts!
Ich schien ihnen wenig zu bedeuten.

———

Hab' ich so manchen Puff ertragen,
Mag man mich auch zum Ritter schlagen.

———

10*

Die Perle, die in der Muschel ruht,
Sie ist in der Meeresgötter Hut.

———

Wenn man sich nur verstehen möcht',
Es ließe Manches sich erreichen!
Doch ist man immer ungerecht,
Am meisten gegen seines Gleichen.

———

Partei zu nehmen bringt kein Heil —
Vorliebe ist immer auch Vorurtheil.

———

Schnell nützt sich's ab, das ist der Zeiten Fluch:
Der neue Gedanke, das neueste Buch.

———

Der große Mann eilt seiner Zeit voraus,
Der Kluge geht mit ihr auf allen Wegen;
Der Schlaukopf beutet sie gehörig aus,
Der Dummkopf stellt sich ihr entgegen.

———

## (Uebergang 1831.)

Was halfen uns die Juli-Tage!
Schier wie der Nibelungen Noth und Klage,
Verklungen ist die alte Sage!

———

Wie sich die Belgier, die Polen rühren!
Uns Wiener werden sie nicht verführen!!

Es bleibt das alte Wesen,
Conservativ, stabil!
Doch wenn wir Börne lesen,
So bessert sich unser Stil.

———

Nach Frankreich lockt's mich ohne Unterlaß! —
Wer verschafft mir einen Paß?

———

Ob man Gedanken errathen kann? —
Der Polizeimann an der Ecke,
Er sieht mich so bedenklich an,
Daß ich erschrecke!

———

Ich bin ja kein radikaler Strolch!
Ich diene den heiteren Musen,
Und nicht einmal einen Theaterdolch
Trag' ich versteckt im Busen!


## (1832).

Jacta est alea! Er hat's gewagt,
Das freie Wort herausgesagt,
Das unsers Herzens Wunsch begegnet!
Wiener Poet, sei hoch gesegnet!

———

Die Musen haben Dich erkoren,
Um auszusprechen unf're Pein;
Das Wort, es klingt mir immer in den Ohren:
„Darf ich so frei sein, frei zu sein?"

———

### (1833.)

Ein Zweiter gab Dir den Bruderkuß!
Hoch Lenau und Anastasius!

————

Ihr Deutsche fragt, was es bedeute?
Hinter'm Kahlenberg sind auch noch Leute!

————

Wir zittern zwischen unsern Wänden!
„Naderer da!“ Wann wird das enden?

————

Uns sitzen sie beständig auf dem Nacken!
Ein Ungar und ein Graf sind nicht so leicht zu packen!

————

Euch Freunde, hat ein edler Geist getrieben!
Des Lustspiels schäm' ich mich, das ich geschrieben.

————

Vertheidigt Ihr die Freiheit und den Geist,
Ich kämpfe mit Censur und andern Hindernissen;
So treib' ich mich herum zumeist
Hinter papierenen Coulissen.

————

Gehörig censurirt,
Und strichulirt
Kommt „Tell“ und „Fiesko“ in's Theaterhaus;
Dem Löwen brechen sie die Zähne aus.

Wenn Einer heute schriebe
„Kabale und Liebe",
Sie behandelten ihn als Attentäter
Und Hochverräther.

―――――

Die armen Leute kochen mit Wasser!
Das gilt für Verleger wie für Verfasser;
Was soll uns Aermsten übrig bleiben,
Als „zahme Komödien" zu schreiben?

―――――

Das nackte, wahre Wort zu sagen,
Im Leben selten ist es zu wagen;
Und auf dem Theater-Brettergefüge
Da herrscht nur Heuchelei und Lüge.

―――――

Mich umweht's, wie Moderhauch,
Nein, so kann's nicht bleiben!
Stumm gehorchen, ewig auch
Censurirt zu schreiben!

―――――

(1835.)

Gutzkow und Laube, die ganze Schaar
Mitsammt dem Heine — verbot'ne Waar',
Das grobe Segeltuch wie der Schleier,
Dreh=Orgel sammt der gold'nen Leier!

―――――

Das „junge Deutschland", was für Flegel!
Sie überschlegeln die beiden Schlegel!

―――――

Den jungen Deutschen, den deutschen Jungen
Ist nie ein tönender Vers gelungen!

———

Hat Gutzkow den Menzel umgebracht,
(Wir riefen nicht um Gnade)
Doch auch den Raupach über Nacht
Vom Thron gestoßen — schade!

———

Es ist zu ihrem eigenen Schaden,
Wenn die Frösche den Storch zu Gaste laden.

———

Freund Menzel, Du warst nicht viel gescheidter!
Was nahmst Du den Gutzkow zum Mit-Arbeiter?

———

Das literarische deutsche Land
Beherrscht der Philister und der Pedant.

———

Du trägst zwar keine Gottsched-Perrücke,
Doch gleichst Du ihm sonst in manchem Stücke!

———

Ist Dein Liberalismus denn gar so weit her?
Ich zweifle schon die ganze Zeit her!

———

Zum stolz sein habt Ihr keinen Grund!
Jagdhund ist Sclave wie Kettenhund.

———

Daß sie nicht die Lust verlieren,
Wie sie Bänd' auf Bände schmieden!

Es blieben nur die echten Sterne:
Heine und Börne.

———

Du bist mir auch von den Rechten!
Ein Knecht, befiehlst den andern Knechten.

———

Journale, Reisebilder und Skizzen,
Die neuen literarischen Stützen!

———

Dichter spinnen Wolle jetzt;
Seide spannen sie nie zuletzt!

———

Der Weise sitzt in der Eremitage,
Ringsum wohnt die Bagage.

———

Das ist nun Deine Art:
Du lebst so neben der Gegenwart.

———

## (1837. 1838.)

Sie wundern sich, daß sie Kälte spüren,
Und heizen mit ihren Zimmerthüren.

———

Die Natur hat ihn stiefmütterlich behandelt,
Daß er nur auf zwei Füßen wandelt.

———

Vergeblich such' ich hier
Des Geistes Spuren!
Bäuerle und Saphir,
Das sind die Wiener-Dioskuren.

———

Doch habt nur nicht zu großes Bangen!
Nur Würmer sind es, keine Schlangen.

———

Sind Creaturen des Geschicks,
Und Größen so des Augenblicks!

———

Gott sei's geklagt,
Wie fallen sie her über mich!
Wenn man „schlechter Kerl" sagt,
Ein Jeder bezieht's auf sich.

———

Es ist eine eig'ne Menschenart,
Immer sicher und dreist;
Und immer Geistesgegenwart,
Aber kein Geist.

———

### (1840.)

Es macht mich ganz perplex:
Ich bin ex — lex;
Ich weiß mir keinen Rath,
So leb' ich außer dem Staat.

Ei, was schwatzest du, mein Guter?
Keiner wird aus Nichts geboren;
Nicht der Erste war der Luther,
Letzter der Reformatoren.

———

Wer ist größer: Schiller? Goethe? —
Wie man nur so mäkeln mag!
Himmlisch ist die Morgenröthe,
Himmlisch ist der helle Tag!

———

Wie deutsch der alte Goethe war,
Das werden die Deutschen erfahren,
Wenn sie erst Deutsche geworden sind
Nach einigen hundert Jahren.

———

Wenn Börne über Goethe schimpft,
Er thut's in seinem Glauben;
Doch wenn Herr Menzel die Nase rümpft,
Der darf sich's nicht erlauben!

Gern mach' ich meine Reverenz
Nachträglich unserm wackern David Strauß;
Stets unbegreiflich schien mir Shakspeare's Existenz —
Mit einer Shakspeare-Mythe komm' ich d'raus.

———

S'ist vorbei mit dem Theater!
Was mir schmerzlich auf die Brust fiel,
Wenn ich's hin und her bedachte,
Sinnend auf ein neues Lustspiel.

---

Wie gut es jetzt die Komödianten haben!
Sie werden wie andere Christen begraben.

---

Schöne Zeit, als mit dem Karren
Thespis fuhr, der Possen-Vater!
Schwer ist's, einen Staat regieren,
Zehnmal schwerer ein Theater.

---

Sagt doch in's Himmels Namen,
Wo die Kritik Ihr sucht?
Es liegt die Frucht im Samen,
Der Samen in der Frucht.

---

„Wie dichtet man? Gib Regel und Norm!" —
Weiß nicht! Man fühlt die süße Neigung,
Da fügt dem Stoffe sich die Form —
Das ist das holde Geheimniß der Zeugung!

---

Unsinn reden — mag erlaubt sein;
Unsinn schreiben — muß geglaubt sein;
Unsinn bau'n — ist ungeheuer,
Noch der Enkel zahlt das theuer.

Sonst unter den Fürsten und Mäcenen
Entstanden Bilder und Marmorgruppen;
Unsere Herrn von Gottes Gnaden
Kochen nichts als Bettelsuppen.

---

Und wenn sie einen Dichter begünstigen,
So ist's gewiß von den klein-winzigen.

---

Die Ideen sind Goldbarren,
Waren sonst in festen Händen;
Jetzt besitzen sie die Narren,
Sie als Kleingeld zu verschwenden.

---

Wundert's Dich, daß Du vergessen bist,
Und daß sie Dir nicht mehr Vivat schrei'n?
Wenn jeder Einzelne undankbar ist,
Wie soll ein Publicum dankbar sein?

---

„Er wird nie populär
Unter den Leuten." —
Wie's denn auch möglich wär'!
Er schreibt nur für die Gescheiten.

---

Die Zeit ist bitter, scharf und kantig —
Was soll mir eure süßliche Romantik!

---

Was ich vermag, das will ich geben,
Ein Schelm, der mehr singt als er kann;
Ein Jeder findet nur im Leben,
Was er in's Leben bringen kann.

---

Ob groß, ob klein — drauf kommt's nicht an!
Mach' etwas fertig, fang' wieder an.

———

„Wie schafft man sich ein Publicum?" —
Nicht lang gefragt!
Wenn man durch ein halbes Säculum
Immer dasselbe sagt.

———

Hätt' ich nur in jungen Jahren
Nicht so schrecklich viel gelesen!
Wär' ich nur in jungen Jahren
Nicht so oft verliebt gewesen!

———

Sorge nicht für Leibeserben,
Munt'res Leben sie empfohlen!
Lieber als am Fieber sterben,
Laß Dich flugs vom Teufel holen.

———

Pfeilschnell rauscht die Zeit vorüber
In den süßen Jugendjahren,
Und so muß man erst im Alter,
Daß man glücklich war, erfahren.

———

Verlorne Jugend — schlimmes Wort!
Verlornes Alter — Alles fort!

———

Seht den Hanswurst mit Runzeln im Gesicht!
Ja, Thorheit schützt vor Alter nicht.

Hoch Jugendblut und Jugendmuth!
Da ist das Leben würzig!
Wozu sind Männer über sechzig gut,
Und Weiber über vierzig?

———

Holt sich sein Weib zurück, selbst aus dem Reich der Schatten!
Bacchantinnen mit Recht zerrissen den dummen Gatten.

———

Was hilft's, daß Großes Du Dich erkühnt?
Wem hält das Leben, was es verheißt?
Wer hat nicht schon um Rahel gedient,
Und wird mit Lea abgespeist?

Heirate einen Engel — zu Hause
Gleich kommt der Geflügelte in die Mause!

Die Jugend und die Liebe, kein's
Mag von dem Andern erben;
Sie wollen Beide, d'rauf wurden sie ein's,
Mitsammen leben und sterben.

Du süßer Leichtsinn, wo bist Du hin?
Kaum blieb uns noch ein bischen leichter Sinn!

———

Weltschmerz! Willst Du ihn verdammen?
Stand Welt und Schmerz doch immerdar zusammen!

———

„Ich habe Geist!" —
Sei nicht so dreist,
Das in die Welt hinaus zu schreien!
Verstecke Deinen Geist, soll man ihn Dir verzeihen.

———

Bände sind Dir aufgespeichert,
Ungleich, weiß ich, ist ihr Werth:
Ob das Buch den Geist bereichert,
Ob es nur die Zahl vermehrt.

———

„Er lebt für sich, der Egoist!" —
Ein Tadel, den ich nimmer fasse;
Denn die Familie, sie ist
Zuletzt der Egoismus nur in Masse.

———

Kaltes Herz und guter Magen —
Also lebt sich's mit Behagen!

———

Du wandelst so zum Zeitvertreib,
Das ist ein Vegetiren!
Du führst nur Deinen Unterleib,
Nicht Deine Seele spazieren.

———

Das geht nun so durch alle Länder!
„Blue devils" nennt's der Engelländer.

Sieh nur die muntern Kinder!
Sie springen wie die jungen Rinder
Mitten in's Gras und Leben hinein —
So war es immer, so wird es sein!
Bedächtig wiederkäuend, in träger Ruh'
Schütteln die alten Ochsen das Haupt dazu.

---

    Der Eine lobt die Kuh,
    Der Andere die Kälber,
    Der Dritte noch den Ochsen dazu,
    Ein Vierter lobt sich selber.

---

    Das Räthsel geht mir im Kopf herum,
    Die Lösung find' ich nicht so bald:
    Werden die alten Leute dumm?
    Oder werden die Dummen alt?

---

In Jedem schlummern Musen und Medusen,
Kämpft zarter Trieb mit wilder Gier —
Ein Jeder hat ein klein Stück Gott im Busen,
Und ein groß Stück Thier!

---

Verstellt Euch Alle um die Wette,
Doch bricht's zuletzt hervor mit Einem Male:
In jeder Frau steckt das Kokette,
In jedem Manne das Brutale.

---

Es war ein grundgescheidter Mann,
Auch eine Frau, als gut und klug zu schätzen;
Die Beiden begingen die Thorheit dann,
Mich Thoren auf die Welt zu setzen!

---

Du trittst in's Leben verschämt und schüchtern,
Lebst weiter unverschämt und endest nüchtern!

————

Im Handeln und im Pflicht=Erfüllen
Geht Alles über Einen Leisten!
Nur wenige thun das Gute im Stillen,
Das Böse die Meisten.

Mit Chankali hats keine Eile!
Man kann auch ruhig sterben — vor Langerweile,
Wie in der Provinz,
Zum Beispiel in Linz.

————

Wie fangen wir's an?
Das sage mir Einer!
Lang leben will Jedermann,
Alt werden Keiner.

Ein Jeder hat sein Quintchen Tugend,
Ein Jeder hat sein Stündchen Jugend!

Du brauchst Deine Leidenschaften
Nicht länger zu bekämpfen
Und abzudämpfen —
Du bist schon in den Tagen,
Wo sie Dir ohnehin den Dienst versagen!

Freund, in der Jugend erlebt man das Beste! —
„Was denn?" — Die Jugend! Fort mit dem Reste!

———

Mitleidig ist die Kleine —
Ein Zug statt allen:
Sie half einem Käfer auf die Beine,
Der auf den Rücken gefallen.

———

„Sie liebten mich, als ich ein Mädchen war?" — Genau
Wie jetzt, heiß und lebendig! —
„Allein, mein Herr, ich bin jetzt eine Frau!" —
Gleichviel! Ich bin beständig.

———

Sie ist wie ein öffentlicher Garten,
Man muß sie auch pflegen und warten —
Ihre Anlagen unverhohlen
Dem Schutz des Publikums empfohlen!

———

Sie zwanzig erst, er sechzig schon —
C'est un mariage de déraison!

———

Theilst Freud' und Leid mit Deinem Weib gemeinsam,
Doch wirst Du Witwer, bist Du doppelt einsam!

———

Und künftiger Familien-Gründer,
Tochter wie Sohn verlassen Dich nicht minder —
Es gibt keine dankbaren Kinder!

———

Sind beide von dürrem Holz,
Der Witwer wie der Hagestolz!

---

Sie verbrennt sich nicht, weil sie nicht brennt!
Ihre Tugend ist Mangel an Temperament.

---

Heiraten ist eine hübsche Erfindung,
Nur kostet's Ueberwindung.

---

Ist Einer weit besser d'raus gekommen,
Hat Fiaker und Weib „à l'heure" genommen.

---

Der Leib des Herrn ward gläubig eingenommen,
Der Leib der Frau hat uns nicht minder wohl bekommen!

---

Mutterliebe, viel besungen!
Auch die Sau säugt ihre Jungen.

---

Der Eber aber hat indessen
Seine eig'nen Ferkel aufgefressen.

## (1846.)

Gibt keine Menschen mehr, wie ich's versteh':
Die ganze Menschheit ward zum Comité.

———

Hast selber nichts, so frag' beim Nachbar an!
Ein Narr stirbt Hungers, wenn er stehlen kann.

———

Glück freilich braucht's — indeß
Ein tücht'ger Kerl hat immer auch Succeß!

———

Ein Winter-Feldzug! Will's Euch grauen?
Denkt an die Ball-Saison der Modefrauen!
Im ärgsten Frost halbnackt sind sie zu schauen,
Marschiren kampfbegierig, ohne Ruh' —
Und auf den Tod verwundet noch dazu!

———

Die Eitelkeit — so sagte mir ein Kenner —
Ist die Tugend der Weiber und das Laster der Männer.

———

Leben und leben lassen,
Das gilt allein!
Der hungernde Bettler auf den Straßen
Muß jedem Satten ein Vorwurf sein.

———

Die Helden, sie zerstieben!
Sagt, wer wohl noch von Troja spricht?
Das Beste ist geblieben:
Homer und sein Gedicht!

———

Wunden! Heroischer Schmerz!
Geschichte nennt das Ruhm und gräbt's in Erz —
Die trock'ne Medicin, weit weniger emphatisch,
Behauptet nur, der Heros sei rheumatisch.

———

Poetisch ist der Schwan dort auf dem Teich,
Wie rudert er so rasch, so gleich!
Wie majestätisch sein Flügelstreich!
Doch watschelt er am Ufer — weg der Glanz!
Der stolze Schwan wird flugs zur etwas größern Gans.

———

Du bist nur da, um zuzusehen,
Doch wie man's macht, das wissen wir allein;
Um einen Knopf nur anzunähen
Muß man ein Schneider sein.

———

Die kunstreiche Hand,
Des Leibes Verstand.

———

Der Will' ist groß, die Kraft ist klein,
Uns fesselt leider das Alltägliche,
Nur der Unfähige allein
Glaubt an's Unmögliche.

———

Das Gegenwärtige
Ist immer das Widerwärtige,
Und das Zukünftige
Ist selten das Vernünftige —
So kommt's, daß die Leute meist verlangen
Nach dem, was, Gott sei Dank, vergangen!

———

Ein mahnend Wort:
„Der Mensch muß sterben, darum eilen!"
So schreib' ich denn, Freund Lenau, fort und fort,
Hinke Dir nach mit all' den tausend Zeilen.

———

Beifallsjubel, Frauenhuld
Ist vorbei, das ganze Treiben —
Und so lernt man: Ungeduld
In der größten Ruhe schreiben.

———

Ich bin am Ende des Zieles!
Was hab' ich nur erstrebt?
Man überlebt so Vieles,
Und hat so wenig gelebt!

———

Was helfen kluge Kinder?
Aus Kälbern werden Rinder,
Aus Wunderkindern Fexen,
Aus Feen werden Hexen!

———

Geselligkeit! Was will's bedeuten?
Nichts als Ennui mit allerlei Leuten!

———

Was nützt das Geologen-Wesen?
Natur und Schöpfung bleibt versteckt!
Hilft der das letzte Räthsel lösen,
Der neue Räthsel nur entdeckt?

———

Das unvernünft'ge Thier bringt nie sich selber um,
Selbstmord ist Menschen-Privilegium.

———

Was sind Menschen? Thiere, welche wissen,
Daß sie sterben müssen.

———

Du verlangst von mir, ich soll ein Genie sein?
Ich nur von Dir: Du sollst kein Vieh sein!

———

Ich hab's berechnet, Ihr könnt es dann
Statistisch benützen:
In Deutschland kommen auf Einen Mann
Zwei hundert Schlafmützen.

———

### (1847.)

In Wien steht's anders! Sie sind lebendig
Nur unverläßlich, unbeständig.

———

Gerne thut sich Jeder gütlich,
Unser Dasein ist „gemüthlich".

Was Regierung! Was Verwaltung!
Wiener Schlagwort: Unterhaltung.

———

Es war die Zeit so gut, so alt,
Noch ohne kritische Richter —
Wo Füger für einen Maler galt,
Collin für einen Dichter.

———

Das ist das heit're Schlaraffenland,
Der Sitz der Philister=Innung;
Da fragt nach Geist und Talent Niemand,
Man verlangt nur „gute Gesinnung".

———

Es bringt wie frische Luft herein,
Der Lenz im Herbst zu spüren,
Und selber im „Gewerbverein"
Da fängt sich's an zu rühren!

# II.

(Seit 1848.)

---

## Politica.

„Ich höre so viel vom Volke reden —
Wie meint man das zu dieser Frist?" —
Ich glaube, sie meinen Jeden,
Der ihrer Meinung ist.

---

„Für's Volk, nicht durch das Volk!" — Ganz recht
Und trotz dem Volk wär' auch nicht schlecht;
Und nehmt Ihr wirklich sein Wohl in acht,
Fragt Keiner, wer ihn glücklich macht.

---

Ihr seid die Klugen, sollt für uns
Erwägen und beschließen;
Und daß wir Andern doch auch was thun,
Wir lassen uns erschießen.

---

Verlaß Dich nur auf's liebe Volk!
Dem ist nichts werth und theuer,
Zerschlägt erst seines Nachbars Topf,
Stellt dann den eigenen an's Feuer.

Aristokrat! — Ist so ein Wort!
Zu jeder Zeit, an jedem Ort
Gibt's Leute, die besser als and're sind,
Und Leute, die sich für besser halten;
Man sondert sie aber nicht so geschwind,
So bleibt's vorläufig beim Alten.

---

Ihr schafft den alten Adel ab,
Das soll mich baß erfreuen;
Allein die Leute warten schon —
Macht hurtig einen neuen!

---

Die Form ist viel — doch macht sie schon
Zu Männern unsre Knaben?
Was hilft uns die beste Constitution,
Wenn wir nichts zu constituiren haben?

---

„Was ist das: Constitution?
Das sag' mir Einer!" —
Ei nun, man setzt Dich auf den Thron
Und regiert statt deiner.

---

Genie und genial ist das Gehässige;
Zuletzt regiert doch nur das Mittelmäßige.

---

Wo Keiner dem Andern im Wege steht,
Um die eigene Achse sich Jeder dreht,
Wie ein Mühlenpferd im Kreise geht,
Das gibt eine schöne Majorität.

Freier Handel — klingt recht gut!
Freier Austausch aller Gaben;
Aber sagt, wie machen's Die,
Die nichts auszutauschen haben?

———

Im frei'sten Lande von der Welt
Gibt's gar so viel Gendarmen!
Im reichsten Lande von der Welt
Gibt's gar so viele Armen!

———

Was hat euch der Vertragsbruch so verdrossen?
Nothwendig war's, und kann man's auch nicht loben!
Gott selber hat den alten Bund geschlossen,
Und ihn im neuen wieder aufgehoben.

———

Die Inder sind gar schlaue Leute,
Wie vor Jahrtausenden machen sie's heute;
Stirbt der Herr, so verbrennt man geschwind
Mit seiner Leiche Weib und Gesind',
Legt Ochs und Esel noch dazu,
So hat die ganze Wirthschaft Ruh'!
Vorüber bald wär' alle Noth
Machtet ihr's hier so im Occidente:
Wenn man nach des alten Herrschers Tod
Doch die alten Minister verbrennen könnte!

——— ‒ ‒ ‒

Reactionär, zu jeder Frist
Sollst kräftig aufzutreten bereit sein;
Denn wenn schon Einer ein Schurke ist,
So muß er doch gescheidt sein.

„Der Fremde, den wir ewig haſſen,
Du kannſt's in der Geſchichte leſen,
Der ſä'te Zwietracht in unſ're Maſſen." —
Ei, warum ſeid Ihr dumm geweſen,
Und habt euch ſtets entzweien laſſen?

―――――

„Jetzt ſind wir frei." —
Nun, das iſt prächtig!
Es bleibt doch Alles Lumperei,
Seid ihr nicht mächtig!

―――――

Iſt's denn möglich, immer ſtehen,
Beſter, auf den Barrikaden?
Immer mit den Fahnen wehen,
Immer ſchießen, wieder laden?

―――――

Der Adel und die Kleriſei
Han ſchier die Macht verloren;
Dafür zieht noch immer die Börſe frei
Das Fell Euch über die Ohren.

―――――

Ob Brutus oder Cäſar — gilt mir gleich!
Schaff' Einer erſt ein tüchtig Reich.

―――――

Die Sach' zerfiel in Zänkerei'n,
Es hat nicht anders kommen können;
Deutſcher Kaiſer will keiner ſein,
Will's keiner auch dem Andern gönnen.

Ein bunter Teppich ist die Despotie,
Die Kehrseite ist Anarchie.

---

Handelt sich's um einen Thron,
Schwinden die Gesetze der Natur;
Ein König hat keinen Sohn,
Einen Nachfolger nur.

---

Was soll die Feder?
So zieht einmal vom Leder!

---

Die Sache war verloren
In allem Anfang gleich:
In Deutschland durch die Professoren,
Durch die Studenten in Oesterreich.

---

Grundrechte schmiedet Ihr um die Wette!
Was hilft's? Euch fehlen die Bayonnette.

---

Ihr machtet einen deutschen Kaiser,
Der sich in Gagern's Dintenfasse fand;
Der Preußenkönig, der war weiser,
Er nahm die Krone nicht aus Volkes Hand!

---

Da hast Du's nun, Rumpf-Parlament!
Wie's ohne Kopf auch anders werden könnt'!

„Kein Preußen und kein Oesterreich!
　　Ein Deutschland nur!"
So hat ein Prinz getoastet einst — indessen
Der „Reichsverweser" hat's vergessen!

———

Vornamen bedeuten viel und wenig!
Franz heißt der Kellner wie der König.

———

„Der König ist ein Gott!" — Heißt viel und wenig!
Gott gilt Euch nur für eine Art von König.

———

Kleine Menschen in den Häusern wohnen,
Kleinste Menschen sitzen auf den Thronen!

———

„Les rois s'en vont!" — ein tröstend Wort:
Sie geh'n — sind leider noch nicht fort.

———

Königshaupt ist wie die Hyder,
Schlag' es ab, es wächst gleich wieder.

———

Erb=Uebel die Monarchie,
Erb=Sünde die Despotie!

———

Titus der Gütige,
Nero der Wüthige,
Karl der Einfältige —
Jedem pariren sie,
Jedem hofiren sie,
Der sie bewältige!

———

12*

„Dies Reich ist eine Nothwendigkeit!" —
So hör' ich rufen beständig;
Doch alles wechselt mit der Zeit,
Man bleibt nicht immer nothwendig.

---

Das „divide" reizt immer noch — indessen
Han sie das „impera" vergessen!

---

Euch wundert's, daß ein Reich erlischt? —
Wie Ihr die Elemente mischt,
Die nicht zusammen gehören,
Sie werden sich schließlich selber zerstören.

---

Gar lange währt's mit diesem Staate nicht,
Hat schon das „hipokratische Gesicht!"

---

„Pragmatische Sanction" —
Geheimnißvolles Wesen!
Dazu die „Personal-Union" —
Wie dort bei den Siamesen!

---

(1851.)

Ei, sagt nur, wie das Alles kam?
Sind sie verrückt, die guten Seelen?
Den Adler-Narren, den Mann aus Ham
Zum Präsidenten sich zu wählen!

Das ganze Land für ihn? Wißt Ihr, was Ihr begehrt?
Sogar der schlaue Thiers hat sich für ihn erklärt!

---

Weil Du den Onkel gepriesen
Auf all' den tausend Blättern,
Mußt Du darum auch diesen
Unwürdigen Neffen vergöttern?

Prinz=Präsident! Verfluchter Titel!
Er fordert Geld? Verweigert ihm die Mittel!

---

Ich weiß nicht, was d'raus werden wollte,
Wenn dieser flugs noch Kaiser werden sollte!

---

Journalisten, rüstet Euch,
Patrioten, steht zusammen!
Sinnt er einen Schelmenstreich,
Stürzt ihn in die Freiheitsflammen!

---

(1852.)

S'ist gescheh'n! Ein ungeheurer
Staatsstreich! Schmach und Schande!
Und es brachten ihn zu Stande
Falsche Spieler und Abenteurer.

---

„Ich will Euch die Gesellschaft retten!" —
Will sagen: ich schlage sie in Ketten.

---

Kronenräuber — da war noch Größe!
Kronendieb — steht da in seiner Blöße.

———

Ein neues Kaiserthum! Wird's taugen?
Herr Thiers, Sie reiben sich die Augen?

———

Was soll das Kaiserthum bedeuten?
Und wie steht's mit den honneten Leuten?

———

(Senator spricht:)
„Ei was honnet! Wie soll sich's lohnen?
Uns winken fette Dotationen."

———

Seht, sie regieren —
Und speculiren!

———

Graf Morny's lüsterne Augen
Die werden Euch dirigiren!
Es scheint, daß wirklich nur die Lumpe taugen,
Die Spitzbuben zu regieren.

———

An die freien Männer geht's zunächst,
Er schickt sie dahin, wo der Pfeffer wächst.

———

(Die Fürsten flüstern unter einander:)
„Ein Roturier sitzt fest auf seinem Thron —
Das mag uns Allen nützen!
Denn uns're gold'nen Sessel wanken schon,
Er kann sie stützen."

(Fortsetzung.)

„Er sucht sich eine Kaiserin,
Und blinzelt nach Prinzessen?
Wo denkt so ein gemeiner Mensch nur hin,
So Allerhöchstes sich zu vermessen?"

———

Der Mann hat Grütz' im Kopf' und hat Soldaten!
Gebt ihm von Euern Töchtern, möcht' ich rathen.

———

Und wenn sie ihn in seinem Plan geniren,
Laßt ihn die „alten Verträge" revidiren.

———

Das neue Kaiserthum consolidirt sich schon!
Es steht auf bestem Fuß mit dem alten Palmerston.

———

Auch hindert nichts des Kaisers Thun und Schaffen,
Fängt gleich der alte Thiers auf's Neue an zu klaffen.

———

Er frägt in seinem stolzen Sinn
Nichts mehr nach Eueren Prinzessen,
Und mit der schönen Spanierinn
Nimmt Er vorlieb indessen.

———

Und Feste gibt's im Trianon,
Es jubelt die ganze Nation.

———

„L'empire c'est la paix!" Gewiß, wenn Alle schlafen:
Du bist der Herr, sie sind die Sclaven.

———

Da hört ihn schöne Phrasen drechseln!
Die Weltausstellungen und Kriege wechseln.

———

Inzwischen Industrie und Handel hebt er!
Wie Gott in Frankreich lebt er.

———

Dramatische Kunst auch rüstet sich froh,
Edmond About,
Und auch Sardou,
Sie dreschen immer neues Stroh!

———

Wie meint Herr Hübner in Paris?
Es lebe sich dort gar hold und süß!

———

Da zeigt der Böse den Pferdefuß!
Es kam Neujahr und der Neujahrsgruß —
Es klingt mir noch in den Ohren!
Im Hui war Mailand verloren.


———

## (1860.)

So geht's bald weiter, das lose Spiel!
Um Venedig geb' ich schon heut nicht viel.

———

„Man muß den Krieg localisiren!" —
Erwogen hatt' er das in seinem Geiste tief;
Nur dort in Mexiko ging's etwas schief,
In Veracruz gab's nichts zu „annexiren!"

## (1866.)

Verloren ift verloren!
Es fchiert uns wenig,
Trägt der Afterkaifer die Schuld
Oder der Muckerkönig!

———

Was hilft der Schlendrian? Ergreift den Augenblick!
Dummheit war ftets die fchlimmfte Politik!

———

Organifation! Davon ward viel gefprochen,
Doch wenig als Verkehrtes nur gethan;
Man hat die Frucht vom Baum gebrochen,
Und meint naiv, fie wachfe wieder an!

———

Wie ift der Aktenwald fo dicht!
Man fieht den Staat vor Gefetzen nicht.

———

Im Nachttopf bewahrt er die Excremente —
Die confervativen Elemente!

———

„Nur Eines ift, das packt:
Die Nationalität!
Euer Vaterland ift abftract,
Das unfere concret."

———

Enge Hofen, dicht befchnüret
Und dasfelbe Hemd beftändig,
Dicker Schafpelz, d'rin fich's rühret —
„Nationales wird lebendig!"

———

Der Ungar spricht: Reichsministerium —
Wir wollen's dulden!
Uns bleibt das Imperium,
Ihr zahlt die Schulden.

---

„Sagt, was hat sich zugetragen?" —
Eine Wahlschlacht ward geschlagen!
Ungar=Muth ist nicht zu zügeln. —
„Éljen! Laßt sie sich zerprügeln."

---

„Keine Steuern,
Ihr Theuern!
Tabaksbau frei,
Und Gratissalz dabei,
Eine eig'ne Armee,
Versteht sich per se,
Und Theilung alles Eigenthums dazu —
Mehr kann ich nicht versprechen, jetzt laßt mich in Ruh'!"

---

Diogen mit der Laterne
Einen Menschen sucht er nah und ferne —
Wenn sie den Menschenlenker finden könnten,
Den tüchtigen Ministerpräsidenten!

---

Waffengerassel und Pulverdampf,
Ein ewiger Racen= und Sprachenkampf!
Stets wiederholt sich die alte Fabel:
Sie bauen immer den Thurm von Babel.

---

Mein Oestreich ist nun zweigetheilt
Durch jenen Mann aus Sachsen;
Es war ein wenig übereilt —
Ob je die Hälften zusammen wachsen?

Volksführer, werde mir nicht zu stolz!
Schiff und Ruder sind von demselben Holz;
Die Masse fügt sich, glaube mir,
Nur dem klotzigen Element in Dir.

———

Volksmänner stehen jetzt am Ruder,
Der ist Dein Vetter, der Dein Bruder;
So gilt es, bei den harten Zeiten,
Die Wirthschaft „en famille" bestreiten.

——— — ·

Bürger-Minister, seid bedacht,
Rings ist dicker Nebel!
Nehmt vor Hofluft Euch in acht,
Und vor Kutt' und Säbel.

———

Was hilft's, auf alte Normen sich zu steifen!
Die Ueberraschung siegt, das ist die neu'ste Lehre;
Wenn ich Minister jetzt des Aeußern wäre,
Ich dächte d'rum sogleich zum Aeußersten zu greifen.

———

Was hilft's, die Steuern abzumessen!
Sie brauchen Waffen, Brod und Kleider;
Bald haben sie uns aufgefressen,
Diese bewaffneten Hungerleider!

———

„Entschließe Dich nur schnell,
Bevor's mich reuen thut —
Sei constitutionell,
Ich will es absolut!"

Ich hab' es immer bewundert!
Das Faß, das morsche, alte,
Es war schon leck vor einem Jahrhundert —
Jetzt sucht man erst den Reif, der es zusammen halte!

———

Wann kommt das tausendjährige Reich?
Wann sind die Menschen alle gleich?
Wann brauchen wir endlich keine Minister,
Und keine Könige und keine Priester?
Ein schöner Traum!
Da — — — — — — —

———

Uns're Regierung! So dürfen wir prahlen —
Uns're Regierung! Da wir sie zahlen.

———

Das Volk, versteht, ist gut und brav,
Doch sind's die Rohen, völlig Wilden,
Die noch kein Strahl des Geistes traf —
D'rum gilt's, erst die Gebildeten zu bilden!

———

Die Freiheit ist da, aber auch die Noth!
Was soll mir die Butter ohne Brod?

———

Ich schließe mich an, wie mir's gelinge,
Der neuen Unordnung der Dinge!

———

Kein Mensch wird großgezogen ohne Schläge!
So geht's auch mit den Völkern allewege.

„So lange ich Minister bin, zu dienen,
Wird nichts aus Ihnen!" —
Meine gehorsamste Reverenz —
Doch ich kann warten, Excellenz!

———

Sie sehen jetzt so sauer d'rein,
Die braven Leute, meine Cameraden!
Was mag's nur sein?
Man hat ihnen ein schweres,
Wenn gleich leeres
Portefeuille aufgeladen.

———

Seht doch die neue politische Wendung!
Es wird dem wilden ungeleckten Bären
In seinem schmutzigen Pelze die Sendung,
Die treu gehorsamsten Pudel Mores zu lehren!

———

Die Hund' und Katzen tauchten ihre Rüssel
Seit lange in dieselbe volle Schüssel —
Das Fleisch ist weg, die Suppe ausgeronnen,
Jetzt um die Knochen hat der Kampf begonnen!

———

Organisirt nur fort und fort
Im Kriegsministerium!
Noch immer führt das große Wort
Der General Bum=Bum.

———

„Wir bleiben neutral!" — Ist bald gesagt!
Doch wenn Dich der, Gott sei's geklagt,
Am Fuße zerrt und der am Schopf —
Wirst Dich nicht wehren, blöder Tropf?

———

Eine Million Wehrmänner haben wir!
Auch Milliarden Geld. Geduldiges Papier!

— — — —

Achtmal hundert — welche Macht,
Die den Sinn gefangen hält!
Wundervolle — Soldatenwelt,
Steig' auf in der alten Pracht!

———

„Zweierlei Tuch!" — Ein militär'scher Brauch!
An meinem Schlafrock hab' ich's auch.

———

Wir haben ein Haus,
Das kennt sich nicht aus,
Geht immer um den heißen Brei,
Hat keinen Führer und keine Partei.

— — — —

Dann ist ein anderes, ein hohes,
Ein ritterliches, lebensfrohes —
Gespickt mit Poeten und Gelehrten,
Die sollen sich gegenseitig verwerthen.

— —

Wen sollt' es wundern, wenn die Dichter in Jamben,
Die Ritter gar ausbrächen in Dithyramben!

———

## (1870.)

Ein neues Plebiscit mit Millionen Oui's —
Das Werk, es ist gekrönt durch unsern großen Louis!

(Das Kaiserthum spricht:)

„Ich hielte Ruhe gar so gern,
Da wären gute Tage uns beschieden;
Ergib Dich mir als Deinem Herrn,
Dann laß' ich Dich im Frieden."

———

(Das Königthum antwortet:)

„Du singst wie ich dasselbe Lied —
Wie wir zusammen trafen!
Mit einem kleinen Unterschied:
Ergib Dich mir zum Sclaven."

———

Sie ziehen her, sie ziehen hin:
„Auf nach Paris!" — „Auf nach Berlin!"

———

Neutralität ist Euch beschieden,
So bleibt Ihr fern dem blut'gen Streit;
Doch sagt, ist das der volle Frieden,
Wenn Ihr zu schwach zum Kampfe seid?

———

Du bist auf der Hut vor mir,
Ich fürchte mich vor Dir,
So trau'n wir Einer dem Andern nicht —
Man nennt's das europäische Gleichgewicht.

———

Sei's Mitrailleuse oder Kugelspritze,
Großstaat ist Raubstaat mit der Königsspitze.

———

Was soll das Siegesprangen
Und der Triumphgesang? —
„Sie haben den Kaiser gefangen!" —
Ein schlechter Fang!

———

Für eine einz'ge verlorne Schlacht
Kam er um seine Herrschermacht,
Indeß so Manche noch immer befehlen,
Die nur nach verlornen Schlachten zählen!

———

Welt der Lüg' und Heuchelei
Ist zerfallen wie in Zunder,
Diese zahme Barbarei,
Dieser falsche Kaiserplunder!

———

Nimmermehr vererbst dem Sohne
Deiner Kaisermacht Genuß,
Du, der Letzte auf dem Throne,
Romulus Augustulus!

———

„Sie sollen ihn nicht haben!“
Sang das der Mann mit Nutzen,
So gilt es nun, dem Raben
Die Flügel zuzustutzen.

———

Doch wollen wir's nicht leiden,
Den Kopf ihm abzuschneiden!

———

Willst ihm versetzen den Gnadenstreich?
Das wär' zu Deinem eig'nen Leide!
Denn Frankreich wie das deutsche Reich,
Nothwendig sind sie beide.

So ehr' ich auch das Preußenthum
Mit seiner Kraft, seinem Verstande;
Doch kämpft' es nicht für Deutschlands Ruhm,
Dann wär's zu seiner eig'nen Schande!

---

Wirf weg die Waffen,
Du stolzes Heer!
Beginn' ein friedlich Schaffen,
Versenke die letzte Kron' in's Meer.

---

Deutsche Nation, Du bist erwacht,
So steht nun auch zusammen!
Kaiser und König haben sie angefacht —
Volk, lösche diese Kriegesflammen!

---

Der arme Thiers! Im Jahre vierzig
War er so überstürzig!
Ist Friedensreisender im Jahre siebzig —
Die alte Garde gibt sich!

---

Das ist die neueste Kriegsmethode,
Bedroh'n einander mit dem Hungertode!

---

Das wird ja immer besser!
Kampf bis auf's Brodmesser!

---

Zuletzt wird Jener Sieger bleiben,
Dem's glückt, die meisten Ochsen aufzutreiben.

---

Den falschen Kaiser galt's zu stürzen,
Die „Chauvinisten" galt's zu schlagen,
Nicht Frankreichs Dasein zu verkürzen!
Deutsch und Französisch müssen sich vertragen.

---

Der Westen macht Europa groß und frei!
Vom Osten kommt die Barbarei.

---

In Rußland herrscht ein Uebermaß
Von Deutschen-Haß;
Und jetzt auch bei den Franken —
Das gibt denn so Gedanken!

---

„Gewalt geht über Recht!" — Du lehrst da Schlechtes!
Die Macht sei die Verwirklichung des Rechtes.

---

O des unseligen Geschlechtes!
Bald stirbt auch die Idee des Rechtes.

---

„Ein europäischer Areopag!" —
Sei's! Nur kein Fürsten-, nein, ein Völker-Tag!

---

Alles ändert sich auf Erden,
Wechselt über Nacht!
Daß die Deutschen Eroberer werden,
Wer hätte sich's je gedacht?

---

Ist Elsaß wieder deutsch? Das freut mich sehr!
Wenn's nur nicht gar so französisch wär'!

Den heiligen Vater nicht zu vergessen!
So sagt, wie steht's in Rom indessen?

———

Die Juden leihen Ihm seit Jahren,
Der Großtürk' sendet Ihm Geschenk' in's Haus,
Bald wird Er protestant'schen Schutz erfahren,
Und nur die Katholiken bleiben aus.

———

Denn sagt, was hilft das Pilgern und das Wandern
Von Leo Thun und all' den Andern!

———

Dich unfehlbar zu ernennen,
Nun das eig'ne Land Dir fehlt,
Heiliger Freund, Du mußt bekennen,
Diese Zeit war schlecht gewählt!

———

(Der König spricht:)

„Heiliger Vater, tief in Ehrfurcht
Küß' ich Hände Dir und Füße,
Doch erlaube, daß Dein Rom
Nur ein wenig ich beschieße."

———

(Das Volk spricht:)

Nach Rom! Nach Rom! Was hält Dich noch zurück?
Greif' zu oder wir machen Republik!

———

Nun, Ihr habt genug gewühlt,
Eure Roll' ist ausgespielt,
Garibaldi und Mazzini
Und Rinaldo Rinaldini!

———

13*

Rom wird besetzt, und jetzt, zuletzt
Wird ein Gehalt Ihm ausgesetzt —
Er protestirt,
Doch Er quittirt!


Zu Ratenzahlungen sind wir erbötig —
Der „Peterspfennig" ist nicht mehr nöthig!

———

Kron' und Tiara sind versöhnt,
Vorbei mit allem Leide!
Und an dem Busen des Budgets
Umarmen sie sich beide.

———

O großes Rom! O Romulus! O Remus!
Was bleibt uns noch? — Non possumus! Oremus!

———

Urbi et orbi! — Das ist vorbei,
Und seht Ihr noch so scheel!
Der Orbis wird jetzt mälig frei,
Die urbs gehört dem Emanuel.

———

Sonst wälsche Priester,
Jetzt wälsche Minister!
Sie werden sich zuletzt vertragen,
Die Kutten und die gestickten Kragen.


Aller, die nach uns geboren,
Harren Schmerzen, harren Wonnen;
Noch ist Polen nicht verloren!
Noch ist Deutschland nicht gewonnen!

Die Einen führen den „Geist" im Schild,
Die Andern hoffen noch „in cruce" —
Das ist das kleine treue Bild
Der Weltgeschichte in nuce.

———

Was schau' ich immer nur nach Rom und Frankreich aus?
So laß doch seh'n: wie steht's bei uns zu Haus?

———

Ein Jedes will für sich besteh'n,
Kein Kronland mit dem andern geh'n;
Das Nichts, das Chaos, ich erwart' es
Bei dieser „itio in partes".

———

Was ist nur das für wunderlich Wesen,
Den Staat in Atome aufzulösen!

———

„Wir können warten!" — Das war vorher.
Wir konnten warten — doch jetzt nicht mehr!

———

Des Ganzen Schwerpunkt, er verschiebt sich
Mit den fatalen „dreißig" und „siebzig!"

———

In England parlamentarisch,
Bei uns: elementarisch,
Schon seit Belcredi und Larisch.

———

„Intelligenz, ihr Tausend-Sackermenter!" —
Was hilft's? Die Andern sind noch weit intelligenter!

———

Ein neues Anleh'n! Ist's denn wahr? —
Gewiß! Nur wer uns leiht, ist noch nicht völlig klar.

———————

Schon wieder eine neue schwere Stunde!
Sie droh'n uns mit dem neuen deutschen Bunde.

———————

Nach Buda=Pest wollt' Einer uns verweisen,
Wir aber denken nicht ins Puszta=Land zu reisen;
In Oesterreich ist's noch immer angenehm,
Wien ist so hübsch, so deutsch und so bequem!

———————

Sieh, rings herum ein üppig Land,
Mit grünen Wäldern, blühenden Gebüschen!
Die Herren „aus der Mark", vom Sand,
Die möchten freilich gern sich d'ran erfrischen!

———————

Als Gäste seid begrüßt — doch still!
Es gilt, euch einzuschärfen:
Wer uns den Herren spielen will,
Den denken wir hinauszuwerfen.

———————

Und wollt Ihr mich was immer heißen,
Mein Wien ist deutsch gesinnt, das sag' ich gleich!
Allein das deutsche Wien liegt nicht in Preußen,
Nein, mitten in Oesterreich.

———————

Wie sagt das Sprichwort? Noth kennt kein Gebot!
Was Nationalität! Ein einig Reich thut noth.

Wollen wir Deutsche Euch knechten?
Wir halten, wie Ihr, an unsern Rechten!
Und weil wir für die Freiheit rüsten,
D'rum sind wir Feinde der Föderalisten.

———

Die Ungarn wissen's, auch die Polen:
Das Ziel ist groß und edel!
Und scheitern sollt's, es wär' zum Teufel holen,
Just an des Böhmen hartem Schädel?

———

Ein's sag' ich Euch: Mein Vaterland,
Ich weiß, wo ich es finde;
Ihr aber, haltet Ihr nicht Stand,
Zerflattert in alle Winde!

———

Gibt man den Dispositionsfond auf?
Noch finden sich Federn, wohlfeil zu Kauf!
Die volle Schüssel ist aufgedeckt —
„Ihr Hunde, leckt!"

———

Hofrath der Mann, auch decorirt!
Warum? Das nenn' ich mir durchtrieben!
Weil er ein Kreuzerblatt creirt,
Und von der Börse weggeblieben.

———

Die „haute finance" nahm ihn auf zu Gnaden,
Hat ihn auch wieder zu Tisch geladen.

———

Preßfreiheit — himmlisches Vergnügen!
Wie sie sich in den Haaren liegen!

———

„Was schreibt doch die Kirchenzeitung so grob?" —
Zu des absoluten Herrgott Lob,
Von dem die Concession sie hat,
Als himmlisches Regierungsblatt.

---

„Man wird mich unter den Besten nennen,
Ich habe Thron gerettet und Altar." —
Da hättest Du fürwahr
Auch was Gescheidteres machen können!

---

Da d'rinnen ward ein Geist versiegelt,
Das that der Meister, der verständige;
Du hast die Massen aufgewiegelt,
Doch wo ist Einer, der sie bändige?

---

Wo ist nur da Verstand?
Was schwatzen die Philister?
Und just ein schwaches Land
Braucht starke Minister.

---

Diese Wasser, wie sie schwellen!
Segen werden sie ergießen;
Unerschöpflich unf're Quellen —
Schade, daß sie rückwärts fließen!

---

Seht diese Ministergruppe!
Viel Köche versalzen die Suppe.

Ob Ihr für den Ministertisch
Wohl so bereit Euch fändet,
Ging's hier wie in England, wo's wohl auch
Mit dem Hals=Abschneiden endet!

———

„Tugend braucht's in der Republik." —
Zugegeben! Ich sag' nicht nein;
Doch muß man d'rum in der Monarchie
Ein Spitzbube sein?

———

Und das Alles ist gekommen,
Wie's verschuldet wir vor Jahren,
Weil wir in der Pauluskirche
Solche große Esel waren!

———

Es wird ein Kaiserthron gezimmert,
Indeß die Völker sich zerklopfen,
Und auf der Kaiserstirne schimmert
Vom „demokrat'schen Oel" kein Tropfen!

———

Wie sich mir die Blätter füllen
Nur mit wildem Kampfestosen!
Doch man lebt denn auch im Stillen,
Und im Stillen blüh'n die Rosen.

———

Du wirst es noch im Tod bereuen,
Hast Du vergessen, Dich zu freuen!

———

Die Welt ist da und ich darin
Ein Zweig vom Menschheitsbaum;
D'rum will ich träumen mit frischem Sinn
Den schönen Menschentraum!

---

Im Traume sprechen Hund und Katz' und Vögel,
Der Traum kennt keinen Zweck, noch festes Ziel und Regel;
Die Kunst hält edel Maß mit Bildern und Gedanken,
Sie ist ein schöner Traum mit blüh'nden Rosenschranken.

---

Wie die wilden Stürme sausen,
Sollst nicht ihrer stets gedenken,
Wie sie hausen, wie sie brausen,
Dich in's Innere versenken!

---

(Religion. Kirche.)

Gern möcht' ich glauben! Aber was?
Du sagst mir dies, Du sagst mir das!
Kommt mir das Licht aus Deinen Finsternissen?
So bleib' ich denn bei meinem bischen Wissen!

---

„Unsterblich ist der Mensch!" — „Der Mensch ist Staub vom
Staube!" —
Ihr Doppelzüngler, sagt, wo ist der rechte Glaube?

---

Der Mensch, ein dunkler Geist, von Gott entfernt,
Blickt auf zum Stern von seiner trüben Erden;
Die Menschheit ist ein Mensch, der ewig lernt
Und niemals stirbt — so ist ein ewig Werden!

Homer, Plato, Aristoteles —
Sie führen wie eine Brücke
Zu Shakespeare, Herder, Lessing hin,
Sind lauter zerschlagene Gottesstücke!

———

Das Leben hat viel Banales,
Der Tod gar was Brutales;
Doch gilt es sich plagen und nicht verzagen,
Leben und sterben, Du mußt es ertragen!

———

Der Geist wird schwach und matt,
Die Stunden werden trüber,
Mein Ich, ich hab' es satt —
Das „Nicht=Ich" wär' ich lieber!

———

Wie hold er ist,
Der Gedanke: Du bist!
Allein Du mußt sein —
Das gibt gar drückendes Bewußtsein!

———

Einst war ich nicht, nun bin ich, werde zuletzt
In's Nichts zersetzt; —
Und kann das Wunder nicht zwei mal geschehen,
Ich wiederum aus dem Nichts erstehen?

———

Was hilft uns alle Philosophie?
Sie ist zum Hausgebrauch nicht;
Geschaffen werden wollt' ich nie,
Und sterben mag ich auch nicht.

Laß Dich nicht weiter vom Flitter bethören!
Du mußt anfangen — aufzuhören.


Fortdauern soll mein Ich? Du willst durchaus es haben?
Prä-Existenz erklärte das allein;
Denn leb ich' noch, nachdem sie mich begraben,
Muß ich vor mir schon da gewesen sein.

———

Gekommen ist nach Jahresfrist
Nun wiederum der heil'ge Christ;
Wie lockt es uns, voll Andacht und Vertrauen
Nach der verhängten Thür zu schauen,
Und zu erwarten, fromm und schüchtern,
Das Heil der Welt von bunten Lichtern!

———

Der „große Pan" ist todt und soll gestorben sein!
Der große Pan war Puppe nur,
Der große Pan ist die Natur,
Der alten Götter Wiederschein!

———

Das Wort der Liebe ward verkündet,
Das Wort der Freiheit und des Lichts,
Das Wort, das Gott und Mensch verbündet —
Die Götter sanken in ihr Nichts!

———

Was einzig segnend sich erweist?
Der Freiheits-Paraklet, der wahre heil'ge Geist!

Der Erde nur der Offenbarung Licht?
Den andern Sternen ward es nicht?
Entsetzlich diese Lehre,
Wenn so der Rest des Welt-Alls heidnisch wäre!

———

Und wenn ich Dir Dein Bestes raube,
Die Wahrheit einzig soll mein Wahlspruch sein!
Und so, wahrhaftig, nicht der Glaube,
Der Wille nur versetzt die Berg' allein.

———

Die Offenbarung
Ist eine Gemüths-Erfahrung;
Im Schönen, Guten, Wahren
Will Gott sich täglich offenbaren.

———

Erinnert Euch vor allen Dingen
Der alten Fabel von den Ringen;
Glaubt Ihr Euch im Besitz des echten,
So wollt nicht mit dem Bruder rechten,
Ihn ob des falschen Ringes nicht verdammen
Zu Scheiterhaufen und höllischen Flammen.

———

Ich sag's mit wahrer Wehmuth:
Den Frommen fehlt die Demuth;
Meint Jeder, daß er besser wäre
Als Goethe, Spinoza oder Voltaire.

„Natürliche Religion!"
Was hast davon?
Nenn's lieber dreist:
Natur und Geist.

―――――

Was will der Mann uns bieten?
Verkehrt das Heilige in Mythen!
Doch heilig bleibt die Salb' und Thräne
Der sündigen Magdalene.

―――――

„Persönlicher Gott!" ―
Das klingt wie Spott.
Ihr Thoren malt ihn auch!
Wozu? Er ist ein Geist, ein Hauch.

―――――

Was schiert Dich das Schimpfwort: „Atheist?" ―
Es sagt nur, daß Du kein Jude bist.

―――――

Befangen in dem alten Uebel,
Verwechselt Ihr das Wesen mit dem Schein!
Was baut Ihr gothischen Thurm und Giebel?
Den Glauben baut Ihr nicht hinein!

―――――

Jagt mir die Nebel-Pfaffenbilder fort,
Die mit dem Tode schrecken, um zu gleißen!
Memento mori, ist ein tristes Wort,
Memento vivere, so muß es heißen!

Den heiligen Glockenschwengel
Schwingt betend ein frommer Bengel!

———

Was geiferst Du, mein frommer Sohn,
Als spornte Dich die Furie, die Alecto?
Weiß ja! Vernunft-Religion
Ist contradictio in adjecto;
D'rum theilen wir, mein frommer Sohn:
Ich hab' Vernunft, Dir bleibt die Religion.

———

Ein Wickelkind, es scheidet aus dem Leben!
Wie wird sich sein Geschick erfüllen?
Im Jenseits wird's wohl Ammen geben,
Um geistig es zu stillen.

———

Sie han das Concordat zerrissen,
Das führte bald zu Aergernissen —
Denn sie erzählten die alte Mähr',
Wie Graf von Habsburg kam geritten her,
Stieg ab vom Schimmel — das waren Zeiten!
Ließ den Caplan statt seiner reiten.

———

Was schimpft Ihr die Juden?
Denkt an den Tetzel und seine Ablaßbuden!

———

Zweihundert Märtyrer
Sind selig gesprochen —
Doch Millionen Proletarier
Unselig vor wie nach dahin gekrochen!

Woher nur alle die Menschenhorden?
Woher ich selbst? Es macht mich bang!
Verdank' ich's wirklich dem Orang-Outang,
Der mein Ur-Ur-Großvater worden?

Nach seinem Ebenbild hat mich ein Gott geschaffen! —
Nun ja! Durch die Vermittlung eines Affen.

„Nicht doch! Wir stammen ab von Einem Menschenpaar!" —
Nun ja! Sonach von Adams Kindern!
Daß da der Bruder auch der Schwester Gatte war,
Wie ließ sich das verhindern?

Die Eh' ist ein sociales Experiment,
Das dien' Euch zur Empfehlung;
Die Eh' ist ein göttlich Sacrament —
Kommt vor der letzten Oelung!

Dort das Madonnabild, es prangt in Farbenhelle,
Der Ketzer, der's gemalt, er bratet in der Hölle —
Da betet vor dem Bild ein Bauernlümmel,
Der kommt in den Himmel!

Ihr nennt den Namen Gottes eitel,
Trotz Euerm Weihrauch und Klingelbeutel!

Wasser in Wein und Wein in Blut!
Hokus Pokus! Wofür ist's gut?

Ich sehe die Seligen gähnen,
Sich nach dem „Diesseits" sehnen.

———

Wenn alle in den Himmel kommen,
Alle die Millionen Frommen,
Deutsche, Magyaren, Wälsche, Polen —
So ein Himmel wär' ja zum Teufel holen!

———

Könnt' ich Gewißheit mir verschaffen!
Ich bin noch immer im Zweifel,
Ob Gott die Welt geschaffen,
Oder der Teufel.

———

O diese Welt voll Fratzen und Affen!
Ich sag's Euch unverholen:
Gott hat die Welt geschaffen,
Der Teufel mag sie holen!

———

(1871.)

Die Alten hatten keine Feiertage,
Nur wir genießen der Sonntagsplage.

———

Die harte Noth, die Wochentage!
Die Langeweile, die Sonntagsfrage.

———

Das Wissen ist gar ein grober Geselle,
Es wirft den Glauben über die Schwelle!

———

Glauben und Glas,
Wie bald bricht das!

———

Fast schwindet sie, die Glaubensseligkeit —
Der Menschheit wird zu eng das Mythen-Kinderkleid!

———

Ob Zendavesta, Koran oder Bibel —
Religion scheint ein nothwendig Uebel.

———

Wozu? Woher? Wohin? Wir wissen's Keiner!
Doch kommt wohl Einer
Mit allerernsthaftestem Gesichte
Und offenbart — Jenseits-Specialberichte.

———

Du sagst ein Wort, das mir gefällt,
Du sagst vielleicht das Rechte:
Er ging in eine „bess're Welt" —
Die uns're ist die schlechte!

———

„Das Sterben ist der Zweck des Lebens!" —
Stirbt keiner gern! Du lehrst vergebens.

Zum seligen Leben gelangt denn keiner,
Nur die Heiligen, die Lebens-Verneiner.

---

Schier zwischen Will' und Intellect
Liegt noch was Anderes versteckt,
Nicht zu begreifen, zu erkennen —
So magst Du's „Gott" und „göttlich" nennen.

---

Das All' war immer da, wird ewig sein,
Ich muß es glauben, seh' ich's auch nicht ein;
Doch wie aus Schleim' und Zell', erklärt mir's nur,
Wie ward die fühlend-denkende Creatur?

---

Was Zuchtwahl, Kampf um Existenz,
Die Millionen Jahr' und all' die Phasen!
Schier glaub' ich lieber an die Providenz,
Und Odem Gottes, der mir eingeblasen.

---

### (Uebergang. Vermischtes.)

Wer dächte d'ran, in unsern Tagen
Sich mit Mysterien zu plagen!
Hinweg mit all' dem Nebeldunst,
Ergebt Euch dem Leben, ergebt Euch der Kunst!

---

Doch die Künstler von heute
Sind gar eigene Leute!
Und so, wenn Einer singt,
Fragt nicht, ob es auch stimmt und klingt,
Nur was es bedeute!

Laß mir das Nackte, das Naive!
Behalte Du das Künstliche, das Schiefe.

———

Die „heilige Elisabeth",
Von Lißt Ferencz aus ihrem Grab beschworen
Mit vielem Blech und brünstigem Gebet,
Sie hört nicht, ist ein Geist — wir leider haben Ohren!

———

Unfehlbar wär' der Pabst? Glaub' nicht, daß sich's erprobt,
Denn Lißt's Cantate hat der Pontifex gelobt.

———

Die Damen küssen dem Abbé die Hände —
Sonst hatten sie ihm den Mund geküßt!
Er seufzt: „Bin ich mit meinem Latein zu Ende,
So hol's der Teu— — gelobt sei Jesu Christ!"

———

Ein Leirer baute Mauern auf,
Ein Posaunist riß Mauern um —
Das war doch noch ein Künstlerlauf,
Da war noch Virtuosenthum!

———

Das große Geheimniß: der Geschmack!
Was fragt Ihr viel?
Es ist die Einheit zwischen Mann und Frack,
Und zwischen Mensch und Styl!

———

Kann mir Einer denn erklären,
Wie das Gras, die Blume sprießt?
Kann mich Einer denn belehren,
Was das Wachsen — Dichten ist?

Da kam uns wieder Einer!
Gervinus oder „Realist",
Sie wissen Keiner,
Was Shakespeare eigentlich gewesen ist.

---

Doch wack're Männer sind's, und wenn sie streiten,
Einseitig auch, man lernt nach beiden Seiten.

---

Nun kommt Herr Richard Wagner gar
Mit seiner neuen Regel,
Das ist das alte: „Sein gleich nichts",
Der musikalische Hegel!

---

„Fort mit der Melodie das ist mein neuer Glaube!" —
Zu sauer fand der Fuchs die süße Lieder-Traube.

---

Wohin sind wir gerathen?
Nur Harmonie,
Und keine Melodie —
Das ist die Sauce ohne Braten.

---

Die Zeit der Phraseologie,
Und der Musik ohne Melodie!

---

Aus Schopenhauer erklärt er Beethoven!
Damit lockt man keinen Hund vom Ofen!
Doch er versteht das Ding zurecht zu setzen,
Gelingt auch, den Deutschen es aufzuschwätzen.

Das „im Begriff sich begreifende" Reich
Gehört längst zu den Todten!
Wie immer zu spät kam Oesterreich,
Auch als es den Hegel verboten.

———

Die Wiener aber sie bekehren
Sich unbewußt zu Hegel's Lehren,
Frivol und lachenden Gesichts:
Ihr Leben ist das „Sein gleich Nichts!"

———

Euer Dichter in der Scene
Fragt nichts nach dramat'scher Einheit;
Plumper Spaß und falsche Thräne
Paart sich da mit der Gemeinheit.

———

Ernst sei auch im heitern Spiele,
Und Gedanke, der erweckt;
Nimmer nähert sich dem Ziele,
Wer kein Ziel sich vorgesteckt.

———

Gemeinheit halte Dir vom Leibe,
Das gilt dem Manne wie dem Weibe;
Das Wort, es hat sich stets bewähret:
Semper aliquid haeret.

———

Ein schlammiger Teich wird trocken gelegt,
Die Frösche quacken und klagen; —
Doch wer Verbesserungsprojecte hegt,
Wer wird darum die Frösche fragen?

———

Gibt's Ehrlichkeit? Versteht sich per se!
Es gibt ja auch vierblätt'rigen Klee.

––––––

Was hilft's Dir, wenn Du im Verein bist?
Du bist nur frei, wenn Du allein bist!

––––––

Ein doppelter Vortheil: mit Dir allein,
Und nicht mit den Uebrigen zu sein.

––––––

Und geht der Weg nach West oder Ost:
Du sattle gut und reite getrost!

––––––

Steh'n Leute zusammen, flugs geh' Du weiter!
Die Rohheit ist der Masse Begleiter.

––––––

Volksstimme, Gottesstimme! Bisweilen —
Wenn sie nicht schwanken, sich übereilen.

––––––

Was heißt Erziehung? Zwiebeln magst Du ziehen,
Die Menschenzucht wird täglich schlimmer;
Ist Jedem seine eig'ne Art verliehen,
Du änderst's nimmer!

––––––

Den Jugendfreund sah ich seit Jahren nicht —
Tritt mir entgegen da ein fremdes Angesicht!

Die süßen Töne sind verklungen!
Was hab' ich von den Erinnerungen?

---

Hunger und Liebe!  ·
Da habt Ihr das ganze Weltgetriebe.

---

Vorsichtig gegen Schädlichen!
Nachsichtig mit dem Redlichen!

---

Der Deutsche spottet gern des Böhmen,
Der Ungar macht den „Schwaben" schlecht,
Und wie sich die Völker beim Schopfe nehmen,
Sie haben leider Alle recht.

---

In irgend einer Form beschränkt, verkehrt, verdreht —
Und stolz darauf! Man nennt's die Nationalität.

---

Mit Deinem eig'nen Werthe decke Du
Die Fehler Deines Stammes zu.

---

„Ich bin ein Deutscher!" — „Ich Franzose!" —
Ihr seid zuletzt aus Einer Mutter Schoße!
Nicht mit dem Volk, der Masse sollst Du prahlen,
Es gilt, mit Deinem eig'nen Selbst zu zahlen.

---

„Der große Peter war ein Russe!" —
Ihr Moskowiter seid aus anderm Gusse!

„Wie aber der große Napoleon?" —
Er war seiner eig'nen Thaten Sohn!

———

„Und Kaiser Joseph!" — Nimm Dich in Acht!
Eine Schwalbe noch keinen Sommer macht.

———

Es martert Dich die Langeweile,
D'rum jagt Dich die Neugier in rastloser Eile.

———

Das Wandern ist Naturgebot,
Dient der Cultur zum Heile;
Die Völker wandern so aus Noth,
Und die Touristen aus Langeweile.

———

Wir müssen eben alle leiden,
Glücklich sind nur die Seligen!
Gar wenige sind zu beneiden,
Doch zu beklagen die Unzähligen.

———

Wer das Schlechte verfochten, das Gute verkannt,
Der ist das Schlechteste: ein Obscurant.

———

(Politisches Zwischenspiel. October 1871.)

Sagt, was verschiebt Ihr die Coulissen
Zu einer plötzlichen Verwandlung?
Das Schauspiel wird entzwei gerissen,
Uns mitten in der Handlung!

Der Regisseur tritt vor: „Ihr Herrn, ein neues Stück!
„Aschenbrödel in Böhmen!" — Oho! das macht kein Glück!
Reicht hinter den „weissen Berg" zurück.

---

    Gaugrafen und Pfaffen! Macht übles Blut.
    Böhmisch und römisch! Das thut kein gut.

---

    „Ein Czechenreich
    Wir schaffen's gleich!" —
    Ihr thut gar kühn und verwegen,
    Und seid doch mitten in Deutschland gelegen.

---

    Ihr prahlt mit hohen Gönnern
    In höchster Region?
    Mit uns hält eine große
    Und einige Nation.

---

    Was Gönner und Gunst, was hoch und höchst!
    „Kampf um das Dasein!" das gilt zunächst.

---

    Will sich da Einer den Hals abschneiden,
    Das steht ihm frei!
    Doch wollen wir's in dem Fall nicht leiden,
    Denn uns're Hälse sind auch dabei.

---

### (November 1871.)

    Da purzeln die Großen und die Kleinen!
    Ist das zum Lachen oder zum Weinen?

Die Schwindler liegen nun darnieder!
Wohlthuend ist es für's Gemüth,
Daß man, wenn auch auf kurze Zeit, nun wieder
„Honnete" Leute oben sieht.

———

Arbeitet ohne Unterlaß,
Ich geb' Euch meinen Segen;
Es gilt, dem Danaidenfaß
Die festen Dauben anzulegen.

———

„Morgen ist auch ein Tag!" —
Wie man nur so faseln mag!
Carpe diem! Gedenk' der alten Kunde!
Kein Tag kommt wieder, keine Stunde.

———

Seht, wie sie sich zerstückeln
In ihren „Leit=Artikeln!"

———

Es gilt die Leute zu allarmiren,
Damit sie sich abonniren.

———

Da wird's dem Publicum vorgekaut —
Sie schlucken's hinunter, unverdaut.

———

Ober'm Strich gilt's den Ministern,
Unter'm Strich den Kunst-Philistern.

———

Wann kommen die Menschenherzen
  Zu Ruhe und Genuß?
Es folgen den Jugendschmerzen
  Die Altersleiden auf dem Fuß.

———

Bin zufrieden, sollt' mir gleich
  Manches Gute fehlen;
Diebe, weiß ich, werden reich —
  Doch ich mag nicht stehlen!

———

Süßen Honig auszuheben
  Scheu' den Stachel nicht der Bienen!
Bestes ist, in Lieb' und Leben,
  Nie gefahrlos zu verdienen.

———

Nicht dem Eifer, nicht dem Haß
  Werden schlimme Laster weichen,
Nur Geduld und edles Maß
  Dient sie auszugleichen.

———

Rechts und links die Gaben spenden,
  Wie man's übt und liebt,
Heißt nicht geben, heißt verschwenden;
Spender, auch mit vollen Händen,
  Schau' erst, wem er gibt!

———

Iß Dich nie übersatt,
Lauf' Dich nie übermatt,
Verschwende nur vom Ueberfluß,
Ersparst so Lebensüberdruß!

Einsam lebt gelehrte Unke
In der Studien-Spelunke;
Um Unsterbliches zu dichten,
Willst auf's Leben Du verzichten?

———

„Was Welt und Leben! Ich schließ' mich ab!" —
So gräbst Du Dir Dein eig'nes Grab!

———

Und wenn Dir Bart und Haare grauen,
Das Schöne sollst Du nie verachten,
Die holden Mädchen, lieben Frauen
Nicht wie Amphibien betrachten!

———

Dieses junge Mädchen klagt mir
Seine unverstand'nen Triebe;
Dieses junge Mädchen sagt mir,
Daß es mich, den Alten, liebe!

———

Daß sich's diesem holden Kinde
Doch in seinem Herzen kläre!
Daß ich Dir den Mann doch finde,
Welcher Deiner würdig wäre!

———

Wunder, wie noch Blüthen schlagen
Aus der herbstes-warmen Erde!
Wunder, wie in diesen Tagen
Wieder ich zum Dichter werde!

———

Dichter leben so in Träumen,
Sich des Lebens zu versichern:
Im Winter unter Büchern,
Im Sommer unter Bäumen.

———

All' die Verslein, all' die Reime
Trug ich innerlich im Keime;
Sint ut sunt! Was hilft's? Sie geben
Doch ein Stück von meinem Leben.

———

Ernst und Scherz, Gefühl und Witz —
Biographische Notiz!

———

Possen sind's, vermischt mit Klagen,
So aus alt und jungen Tagen!

———

Es schwebt die gold'ne Morgenwolke
Stets vor dem lieben Jugendvolke —
Ein glänzend Unvergleichliches,
Ein himmlisch Unerreichliches!
Und nistet sich das Alter ein,
Es äugelt mit dem Jugendschein;
Das ist denn unser Lebenslauf:
Womit Du anfängst, hörst Du auf.

———✦———

Druck von Adolf Holzhausen in Wien
k. k. Universitäts-Buchdruckerei.

# Gesammelte Schriften

von

# Bauernfeld.

---

## Zwölfter Band.

---

## Aus Alt- und Neu-Wien.

---

Wien, 1873.

Wilhelm Braumüller

k. k. Hof- und Universitätsbuchhändler.

# Vorwort.

Wie das Herz der Welt überhaupt, so hat auch jedes
Herz, auch des besten Menschen, einen Fleck, der ist
gut österreichisch gesinnt — er ist das böse Prinzip.

Börne.

Viele der nachfolgenden Artikel sind in der „neuen
freien Presse“ in der „Presse“, im „Concordia-Kalender“,
im „Berliner Salon“, im „neuen Fremdenblatt“ und in
der Berliner „Gegenwart“ vereinzelt erschienen und mit
Antheil aufgenommen worden. Ich bringe sie hier umgewandelt, sorgfältig gefeilt, in chronologischer Reihenfolge mit
anderen und in einer gewissen Ordnung und Anordnung, wie
es die fortschreitende Erzählung erheischt. —

Alles überlegt, sind Memoiren nicht von Ueberfluß, in
wie ferne sie psychologische und culturhistorische Momente
enthalten. Die Aufgabe wäre nun freilich: von dem Indivi-
duellen ausgehend, an das Allgemeine anzuknüpfen und in
dem rein Persönlichen gewisse Verhältnisse und Zustände von
höherem Interesse sich abspiegeln zu lassen. Oesterreich und
Wien mit seinen socialen, literarischen und politischen Phasen, die ich über ein halbes Jahrhundert mit erlebt, bieten

nicht blos ein locales Interesse dar. Wien ist zugleich eine deutsche Stadt und wird es ewig bleiben, dem Dualismus, Föderalismus, Czechismus, und jedem gegenwärtigen oder zukünftigen, ungarischen oder sonstigen Ministerium zum Trotz! Als Deutscher spreche ich daher auch zu Deutschen, wie als Wiener zu meinen Landsleuten. Jeder Mensch gehört seinem Boden an, und der Lebens- und Bildungsgang des Einzelnen wie der Nation kann weder dem Stück Erde, auf welchem wir wurzeln, noch der Atmosphäre entrinnen, welche uns zwingend umgibt. Unser Aller Atmosphäre aber war das sogenannte österreichische System, von Börne als das „böse Prinzip" bezeichnet. Dieser garstige „Fleck" scheint, trotz der constitutionellen Schönfärberei, in seiner Ur-Schmutzfarbe, die immer wieder hervorbricht, völlig unvertilgbar. Wenn der Druck des „Systems" in der sogenannten guten alten Zeit wie ein Alp auf jedem Bürger lastete, so mußte ihn der Schriftsteller natürlich doppelt schmerzlich empfinden. Diese Skizzen werden davon zu erzählen haben!

Wien, im November 1872.

**Bauernfeld.**

# Inhalt.

Seite

   I. Die Studien und die Studien=Hofcommission in der „guten alten Zeit". — Ein rationalistischer Klostergeistlicher. — Die Professoren Weintridt und Rembold . . . . . . . . . 5

  II. Jugenderinnerungen. — Theatromanie. — Literarische und sociale Anfänge. — Eine Studentenverschwörung. — Die Evangelisten und die Kartenkönige . . . . . . . 19

 III. Intermezzo. — Die Wiener Volks=Komödie . . . . . . . 31

 IV. Jugendfreunde. — Schwind und Schubert . . . . . . 63

  V. Ein Schubert=Sänger. — Der Kompositeur des „Dorfbarbier" und sein mündliches Testament . . . . . . 94

 VI. Beamtenlaufbahn. — Shakspeare als Nahrungsquelle. — Leiden eines jungen Dramatikers. — Hinter den Coulissen . . . 112

VII. Literarisches Zusammenleben in den 30er und 40er Jahren. — Grillparzer. — Raimund. — Anastasius Grün. — Nikolaus Lenau . . . . . . . . 129

VIII. Ein Bauerntheater in Tirol. — Vom Burgtheater und vom Theater überhaupt . . . . . . 156

 IX. Ableben des Kaisers Franz. — Das „System". — Wiener=Stimmung. — Ein Sturmvogel . . . . . . 196

  X. Reisen in Deutschland, mit Rückblicken auf Oesterreich . . . 219

 XI. Die Märztage . . . . . . . 249

XII. In Graz. — Die Mai= und Octobertage. — Brünn und Wien . . . . . . 265

XIII. Die Reaction. — Alfred Becher. — Gustav Frank. — Welden. — Graf Stadion. — Bach. — Schmerling und die Februar=Verfassung . . . . . . 282

XIV. Die „Gnomenhöhle". — Alfred der Große. — Alexander Baumann. — Wiener Geselligkeit. — Stimmungen . . . . 305

# Aus

# Alt- und Neu-Wien.

„Was werden wir nun sagen?" —
„Die Wahrheit!"

Zauberflöte.

# I.

(Die Studien und die Studien-Hofcommission in der „guten alten
Zeit". — Ein rationalistischer Klostergeistlicher. — Die Professoren Weintridt und Kembold.)

Die Schulen sind voll artiger Kinder,
und doch ist die Welt voll dummer
Menschen.          Helvetius.

Die Grundlage meiner Bildung verdanke ich dem
Schotten-Gymnasium, welches sich während meiner Schul-
frequenz (von 1813 bis einschließlich 1818) beinahe durch-
gehends tüchtiger Lehrer zu erfreuen hatte. Ich nenne vor
Allen den ausgezeichneten Andreas Oberleitner, der
uns das Griechische gründlich beibrachte. Er war zu gleicher
Zeit Professor des Orientalischen an der Wiener Universität,
und seine Ausgabe der aramäischen Grammatik von Jahn,
seine Fundamenta linguae arabicae, chrestomathia arabica,
syria und Anderes sind in der gelehrten Welt noch heutzutage
nicht vergessen.

Als ich in die zweite Humanitätsclasse, in die „Rheto-
rik" vorrückte, bekamen wir einen Professor, dessen Persönlichkeit und ganzes Wesen nicht ohne mächtigen Einfluß auf

1*

uns werdende Jünglinge bleiben konnte. Leander König
war zwar kein grundgelehrter Specialist, auch kein eigentliches philologisches Genie, wie der oben genannte Araber und
Syrier, jedoch ein wissenschaftlich genugsam ausgebildeter
Mann, dabei voll Eifer und Glut für sein Lieblingsfach, für
griechische und römische Literatur und Poesie, für Poesie überhaupt. Er hielt überdies nicht wenig auf guten rhythmischen,
zugleich richtig empfundenen Vortrag des Verses. Mit seinen
besseren Schülern, die er bald herausbekam, las er die Iliade
in Extrastunden. Einer meiner Schulkameraden, der mich
noch zuweilen besucht, der wackere Schulrath Anton Kral,
wird sich erinnern, wie uns der unermüdliche Lehrer sowohl
im Interpretiren, wie im Recitiren rastlos herumhetzte. Die
Uebrigen durften zuhören, weiter gab er sich aber mit dem
„Troß" — sein eigener Ausdruck — nicht ab, sondern
wendete sich ausschließlich an das halbe Dutzend seiner homerischen Akolythen. Der Troß horchte übrigens nicht ungern zu, da unser begeisterter, geistreicher, auch witziger Lehrer
nicht selten auf Abwege gerieth, dabei Ausfälle machte, die
bisweilen ihr Bedenkliches hatten. So wurde der Studien-
Hofcommission nicht immer mit dem größten Respecte
Erwähnung gethan. „Es ist der Troß, der hinauf kommt!"
hieß es. — Ein neuer Studienplan lag eben im Werke.
Wenn ein jeder Professor bisher sein specielles Fach pflegte
und tradirte, so wurde diese geistige Theilung der Arbeit plötzlich verworfen. Ein und derselbe Lehrer sollte in Zukunft
sämmtliche Gegenstände oder Wissenschaften vertreten — das
heißt, der Grieche oder Lateiner sollte sich zugleich in einen
Historiker umwandeln, in einen Natur-Historiker und Ma-
thematiker. Der sarkastische Pater Leander erzählte uns

von diesen didaskalischen Metamorphosen par ordre du
Mufti: „Fragen Sie Ihre Mama zu Hause," — setzte er
hinzu, — „ob sie ihrer Kammerjungfer zumuthen wird, zu
kochen, oder ihrer Köchin, sie von heute auf morgen zu frist=
ren?" — Der alberne Plan kam demungeachtet in der Folge
zur Ausführung. Nur der Religionslehrer behielt sein Fach,
welches er weiter garkochte und fort frisirte.

Es war zur Zeit, als Pater Hofbauer sich in Wien
einfand, um die Einführung des Ordens der Redempto=
risten anzubahnen, welchem sich unser Professor vom Orden
des heiligen Benedictus nicht besonders geneigt erwies. Er
warnte uns vor den schwarzen Herren und ihrem Treiben.

Ein „Wunder", welches bei den P. P. Serviten in
der Roßau am Festtage des heiligen Peregrinus sich ereignet
haben sollte — (eine völlig gelähmte Frau hatte nämlich ihre
Krücken auf den Altar gelegt und war augenblicklich geheilt
davon gegangen) — bot dem Professor Gelegenheit, sich deut=
licher und bestimmter zu äußern. „Man müsse nicht Alles
gleich für ein Wunder nehmen," — meinte er. — Christus
selber habe bei Einführung seiner Lehre mit den Wunderthaten
gespart, so große Begierde nach übernatürlichen Ereignissen
und Erscheinungen auch das Volk von jeher gezeigt habe und
annoch zeige. Die Apostel, Bischöfe und sonstigen Verbreiter
der reinen Christuslehre sahen sich daher nicht selten genöthigt,
diesem Volkstriebe nachzugeben, besonders wenn es die Bekeh=
rung der Heiden galt. Man durfte der Masse nicht zumuthen,
ihre alten Gewohnheiten und Ceremonien im Nu aufzugeben
und wegzuwerfen — so sei man denn auf den Ausweg ge=
rathen, einiges Alte beiläufig beizubehalten, ihm jedoch einen
neuen Sinn unterzulegen. In dieser Weise habe sich z. B.

das „lavacrum" der Alten in unser Weihwasser-Becken
umgewandelt, seien die versunkenen Halbgötter und Heroen
als Engel und Heilige schöner wieder auferstanden. — „Das
Christenthum ist eine geistige Lehre" — so schloß der
Rationalist — „und Alles, was von Außen als Zeichen und
Symbol hinzukam, gehört nicht zu seinem reinen, inneren
Wesen. Das Christenthum ist auch längst fest begrün-
det — die Annahme von Wundern, die sich von Zeit zu
Zeit erneuern sollen, wäre daher ein Mißtrauen gegen
Gott, ja eine Beleidigung Gottes, denn man verlange
von ihm gewissermaßen immer wieder einen neuen Beweis,
daß er sich dem Menschengeschlechte geoffenbaret. Aber Ein
Wunder genügt nicht, auch hunderte nicht, noch tausende —
da zuletzt jeder einzelne Mensch für sich allein einen Beweis
ad hominem, ein apartes Wunder, wie das Krückenweib in
der Roßau, verlangen könnte! — Sie sind noch junge Leute,
kaum Jünglinge, aber ich sage Ihnen dieses Alles, weil Ihnen
bald Bücher in die Hand kommen dürften, welche von ähnlichen Gegenständen und Ideen handeln werden, worauf ich
Sie im Vorhinein aufmerksam mache, auch Ihrem künftigen
Selbsturtheile einen beiläufigen Fingerzeig gebe. Im Uebrigen — der Eine Mensch bedarf mehrerer Symbole, ein Anderer nur weniger oder auch gar keiner! Bleiben Sie Christen im Geiste und in der Wahrheit — das ist die
Hauptsache, darauf kommt Alles an!" —

So schloß die merkwürdige Auslassung, welche dem
„Troß" nicht minder behagte, als uns Homeriden. Merkwürdig genug, daß ein Wiener Klostergeistlicher vor einem
halben Jahrhundert und vor den Ohren und Augen der Studien-Hofcommission es wagen durfte, sich in so rein mensch-

licher Weise zu äußern. Es war freilich die Zeit, in welcher der (geistliche) Staatsrath Jüstel den Ausspruch that: „Ein Concordat ist ein Ding, das man nicht zu halten braucht!" — Man glaube aber ja nicht, daß diese vereinzelten vorurtheilsfreien Männer, diese „rare nantes" den Ton angaben, man ließ sie nur gewähren aus Bequemlichkeit, aus Trägheit, oder auch, weil man Diesem und Jenem vorläufig nichts anhaben wollte oder konnte. Doch im Stillen wurden seine Thaten und Worte einem Jeden angekerbt! Das „System" verstand es, abzu= warten, seine Zeit zu ersehen und ihm Mißliebige gründlich zu vernichten. —

Unser Leander König war rastlos thätig, allein die Kraft des Brustkranken war längst gebrochen. Vierzehn Tage nach unserem Austritt aus dem Gymnasium begleiteten wir die sterblichen Reste des geliebten Lehrers, aus denen ein nicht gewöhnlicher Geist entflohen war. Unbefriedigter Ehr= geiz hatte den Mann aufgezehrt, indem er Tage und Nächte durchstudierte, um sich für eine höhere Lehrkanzel vorzubereiten, dabei aber doch leidenschaftlich mit uns Schule hielt. Wir verdanken dem Manne viel, der uns frühzeitig Lust und Ge= schmack für Literatur und Kunst beigebracht, auch sonst unse= ren Geist nach mancher Seite geweckt. Er hatte zugleich, in= dem er mit uns nicht wie mit Knaben, sondern wie mit strebenden Jünglingen verkehrte, unser Bewußtsein und den Ehrgeiz in uns wachgerufen, auch im Leben und vor der Welt wie werdende Männer zu erscheinen, nicht wie läppige Gym= nasialschüler. Meister Moriz Schwind, mein Jugendfreund und Mitschüler, hat späterhin unserem wackeren Lehrer ein artiges Denkmal gesetzt. Der Anführer der Scharwache in

„Ritter Curt's Brautfahrt" giebt die scharfen Gesichts-
züge und die lange hagere Gestalt Leander König's ziemlich getreu wieder. —

Ein ehemaliger, kaum erträglich metamorphosirter
Pferdestall der P. P. Jesuiten war's, wo wir die philosophischen Collegien hörten. Von den Professoren ist wenig zu
sagen. Die meisten waren Pedanten. So der Professor der
Weltgeschichte, ein gebrechliches kleines Männchen mit einem
schwachen quickenden Stimmchen und höchst monotonem, wie
gedehnt-singendem Vortrage. Zweihundert angehende „Philosophen" strampften gewöhnlich mit vierhundert Beinen, sobald
der Mann den Lehrstall betrat, und ließen ihn mit Mühe zu
Worte kommen. Doch hatten wir das Trampeln bald satt,
zogen es vor, wegzubleiben — so las der Mann vor leeren
Bänken. — Die Physik tradirte ein Slovake, ein langer,
grobkörniger, wild aussehender Mann mit einem Struwel-
peterkopf. Seine Vorträge in ungarischem Küchenlatein er-
heiterten uns ungemein, noch mehr die Experimente, die ihm
zu unserem höchsten Entzücken beinahe immer mißlangen.
Unseren Mithörern, den polnischen und böhmischen Klerikern,
welche die ersten Bänke einnahmen, erwies der Mann große
Deferenz, redete sie nur immer mit: „domini reverendi" an.
Kein Zweifel, nicht sein mehr als geringes Wissen, sondern
einzig und allein sein kirchlich-pfäffisches Wesen hatte den Cy-
niker als persona grata (dem „System" nämlich) auf die
Lehrkanzel gehoben.

Der Philologe Anton Stein war ein stämmiger,
kräftiger, alter Mann, nachlässig gekleidet, mit offener haari-
ger Brust und struppigem Bart. Dieser philologische Dioge-
nes besaß großes Wissen, nur verstand er es durchaus nicht,

sich fruchtbar mitzutheilen, oder die Jugend für sich selbst
und sein Fach zu interessiren, geschweige zu begeistern. Mit
der Erklärung einer einzigen horazischen Ode brachte er wohl
an die acht Tage zu; dabei kam er vom hundertsten auf's
tausendste, schimpfte über die Jugend, über's Billardspielen,
über's Biertrinken, wie über das, dem Verfasser des „amor
Kapnophilos" besonders verhaßte Tabakrauchen.

Reine Mathematik und Geometrie trug der schon damals
tüchtige Ettingshausen vor, ohne außer den Vorlesungen
weiter mit uns in Berührung zu kommen. — Nur zwei von
den Professoren wirkten geistig auf uns junge Leute: Vincenz Weintridt und Leopold Rembold.

Weintridt tradirte die sogenannte „Religionswissen-
schaft". Er war Weltpriester, aber auch Weltmann. Früher
Hofmeister bei den Stadion's, gewandt, auch redegewandt,
mit einer stattlichen Gestalt und einem kräftigen Organ begabt, von feinen Manieren, weniger tief wissenschaftlich als
ästhetisch gebildet, schob er die vorgeschriebene Dogmatik nicht
selten bei Seite, hielt freie Vorträge, halb aus dem Stegreif.
Wenn er nun über Bildung sprach, über die dreieinige Idee
des Wahren, Guten und Schönen, über das Göttliche, welches sich auch in dem Drei-Einklang der Künste manifestire,
da fühlten wir uns gehörig gehoben und sogen begierig die mehr
schöngeistigen als religiösen Vorträge ein. Hie und da ent-
schlüpfte ihm wohl auch ein Wort, welches mit dem streng
orthodoxen, sonst äußerst mittelmäßigen Lehrbuche des Hof-
burgpfarrers Frint nicht völlig im Einklang stand, doch gab
er sich als Geistlicher kaum eine eigentliche Blöße. Die Aufführung des „Nathan" im Burgtheater veranlaßte ihn sogar, eine kleine Philippika gegen Lessing's Indifferentis-

mus loszulassen, die zuletzt gar nicht so ernsthaft gemeint war; auch machte uns das nicht irre an unserer Begeisterung für den humanen Juden und für den edlen „Salabin", der uns als eine Art türkischer Kaiser Joseph galt.

Der Ex-Hofmeister wußte die Jugend an sich zu ziehen. Er spielte gern den Meister unter seinen Jüngern, zu denen auch Schwind und ich gehörten. Freund Moriz hatte unserem Gönner einige seiner genialen Jugendskizzen überbracht und bei dem Manne, der zugleich Sammler war und gern für einen Kunstkenner galt, große Lobsprüche dafür eingeerntet. Auch meine ersten poetischen Versuche fanden Gnade vor Weintridt's Augen.

Ein junger Theologe, der sich nicht minder in Poesie versucht hatte, Namens Rauscher, gehörte gleichfalls unter die Jünger, ohne daß wir uns näher mit ihm berührten. Er war um einige Jahre älter als wir, etwas zurückhaltend in seinem Benehmen, uns Uebrigen jedenfalls weit überlegen. Irre ich nicht, so wurde er bereits im Jahre 1821 oder 1822 zum Professor der Kirchengeschichte in Salzburg ernannt — es ist unser jetziger Kardinal-Erzbischof.

Wir lebten ziemlich angenehm, auch ungenirt mit unserem „Meister", der uns bei Landpartien freihielt, mich zuerst mit den Freuden und Leiden einer Cigarre bekannt machte, es auch nicht übel nahm, wenn dieser oder jener von den Jüngern bei Erörterungen über Poesie und Kunst eine weit mehr heidnische als christliche Weltanschauung an den Tag legte.

Bereits im November 1819 hatte mir Weintridt anvertraut, es sei eine Anzeige gegen ihn eingelaufen, er führe die Studenten in Bierhäuser und singe ihnen Schelmlieder vor. Das klang nun allerdings lächerlich! Allein im Laufe des nächsten Winters wurde Professor Bolzano in Prag abgesetzt, und zwar seiner „allzufreien Vorträge" wegen; Weintridt war von einem ähnlichen Schicksal bedroht, welches ihn auch bald nach dem ersten Semester 1820 ereilte. Seine Verbindung mit Bolzano war die Hauptanklage, die man gegen ihn erhob.

Die fromme Partei hatte seinen Sturz herbeigeführt. Der Burgpfarrer Frint sowie der Hofcaplan Job hatten es dem ästhetisirenden Geistlichen längst auf der Nadel, auch die „Oelzweige" von Passy ergossen sich ab und zu in Ausfällen auf den verfehmten Weltpriester. Was half es ihm nun, daß er gelegentlich gegen Lessing, Goethe und Voltaire losgezogen? Das ganze Collegium nahm sich die Sache zu Herzen, und in den Vorlesungen, welche Weintridt's Nachfolger, ein Vollblut-Theologe hielt, ging es Anfangs stürmisch genug zu. — Wir Jünger blieben dem Meister treu und er war uns nach wie vor geneigt. Er lud uns auch öfters zu sich. Der Ex-Professor war heiterer denn je, trotz seines plötzlichen Sturzes. Er besaß einflußreiche Freunde und Verbindungen, und seine sanguinische Natur ließ ihn eine Anstellung mit Gewißheit erwarten.

In einer größeren Abendgesellschaft bei Weintridt, im Januar 1822 traf ich zum ersten Mal mit Franz Schubert zusammen, der uns seine neuesten Lieder zum Besten gab. Sein Freund Schwind hatte ihn mitgebracht. Außer den übrigen Jüngern waren auch einige junge Kunstfreunde zugegen, wie Graf Casimir Lanckoronski, mein Schulcollege; Graf Stabion, Weintridt's ehemaliger Zögling, der spätere Minister. Weintridt war ein geselliges Amphibium;

die Künstler, aber auch der Adel, war die Umgebung, die
er vorzugsweise liebte und pflegte. Als Weltpriester und Weltmann stand er kaum im Zusammenhang mit der „uniformir-
ten Geistlichkeit". Man ließ ihn dafür auch lange Zeit schmachten und zappeln. Endlich fand sich ein Platz oder Plätzchen!
Er wurde zum Dechant von Rötz ernannt und hatte
Schwind und mich wiederholt aufgefordert, ihn zu besuchen.
Mitten unter Landbeamten und Weinbauern mochte sich der
geistreiche Lebemann nicht besonders behaglich fühlen; er nahm
uns auch mit offenen Armen auf, als wir im Frühling 1825
für eine Woche in seinem geistlichen Asyl oder Exil einspra-
chen, in dem ultima Thule an der mährischen Grenze. Der
neue Dechant verstand es nicht, sich populär zu machen. Ein
gewöhnlicher Landpfarrer hätte hier weit besser getaugt. „Er
ist uns halt zu hoch!" sagte ein reicher Weinbauer, als von
Weintridt's Predigten die Rede war — „wir haben's gern
gemein!" — Vermuthlich hatte der Ex-Professor den guten
Leuten von dem „Guten, Wahren und Schönen" vorgepredigt, wie vormals uns, den Studenten und Jüngern. — Der
arme Weintridt trennte sich schwer von uns. Wir hatten
ihn wieder aufgefrischt, nach uns war ihm die Oede und
Leere, die ihn umgab, doppelt empfindlich. Niemand fühlt
sich einsamer, als wer, an Bildungselemente gewöhnt, plötzlich
unter Ungebildete versetzt wird, die gewisse Ansprüche auf ihn
haben, denen er weder genügen kann, noch sich den auf ihn
Angewiesenen völlig entziehen darf.

Doch kehren wir wieder in den „Lehrstall" zurück!

Der Professor der Philosophie Leopold Rembold,
konnte beiläufig als Gegentheil des eleganten Religionspro-
fessors gelten. Schlicht und einfach in Kleidung, Manier und

Ton, wie er sich gab, im Vortrage sogar etwas trocken, fühlten wir uns Anfangs nur wenig angezogen von dem ernsthaften Mann, der für keinen seiner Schüler eine Neigung oder Abneigung merken ließ. Nur der junge Exner wurde in die unmittelbare Nähe des Professors gezogen, im Uebrigen sprach er immer zum gesammten Collegium, hielt sich auch, ohne besondere ästhetisch-literarische Abschweifung, strenge an den fortschreitenden Gang seiner Vorlesungen. Psychologie, Logik und Metaphysik, leider in lateinischer Sprache vorgetragen, erschlossen uns völlig neue Felder und zwangen den jungen Geist, wenn nicht zum Selbstdenken, doch zu einer besseren Disciplin und Form des Denkens; jedenfalls lernte man das Gedachte mehr freithätig aufzunehmen und zu verarbeiten, und kam so nach und nach über das bloße Auswendiglernen hinweg, worauf man im Gymnasium beinahe ausschließlich angewiesen war. Zur Speculation zeigte sich zwar nur wenig oder gar keine Anlage unter uns; von allen den Hunderten der Philosophie Beflissenen war es wohl nur der einzige Franz Exner (ein Jahr hinter mir), der aus Rembold's Lehre einen wahren Vortheil zog, seinen künftigen Beruf im Vorhinein erkennend und ihm rastlos entgegen arbeitend, während wir Uebrigen uns zur Philosophie, besonders zur Metaphysik, beiläufig nur herumtappend und dilettirend verhalten konnten. Als wir zur Moral-Philosophie gelangten, ging das wohl besser. Rembold war zwar eigentlich Eklektiker, aber sein Respect vor Kant war groß (wenn er ihn auch hie und da mit Herbart'schen Waffen bekämpfte), und so wußte er uns auch für den „kategorischen Imperativ" gehörig zu begeistern. Daß er den lateinischen Vortrag von nun an aufgab, erschien nicht mehr als billig, denn

die Ausdrucksweise der kritischen Philosophie war schon in
deutscher Sprache schwer genug zu erfassen und zu ergründen,
und so klar und liebenswürdig Kant in seinen ersten kleinen
Schriften aufzutreten wußte, um so dunkler und vieldeutiger
gestalteten sich seine großen und eigentlich kritischen Werke.
Daß Rembold alles gethan, um uns junge Leute zwischen
siebzehn und neunzehn Jahren in den Geist wie in die Terminologie des Meisters einzuführen, ist gewiß, auch hätten
wir nicht um Vieles Eine dieser Stunden versäumt, nach
deren jeder wir uns um eine Kopflänge gewachsen glaubten.
Uebrigens wurde des Hauptwerkes: der „Kritik der reinen Vernunft" nur beiläufig erwähnt und nicht mehr davon mitgetheilt, als sich etwa mit dem vorgeschriebenen Studienplan vertrug, von welchem man ungestraft nicht völlig
abweichen durfte. So viel ward uns aber doch klar, daß
Kant die Mängel des Dogmatismus tief erkennend, die
Philosophie auf ihre letzte Quelle, auf das menschliche Wissen zurückzuführen bemüht war, worauf er die reine, von der
Erfahrung getrennte Vernunft einer gründlichen Kritik un-
terwarf. Indem wir nun zu begreifen anfingen, daß Zeit
und Raum nichts weiter seien, als Formen der Anschauung,
und daß die Verstandesthätigkeit schlechterdings an die vier
Kategorien gebunden sei, gewannen wir nicht nur an philo-
sophischer Methode, sondern es wurde uns zugleich die
Grenze alles Wissens deutlich vor Augen gestellt. Da
der Mensch die Dinge nur zu erkennen vermag, wie sie ihm
nach den Gesetzen des Denkens erscheinen, und in der Form
seiner Anschauung, so ist und bleibt alles Uebersinnliche
vollkommen unerweisbar (auch nach Herbart), und die
höchsten Ideen von Gott und Unsterblichkeit haben vor

der theoretischen (reinen) Vernunft keine Realität. Es
gibt sonach eigentlich gar keine Metaphysik, sondern nur
eine Kritik der speculativen Philosophie und den höchsten
Gütern und Ideen erübrigt nichts, als sich mit Hilfe der
praktischen Vernunft als moralische Freiheit in den Glau=
ben hinein zu retten.

Diese und ähnliche Doctrinen schrieben wir eifrig nach
und trugen sie gläubig schwarz auf weiß nach Hause, wie der
Schüler im Faust. Daß Professor Weintridt und später
dessen Nachfolger uns gelegentlich das Gegentheil beweisen
wollten, kümmerte uns wenig, auch erwiesen sich ihre dialec=
tischen Waffen lange nicht so scharf und schneidend, wie die
unseres Kant und Rembold! Und nun wurden wir erst
recht aufmerksam auf die Schwächen des Buches von Frint.
Der Verfasser hatte darin die Einwürfe Voltaire's, Rous=
seau's und Anderer gegen die Offenbarung angeführt und
seine Gegenbeweise daneben gestellt, die sich bisweilen läppisch
genug ausnahmen. Mit Kant'scher Terminologie ausgerüstet,
hätten wir wohl dem Monsieur Voltaire und seinen Spötte=
reien weit besser erwidern können! Doch in der Hauptsache
hatte der frivole Philosoph von Ferney ja im Grunde Recht.
Alle Offenbarung beruht zuletzt auf Ueberlieferung, mit=
hin auf Geschichte, und die Geschichte unterliegt der Kritik.
Wenn Gott mit Moses aus dem brennenden Dornbusch ge=
sprochen, wenn der Engel Gabriel dem Propheten Moham=
med die erste Offenbarung überbracht, und wenn Christus
nach der Erzählung des Apostel Lucas vor den Augen seiner
Jünger in einer Wolke gegen Himmel gefahren, so sind das
Zeugen=Aussagen, Angaben, historische Facten, welche eben
so gut behauptet, als widersprochen und widerlegt werden

können. Auf Treue und Glauben läßt sich derlei, läßt sich überhaupt keine historische Thatsache als wahr anneh=men, ohne zu untersuchen, ob und in wie ferne der Zeuge glaubwürdig sei, ob und in weit er die Wahrheit sagen konnte oder wollte, ob diese mit andern Zeugnissen und erwiesenen Thatsachen übereinstimme oder nicht, so auch mit dem Gange der Weltbegebenheiten und mit den Naturgesetzen überhaupt, endlich mit der menschlichen Erfahrung und Vernunft, welche beide auf untrüglichen und unumstößlichen Normen fußen. Ein gewisser Skepticismus muß jedenfalls erlaubt sein. A priori Alles und Jedes gläubig hinnehmen — wohin und wie weit soll das führen? Man würde zuletzt an jedes Ammenmärchen glauben und es für baare Realität halten, gleich den Kindern! Allein die Wahrheit und ihre ernsthafte Er=forschung ist für die Männer. — Dies und Anderes wurde von uns vorgebracht und mit Kant gegen Frint gestritten. Das schwache und trockene Buch war von jenen flammenden Ideen wie verzehrt worden! So hatte die Religions=Wissen=schaft, die uns im Glauben stärken sollte, selbst dazu beigetra=gen, diesen in seinen Grundfesten zu erschüttern und zum Wanken zu bringen. Wir jubelten der „Kritik der reinen Vernunft" zu, als der neuen Leuchte der Welt, der Wahr=heitsfackel, die uns endlich aufgegangen! Wir hatten auch einen Ausspruch Grillparzer's aufgeschnappt! „Die Re=ligion ist die Poesie der Poesie=losen." — Der alte Goethe äußert sich in ähnlicher Weise:

„Wer Wissenschaft und Kunst besitzt,
Hat auch Religion;
Wer jene beiden nicht besitzt,
Der habe Religion." —

Wer ihrer bedarf, mag sich ihrer bedienen! Religion ist Ge=
müthssache, hieß es. Was aber gewisse Mysterien betrifft,
so hatten ja die Pythagoräer, vor Allen Plato in seinem:
Monas, Logos, Psyche, die Dreieinigkeit bereits vor mehr
als zweitausend Jahren vorgebildet. Damit war uns die
Sache abgethan! —

Wenn Rembold dazu beitrug, uns in der Religion
mehr als schwankend zu machen, so sollte ihm das nicht un=
gestraft hingehen, und ein kategorischer Imperativ, stärker als
der Kant'sche, die allmächtige Polizei, hatte längst die
skeptischen Worte des Philosophen belauert und sie im Stillen
zu einem Anklageacte zusammengedreht. Es wurde wohl auch
Falsches hinterbracht — so eine unziemliche Aeußerung des
Professors über die Jungfrau Maria. Wir konnten uns
nicht entsinnen, Aehnliches aus seinem Munde vernommen
zu haben. — Ich war bereits in die juridischen Studien
eingetreten, als die Bombe platzte. Professor Rembold
wurde plötzlich von seiner Lehrkanzel entfernt, mit elenden
vierhundert Gulden pensionirt, ein Geistlicher provisorisch
mit der Lehrkanzel der Philosophie betraut. Trotz des Mur=
rens der jungen Philosophen wurde die strenge Maßregel
durchgeführt, und ein Studenten=Krawall, der darüber aus=
brach, mit Hilfe der Polizei im Keim erstickt. Rembold
war Gatte und Familienvater; er zog sich mit seinem Un=
gnaden=Gehalte nach Ungarn zurück und verlegte sich, ein
Mann von über vierzig, mit Fleiß und Ausdauer auf das
Studium der Medicin; einige seiner dankbaren und zugleich
wohlhabenderen Schüler hatten ihm zu diesem Behufe eine
Pension ausgeworfen. Der treffliche Mann wurde Doctor
der Medicin und erhielt bald eine Stelle als Arzt bei der

österreichischen Nationalbank. Hatte uns Weintridt's Fall geärgert, so steigerte der Sturz Rembold's unseren Unmuth auf's Höchste. Das ist also das „österreichische System!" riefen wir wie aus Einem Munde. Heuchelei, Pfaffenwesen und Brutalität, im Bunde gegen das Wissen, gegen die Gedankenwelt!

Ich war tief im Innersten aufgeregt und konnte mich noch lange nicht zufrieden geben. — „Aus der gemeinen Wirklichkeit gibt es nur zwei Auswege: die Poesie, welche uns in eine rein idealische Welt versetzt, und die Philosophie, welche die wirkliche Welt ganz vor uns verschwinden läßt."

Dieser Ausspruch Schelling's war wie auf mich gemünzt! Da ich aber kein echter Philosoph war, die „gemeine Wirklichkeit", die auch sonst schwer auf mir lastete, nicht völlig verschwinden lassen konnte, so flüchtete ich nach dem Rathe des Gründers der „All-Eins-Lehre" in die ideelle Welt der Poesie.

# II.

(Jugenderinnerungen. — Theatromanie. — Literarische und soziale Anfänge. — Eine Studentenverschwörung. — Die Evangelisten und die Kartenkönige.)

> — Nichts
> Hat, wer nicht Jugend hat!
> Immermann.

Wien ist bekanntermaßen im Jahre 1848 von dem kriegerischen Fürsten Windischgrätz bombardirt worden — neununddreißig Jahre vorher aber von dem großen Napoleon. In der Nacht vom 11. zum 12. Mai 1809 zündete eine der ersten Bomben in dem Hause (zwischen Steinl- und Ofenlochgasse), welches meine Angehörigen mit mir bewohnten. Sie flüchteten sich, mich und unsere Habe in die Keller, während man von Oben bemüht war, dem Feuer Einhalt zu thun. Wien kapitulirte am nächsten Morgen und die Franzosen mit ihren deutschen Verbündeten, den Württembergern und Nassauern, besetzten die Residenz. In der Phisiognomie der Stadt mochte sich wohl noch der Schrecken der letzten Nacht ausprägen, doch hatte Wien durch die Bomben und Granaten nicht beträchtlich gelitten.

2*

Nicht viel über ein Dutzend Häuser lagen in Schutt. In
unserem Wohnhause war nur der Dachstuhl abgebrannt und
eine Dach- zugleich Rumpelkammer gähnte halb offen. Bei
dem Durcheinander der nächsten Tage, bei alle dem Einquar-
tiren und Requiriren der fremden Truppen wurde auf uns
Kinder wenig geachtet, auch die Lehrstunden waren eingestellt.
So schlich ich, mir selbst überlassen, in die einsame Kammer, die voll Hausrath lag. Durch die scheibenlosen Fenster
lachte der blaue Himmel herein und eine goldene Maien-
sonne blitzte munter auf Schutt und geschwärzte Balken-
trümmer. Meine forschenden Blicke fielen bald auf einen
Wandschrank, welcher die Hausbibliothek enthielt und sonst
sorgfältig verschlossen gehalten wurde. Nun war aber der
Schrank gleichfalls angebrannt, die Thüren weit klaffend
aufgesprungen und die Bücher standen offen und frei in an-
lockender Reihe. Da gab es köstliche Speise, die damals so
beliebten Ritter- und Geisterromane von Spies und Konsorten! Aber auch Theaterstücke! Es waren die Lustspiele
von Kotzebue nebst dem elenden Geistinger'schen Nachdruck
von Goethe's Werken mit den miserabeln Radirungen.
Ich saß auf einem der brandigen Balken und las — „Götz",
„Egmont", „Clavigo", „Stella" — las Tage lang bis zum
Abenddunkel. So hatte ich, noch nicht acht Jahre alt, bereits
von dem Baume der Erkenntniß genascht und verdanke meine
erste Bekanntschaft mit dem größten deutschen Dichter niemand Geringerem als dem ersten Feldherrn des Jahrhunderts.

Den hatte ich leibhaftig gesehen, in Schönbrunn, als
er Revue hielt. Mein Pflegevater hob mich auf den Armen
empor und flüsterte: „Der ist's!" — Es herrschte Todten-

stille, nur ein paar Kommandoworte ertönten. Die Soldaten
präsentirten, schlugen an, drückten los, ohne Ladung, nur die
Hähne knackten — darauf nahm der Imperator eine Prise
und kehrte in das Lust- und Schmerzensschloß der Habs-
burger zurück. Wenige Wochen später hatte Friedrich
Staps, nur um zehn Jahre älter als ich, die Welt von dem
Tyrannen befreien wollen und sich selber nutzlos geopfert,
wie zehn Jahre später der Theologe Sand, welcher
einen Lustspieldichter erdolchte, weil dieser nebstbei Spion
war. Warum machte er sich nicht an diejenigen, welche die
Spione senden und benutzen? Diese Tyrannenmörder sind
meist ungeschickte Leute! Entweder sie verfehlen ihren Mann
oder sie treffen nicht den Rechten.

Als Knabe war ich ein paar Mal in's Theater mitgenommen worden. Die Lektüre Kotzebue's und Goethe's
mahnte mich an jene seltenen und seligen Stunden, deren
Erneuerung mir immer mehr am Herzen lag.

Welcher Knabe, welcher junge Mensch nährt nicht
eine mehr oder minder heftige Leidenschaft für die Bühne!
So auch ich und meine Schulfreunde im Gymnasium. Alles
und Jedes wurde angewendet, um die unbezwingliche Lust
zu befriedigen, uud jeder ersparte Groschen wanderte in die
Casse des Burgtheaters, gelegentlich wohl auch in die der
Vorstadtbühnen.

Auf dem Josephstädter Theater waren damals eine
Gattung Ritter- auch Geisterstücke gang und gäbe, in denen
sich Romantik und Komik, freilich in etwas roh ursprüngli-
cher Weise, die Hand reichten — so der „rothe Thurm in
Wien", „die eiserne Jungfrau", „der Graf von Gleichen",
„der Teufelsstein in Mödlingen", „die Teufelsmühle auf

dem Wienerberge" u. s. w. In allen diesen und ähnlichen
Stücken spielte der, erst später berühmt gewordene Ferdi=
nand Raimund die komischen Knappen, und die reizende
Louise Gleich (in der Folge Madame Raimund) als Grä=
fin oder Ritterfräulein war ein Lockvogel für die Habitués
jener Bühne, der auch auf uns Knaben=Jünglinge einen be=
zaubernden Reiz auszuüben nicht verfehlte. Kurz, so oft Ma=
demoiselle Gleich spielte, mußten wir dabei sein! Nebstbei
waren mir die Stücke selbst, mit ihren phantastischen, ro=
mantisch=burlesken, theilweise auch historischen Elementen
völlig an's Herz gewachsen, und schon damals keimte der Ge=
danke in mir auf, etwas dem Aehnliches, nur in höherem
Styl zu versuchen, wie ich's denn auch mit einem „Fortu=
nat" etwa zwanzig Jahre später gewagt und leider nichts
Gutes dabei erfahren. — Die deutsche Bühne hat sich von
jeher, dem Phantastischen und Märchenhaften gegenüber,
ungläubig und ablehnend erwiesen; auch eine große historisch=
politische Weltanschauung, wie sie Shakespeare seinen In=
sulanern in dem gewaltigen Dramen=Cyklus eröffnet, wird
von unserem Publikum mehr mit Respect als mit Antheil
aufgenommen, und nur Schiller hat es verstanden, das
historische Element mit so viel Idealismus, edler Sentimen=
talität, auch in erhabener Sprache vorgetragenen Pracht=Sen=
tenzen auszuschmücken, daß Logen, Parterre und Galerien
ihrem Lieblingsdichter die „Marotte" verzeihen, seinen Stoff
aus der Geschichte gegriffen zu haben. Schon Goethe hat,
das Zustandekommen einer Nationalbühne wiederholt bezwei=
felnd, dem deutschen Theater das bürgerliche Element als
seine eigentliche Sphäre angewiesen — und so war es, ist es
noch! Leider sind Iffland und Kotzebue, der Trost und die

Wonne unserer Väter, längst veraltet, auch der fruchtbare
Raupach ist verschwunden, und die Birch-Pfeiffer all ein
reichte lange nicht aus, um die Thränendrüsen und Lach mus-
kel der Enkel in Bewegung zu setzen — so war nun unser
Publikum in letzterer Zeit gezwungen, über ausländische
Schmerzen in „supplice d'une femme" und dergleichen zu
weinen, und über eine ihm wildfremde Familie „Benoiton"
und deren raffinirte Pariser Narrheiten zu lachen. — Auch
eine feinere ironische Behandlung des Lustspiels, etwa in der
Art und Weise von Tieck, Grabbe und Platen, selbst mit
mehr theatralischem Geschick, würde auf der prüden deutschen
Bühne nicht durchgreifen, und nur die Volkskomödie
durfte sich von jeher einige kühnere Bockssprünge erlauben. —
Die Geschichte der komischen Bühne ist so mit dem Wiener
Boden verquickt, daß man mir vielleicht nicht ungern gestatten wird, durch ein kleines Intermezzo über Entstehung und
Fortbildung der Wiener Volkskomödie den Lauf der Erzäh-
lung später zu unterbrechen.

Jede Zeit hat ihre Jugend, jede Jugend hat ihre Zeit!
Und so lebt denn auch ein jeder Mensch in einer doppelten
Atmosphäre: in der seines Alters und seiner Zeit. Nun ist die
Jugend zwar immer jung, allein die Jugend der alten Zeit, der
Restaurations-Epoche, war doch himmelweit verschieden von der
der neuen Zeit, der Revolutions-Periode. Man lebt jetzt
rasch; Demokratie und Naturwissenschaften drängen vorwärts
— gesicherte Legitimität und staatliche Bevormundung hielten mit einander still, waren eigentlich der Stillstand selber.
Das berüchtigte österreichische System mit seiner Devise:
„abwarten" bremste auch die Staatsmaschine so lange, bis
sie zuletzt völlig in's Stocken gerieth, wenn gleich die gedan-

kenarme und kraftlose Gerontokratie, welche in der Folge
an's Ruder gelangte, im schläferigen Regierungs-Dusel und
in unnützer Geschäftigkeit inzwischen ihre Actenstücke rastlos
weiter erledigte.

Gegen Ausgang der zwanziger Jahre herrschte in Oesterreich noch der vollkommenste Geistesschlummer und erst nach
den Julitagen fing es sich hier allmälig zu regen und zu
rühren an. Bei diesem holländischen Stillleben, in welches
kein Geräusch der Welt, kein Licht des Tages drang, bei dieser hermetischen Abgeschlossenheit von allen äußeren und
öffentlichen Dingen, wie konnt' es anders kommen, als daß
wir damals jungen Leute uns in das Innere versenkten,
uns vertieften in das Gemüthsleben! Freundschaft,
Liebe, Humanität und Literatur gaben unseren grünen Tagen
ihre Färbung und die Kunst wurde nicht mit Raffinement
und Reclame betrieben, sondern um ihrer selbstwillen, aus
innerem Trieb und Drang.

Mit J. G. Seidl, dem frühreifen und frühzeitig geschiedenen Ludwig Halirsch, Franz von Hermannsthal, Eduard von Badenfeld und anderen Schriftstellern „en herbe" stand ich bereits zu Anfang der Zwanziger-
Jahre in freundlichem Verkehr; so auch mit dem weit jüngeren und weit bedeutenderen Ernest Feuchtersleben,
der in der Folge einer meiner treuesten Freunde wurde und
bis an sein Lebensende verblieb. In den Entwicklungsjahren
war der junge Mensch in sich gekehrt, verschlossen, zum Grübeln geneigt, voll Zweifel an sich selbst — erst im Mannesalter klärte sich die innige, sinnige, wahrhaft edle Natur, die
sich langsam entwickelte, um sich, gereift, rasch wieder zu verzehren. — Seidl hatte bereits seine „Lieder der Nacht" ge-

dichtet, H a l i r ſ ch ſeinen „Morgen auf Capri" auf das Burgtheater gebracht. Beide Freunde wären jünger als ich, der ich
zwar insgeheim eine Menge geſchrieben, jedoch ohne es an
Mann bringen zu können. Das fing mich zu wurmen an. Da
ertheilte mir ein Vorſtadtſchauſpieler, welchen ich zufällig kennen gelernt, den höchſt ehrenvollen Auftrag, ihm zu ſeiner
Benefizvorſtellung einen „Epilog" zu ſchreiben. Ich vollbrachte
das Werk mittelſt einiger Dußend pompöſer Verſe, die ich
mit eigenen Ohren beklatſchen hörte; der dankbare Benefi-
ziant nannte mich dafür ein Genie, machte mich auch mit anderen „Mimen" bekannt, ſo mit S t e g m e y e r, Regiſſeur des
Theaters an der Wien und Verfaſſer des „Rochus Pum-
pernikel".

Der Mann verſammelte in ſeinem Vorſtadtgarten
einen munteren Kreis von Schauſpielern, Muſikern, Poeten,
auch an jungen Prieſterinnen der Kunſt fehlte es nicht; da
wurde beklamirt, geſungen, muſizirt, auch ſonſt allerlei Kurz-
weil getrieben. Wer war nun glücklicher als ich, auf dieſen
„Parnaß" (ſo nannten wir den Gartenhügel, den Produktio-
nen geweiht) mit einem Male Zutritt zu bekommen! Ich
lernte dort H e u r t e u r kennen, F r i e d r i c h D e m m e r, K ü ſt-
n e r — lauter gefeite Weſen! Unter den jungen und hübſchen
Kunſteleven auf Stegmeyer's Parnaß befand ſich auch die
reizende W i l h e l m i n e S c h r ö d e r mit den himmliſch-blonden
Haaren. Ihre große Mutter hatte ſie anfangs dem Schau-
ſpiel gewidmet. W i l h e l m i n e, kaum fünfzehn Jahre alt,
machte ihren erſten Verſuch als A r i c i a in der „Phädra"
(am 14. Oktober 1819). Sie wurde gerufen. Die Mutter
führte ſie an der Hand. — „Seien Sie ferner nachſichtig
und freundlich, aber auch, — ſtrenge!" — So wurde das

Publikum von der tragischen Mama interpellirt, die es selber
an Strenge nicht fehlen ließ — wenigstens ihren Töchtern
gegenüber. — In der Folge der Oper zugewendet, wurde
die göttlich=blonde Wilhelmine die große dramatische Sän=
gerin, welche als S ch r ö d e r = D e v r i e n t den Kulminations=
punkt ihrer Kunst erreichte. Zur Zeit, als sie ein reifes Mäd=
chen ward, hatte sich das Verhältniß zwischen Mutter und
Tochter nicht zum Besten gestaltet. Die Schuld lag an
„Phaon“=D a f f i n g e r, der nicht übel gewillt schien, seine
hehre „Sappho“ um der reizenden „Melitta“ willen laufen
zu lassen. — Als ich Minchen kennen lernte, war sie noch
eine Melitta — ohne Phaon. Wir declamirten mit einander
(ich Schiller's Hoffnung!!), spielten Pfänder und tanzten.
Wir waren eben Kinder von siebzehn und fünfzehn Jahren!
Ein Jahr später war Manches anders geworden.

Als junger Mensch macht man rasch Bekanntschaften,
wird auf Bälle geladen, zu Landpartien und dergleichen. So
trieb ich mich bald in den verschiedensten Kreisen herum, ab=
wechselnd in guter wie in schlechter Gesellschaft. Auch an
vorübergehenden Liebschaften fehlte es natürlich nicht, oder
an kleinen „metaphysischen“ Verhältnissen. Mein Klavierspie=
len kam mir bei manchen derselben zugute, Dank meinem
wackeren Musiklehrer, dem Compositeur des „Dorfbar=
bier“, Johann S ch e n k, der mich in meinen Knabenjahren
tüchtig einexerzirt hatte. So las ich ziemlich fertig vom Blatt
— doch in den Quattromanis mit der hübschen Haustochter
traten bisweilen bedenkliche Kunstpausen ein, besonders wenn
die Mama zeitweise die Stube verließ, da gab es feurig
zugeflüsterte Worte, Händedrücke, Küsse, auch Briefchen
wurden gegenseitig zugesteckt. Diese kindischen Liebesspiele

wichen bald einer ernsthafteren Neigung, die sich durch mehrere Jahre meines jungen Lebens fortspann und mich so durch
geraume Zeit von aller schlechten Gesellschaft abzog. Das
Mädchen war mir auf das Innigste zugethan. In den ersten
Tagen der neuen Leidenschaft vertiefte ich mich zugleich in
ein romantisches Schauspiel, dessen Heldin (die bekannte
„Clemence d'Isaure") ich mit allen Vortrefflichkeiten auszuschmücken bemüht war, die ich bei meiner Angebeteten entdeckt
oder vorausgesetzt hatte.

Mitten in dieses poetisch-erotische Treiben fiel eine
ernste Geschichte. Eine Studentenverschwörung sei entdeckt worden, hieß es — ganz Wien war in Aufruhr! Die
jungen Verbrecher kämen insgeheim in einem Bierhause zusammen, erzählte man sich, und sprächen und sängen dort
ganz entsetzliche und verruchte Dinge. Mir fiel es auf's Herz.
Der junge Karl Stegmeyer hatte mich unlängst zu einem
vertrauten „Kommers" eingeladen, doch unter dem Siegel
der Verschwiegenheit; ich weiß nicht mehr, was mich abhielt,
an dem verabredeten Abend die mir bezeichnete Kneipe zu besuchen. Aber das mußte es wohl sein — mein Freund ist be-
bedroht, ist in Gefahr — ich eilte zu Stegmeyer. Es war
wie ich geahnt — der Kommers war verrathen worden!
Eine Hausuntersuchung im Parnaßhause ward eingeleitet,
Stegmeyer verhört, ihm ein Burschenlied und — horribile
dictu! — ein „Ziegenhainer" abgenommen. Die Herren Studenten hatten Stöcke getragen und ein paar zahme Freiheits-
lieder gesungen — das war das Verbrechen! Wien und Europa beruhigten sich bald — auch sonst hatte die Geschichte
vorderhand keine schlimmen Folgen, nur daß der arme junge
Mensch von nun an im „schwarzen Buche" stand, wie bald

darauf auch ich). Und so eine „gravis notae macula" ver=
gißt sich nicht! Stegmeyer, der sich später den Bergstudien
gewidmet, hatte alle Mühe als Praktikant unterzukommen
und rückte nur äußerst langsam vor — warum mußte er auch
vor mehr als zwanzig Jahren schlechte Verse gemacht und
sich mit dem Ziegenhainer bewaffnet haben! Im Jahre 1848
gehörte er natürlich zur liberalen Partei, wie wir Alle —
später als die Reaktion siegte, wurde ihm als Beamten der
Prozeß gemacht, das schwarze Buch von Anno 1820 über
ihn nachgeschlagen. Sein Frau — denn er war längst Gatte
und Vater — klagte mir, daß sie beim Minister Dr. Ale=
xander Bach gewesen: „ihr Mann habe nur im Sinne
des Ministers gehandelt" — erklärte sie ihm — „und
der Herr Minister habe sich ja selbst an die Spitze der
Bewegung gestellt!" — Sehr naiv! Ich gab der guten
Frau die Gegenerklärung: wenn mein Freund Bach sich be=
wegt habe, so war das vor dem Portefeuille; mit einem derlei
in der Hand bewege man sich nicht mehr, sondern halte es fest
und bleibe selber fest sitzen, lasse allenfalls die Andern fest
setzen. — Die Frau beharrte aber auf ihrer Meinung! Sie
verstand eben nichts von Politik und vom österreichischen
„System".

Die Freundschaft spielte bei uns Jünglingen kaum
eine geringere Rolle als die Liebe. So wohnte ich in den
Jahren 1823 und 1824 mit zwei Freunden zusammen,
Beide etwas älter als ich und mir an Geist und Kenntnissen
weit überlegen. Besonders der Eine, Joseph Fick (in der
Folge einer der Lehrer des Erzherzogs Franz Joseph und
Professor der Geschichte in Olmütz) war ein ausgezeichnetes,
ja außerordentliches philologisches Talent, aber ein krankes,

schon in frühester Jugend von Religionszweifeln und Selbst=
quälereien schwer heimgesuchtes Gemüth. Dem Jahre langen
Umgange mit ihm verdanke ich Vieles; er war auch mein
erster Lehrer im Englischen und las Terenz und Plautus mit
mir. Der andere Freund, Karl Spina aus Brünn, hatte
mehr eine philosophische Richtung, der ich mich nach Kräften
anbequemte. Aber außer den philosophischen, historischen und
philologischen Studien sollte noch ein anderes, ganz eigenes
Werk in Angriff genommen werden, in welches die Freunde
mich einweihten. Man dachte nämlich an nichts Geringeres,
als sich aus den Quellen selbst von der Wahrheit der
Offenbarung die gehörige Ueberzeugung zu verschaffen.
Eine Ausgabe des neuen Testamentes in griechischer Sprache
diente uns zur Grundlage. Wir verglichen die Evangelisten,
ihre verschiedene Auffassung und Darstellung, ihre anschei=
nenden Widersprüche unter einander. — Niemand wußte um
unsere geheimen Studien, und wenn uns junge Freunde und
Kollegen des Abends besuchen kamen, wurden die Evangelien
flugs bei Seite geschoben, dafür die Whistkarten zur Hand
genommen. Wenn die Gesellen fort waren, oft erst nach
Mitternacht, begann die religiöse Unterhaltung auf's Neue.
— Spina vertraute mir in der Folge, daß unser gemein=
schaftlicher Freund durch Lektüre und gesprächliche Mitthei=
lung nur immer unruhiger geworden, und daß er nicht selten
im Stillen an meinen skeptischen (gelegentlich ironischen)
Bemerkungen und Einwürfen ein wahres Aergerniß genom=
men habe. Kurz die Theologie gerieth in's Stocken und die
vier Kartenkönige wurden immer häufiger zu Hilfe gerufen,
um die vier Evangelisten zu ersetzen. Insgeheim aber hatten
sich die beiden Freunde den Vorschriften der Kirche ange=

schlossen, fasteten und gingen zur Beichte, wie ich wohl ge=
wahren konnte, ohne daß es mich besonders angefochten
hätte. Doch blieb ich den Freunden, wie sie mir, treu gesinnt,
wenn auch unser eigentliches Verhältniß gelockert war.
Spina, seit lange kränkelnd, verhauchte übrigens sein jun=
ges Leben frühzeitig; Fick nahm eine Hofmeisterstelle an.
So war die fromme Trias aufgelöst und ich bezog eine stille
Klause auf der Landstraße für mich allein. — Schon wäh=
rend unserer exegetischen Studien, die im Grunde meiner
Natur zuwider waren, hatte ich mich ab und zu in's Theater,
wohl auch in die italienische Oper geflüchtet; der nie unter=
brochene Umgang mit meinen jungen poetischen Genossen
so wie mit Freund Schwind und den Malern frischte mich
gelegentlich auf, und die oben erwähnte Herzensneigung
führte mich bald auf Wege und Gedanken, die dem Grübeln
und Spintisiren ziemlich ferne lagen. Kurz, ich war und
blieb ein Weltkind. Zuletzt mußt' ich mir bekennen, was
Gentz dem frömmelnden Renegaten Adam Müller schrieb,
der ihn bekehren wollte: „Mir fehlt das Talent des Glau=
bens!“

An einer früheren Stelle dieser Memoiren hatte ich
meiner humanistischen und anderen Studien erwähnt, denen
ich bis in mein Alter treu geblieben; so hatt' ich denn auch
damals, in den Tagen der jugendlichen Religionsschwärme=
rei, an Goethe, Lessing, Kant und dem „kategorischen
Imperativ“ fest gehalten — oder ich war in des „Teufels
Klauen gerathen“, wie man das nehmen und nennen will!

# III.

## (Intermezzo. — Die Wiener-Volks-Komödie.)

*„Wie reizt doch das die Leute so sehr?*
*Was laufen sie nur ins Schauspielhaus?" —*
*Es ist doch etwas Weniges mehr,*
*Als säh' man g'rade zum Fenster hinaus.*

Goethe.

Nirgendwo in Deutschland erhielt sich der „Hanns= wurst" so lange als in Wien! Bereits vor nahe an zweihun= dert Jahren trieb er sein Wesen oder Unwesen in hölzernen Buden auf der Freiung, auf dem Hohen Markt und auf dem Judenplatz. Etwa ein Seculum vorher, unter Ferdi= nand I., waren sämmtliche Schalksnarren, „Landfahrer, Sän= ger und Reimsprecher" aus Wien verbannt und auf das strengste verfolgt worden; in demselben rigorösen Sinne er= ging auch eine Verordnung, daß ein Jeder, welcher ein Buch verfänglichen Inhalts oder auch nur ohne obrigkeitliche Erlaubniß drucken ließ, „ohne alle Gnade stracks am Leben mit dem Wasser gestraft werden" sollte. — Kein Schalksnarr läßt sich gern einsperren, und kein Schriftsteller nimmt so leicht die Gefahr auf sich, „Ersäufliches" zu schreiben! Die

Hannswurste, Singer und Reimsprecher wanderten also beim Thor hinaus, und Wien blieb ohne „verfängliche" Bücher, woraus es sich nicht eben viel machte, aber auch ohne Spaß, ohne Sang und Klang den damaligen Protestanten-Verfolgungen, Judenhetzen, Jesuiten-Predigten, türkischen Belagerungen und anderen Annehmlichkeiten überlassen. Es war eine triste Zeit!

Ein Fürst mag Steuern einfordern, Recruten ausheben, die Glaubenslehren vorschreiben, Hofräthe ernennen, kurz Alles und Jedes thun, was zum sogenannten „Regieren" gehört — aber das Lachen verbieten! Wofür ist das gut? Ein Mensch, den man zum Lachen bringt, zahlt ja die Taxen und Abgaben beiweitem williger, als ein greinender Heraklit oder ein schwarzgallichter Apemanthus! Schon Julius Cäsar, der sich auf's Regieren trefflich verstand, wollte „wohlbeleibte" Staatsbürger um sich haben, die gut essen, behaglich verdauen und sich eines gesunden Schlafes erfreuen; Shakspeare, welcher den Mann mit dem Lorbeer auf der Glatze genau kannte, versichert uns, daß dem Kaiser in spe Niemand so zuwider war als der „hagere Cassius" mit dem „hohlen Blick", der niemals lächelt, viel liest, wenig ißt, schlecht verdaut, jeden Regierungsact beschnüffelt und bekrittelt und sich um die Singer und Reimsprecher nicht so viel kümmert! In solche appetitlose, hagere, nergelnde Cassiusse würde man die gern und viel essenden dick-gemüthlichen Wiener nach und nach umwandeln, wenn man ihnen den Hannswurst oder irgend einen seiner Stellvertreter für immer entzöge. Doch besserte sich's bald damit, schon unter Maximilian II., unter dessen mildem Scepter die Protestanten und Hannswurste wieder etwas freier aufathmen durften. Leider regierte der humane Kaiser nicht lange genug, wie auch Joseph II. und andere der besseren Regenten Oesterreichs, während — — aber wir wollten ja von den Schalksnarren sprechen! —

Im Jahre 1707 wurde ein neues Theater am Kärntnerthor erbaut und dem berühmten Hannswurst jener Zeit, Joseph Stranitzky, sowie der „sämmtlichen deutschen Komödianten=Bande" die Bewilligung ertheilt, darin ihre Vorstellungen zu eröffnen. Somit war der Hannswurst officiell anerkannt und gewissermaßen „privilegirt", ohne daß er jedoch damals schon einen „Hofraths=Titel" bekommen oder etwa den hohen Auftrag erhalten hätte, ein „Tagesblatt" herauszugeben. Für derlei Opportunitäts=Maßregeln war die Bildung noch nicht weit genug vorgeschritten! Die Zeit der ernsten Hannswurste war noch nicht da! — Die Aera der Haupt= und Staatsactionen und der halb improvisirten Komödien mit dem unvermeidlichen Hannswurst hielt sich durch eine geraume Zeit. Wie Molière, dem er sonst wenig glich, schöpfte auch Stranitzky seine Stoffe häufig aus den altitalienischen Komödien; ein theatralisches Programm wurde entworfen, einige ernsthafte Scenen, auch Lieder und Arien wurden aufgeschrieben, im Uebrigen hatte die Komik freies Spiel, laut der selbsteigenen Weisung des Komödien=Fabrikanten: „Hier kann der Hannswurst seine Lazzi und Foppereien nach Belieben machen."

Da jeder Sterbliche älter und bisweilen auch alt wird, sogar ein Narr und ein Hannswurst — denn Thorheit schützt vor Alter nicht — so mußte Stranitzky, dem das Spaßmachen bereits sauer ankam, endlich daran denken, sich um einen Nachfolger in seiner „gay science" umzusehen. Er glaubte hiezu ein taugliches Individuum in dem Statisten

Prehauſer gefunden zu haben. Dieſer, von ſeinem Princi-
pal dem Publikum vorgeſtellt, fällt ſchnurrſtracks auf die
Kniee und fleht mit der unwiderſtehlich dummſten Miene:
„Meine Herren, ich bitt' Sie um's Himmelswillen, lachen's
über mich!" Das verehrte Publikum jubelt über dieſe geiſt-
reiche Improviſation, der alte Hannswurſt überreicht dem
jungen ſein bisheriges Scepter, die Pritſche, und der neue
König des Wiener Humors war gemacht. Die Hannswurſt-
Komödien erreichten die Spitze ihrer Vollkommenheit durch
eine Anzahl komiſcher Schauſpieler, welche ſich ihre Charaktere
meiſt ſelber ſchufen. Da traten neben einander auf: Weis-
kern (Odoardo), Joſeph Kurz (Bernardon), Leinhas
(Pantalon), Schröter (Bramarbas), Huber (Leander, ſpäter Leopoldl, auch Lipperl), Frau Nuth (Columbine). Dieſe
guten Leutchen betrieben ihr luſtiges Handwerk mit Humor
und Virtuoſität und gegen äußerſt mäßige Wochengage; da
aber jede Arie, jedes In=die=Luft=fliegen, Ins=Waſſer=ſprin-
gen oder Begoſſenwerden mit Einem Gulden extra honorirt
wurde, eine Ohrfeige oder ein Fußtritt — immer real und
derb zugetheilt — ein Schmerzensgeld von dreißig Kreuzern
und darüber dem Empfänger eintrug, ſo ſuchten die „Künſt-
ler" dieſe komiſchen Behelfe in ihren Rollen ſo häufig anzu-
bringen, als nur immer möglich. Die Prügel, Fußtritte und
dergleichen wurden auch von dem Prinzipal gewiſſenhaft all-
wöchentlich gegen Quittung honorirt.

Ein liederliches Wiener Tuch, aber genial in ſeiner
Begabung, Philipp Hafner, der erſte öſterreichiſche Poſ-
ſendichter oder auch Luſtſpieldichter von Bedeutung, war zugleich im Leben voll Luſt und Uebermuth, voll Poſſen und
Schnurren, ein beliebtes, allenthalben aufgeſuchtes und ein-

geladenes Talent. Die Komödie und das Komödiespielen war seine Leidenschaft, nebst den Schmausereien und nächtlichen Trinkgelagen; so kam er an der Geselligkeit um oder an ihren Folgen, der Schwindsucht, kaum 33 Jahre alt, und spazierte in die andere Welt, noch mit einem Spaß auf der Zunge.

Im Gegensatze zu dem lustigen und geistverschwenderischen Wiener hat sich später der witzige norddeutsche **Kotzebue** (drei Jahre vor Hafner's Tod geboren) in geselligen Kreisen meist schweigsam verhalten, aus Charakter und Neigung nicht minder als aus Berechnung, um still und kühl beobachten zu können und um ja keinen guten Einfall zu vergeuden, der sich in einem Lustspiele nutzbringend verwenden ließe.

**Hafner** war Assessor beim Wiener Stadt= (Criminal=) Gericht, wie hundert Jahre später unser **Deinhardstein**; von Beiden erzählt man sich die merkwürdigsten Schnurren und Eulenspiegeleien, welche sie, sowohl innerhalb als außerhalb ihrer Amtsthätigkeit, mit Hausmeistern, Wäscherinnen, Fiakern und Polizeimännern zu Tage gefördert. Der Schalk Deinhardstein war in der Erfindung von allerlei Humbug wahrhaft genial — als Bühnendichter nimmt aber sein Vorgänger in Apollo, Themis und Komos im Grunde eine weit bedeutendere Stelle ein. Hafner ist in der That ein Original und ein erfinderischer Kopf. Und er schöpfte Alles a u s s i c h  s e l b s t, der Stoff seiner Stücke ist neu, wie auch die Form. In seiner „Hexe Megära" schloß er sich noch zum Theil der damals gang und gäben extemporirten Komödie an, die Lustspiele und Hannswurst=Komödien aber: „Der Furchtsame", „Die bürgerliche Dame", „Die lächer=

3*

lichen Schwestern von Prag", „Der beschäftigte
Hausregent", sind bereits völlig dialogisirt und gehen ihren
eigenen Weg.

Diese und anderere Stücke Hafner's, in Erfindung neu,
in Charakteristik wahr und frisch, sind im Wiener Localton
gehalten, theilweise im Dialekt geschrieben und haben sich
noch lang nach dem Ableben des Verfassers auf der Bühne
erhalten und bis in die ersten Decennien unseres Jahrhun-
dertes hinein gerettet, nur in neuen Ueberarbeitungen von
Perinet und mit Musik von Wenzel Müller — der
„Furchtsame" als „Neusonntagskind", der „Hausregent" als „Lustiges Beilager". Hafner war auch der
Schöpfer eines auf der komischen deutschen Bühne vor ihm
unbekannten Genre's, der Parodie. Sein „Evakathel und
Schnudi" war der Vorläufer und das Vorbild all' der späteren unzähligen Helden- und Götter-Travestien, welche in
anderer Form auch in neuester Zeit wieder aufgetaucht sind.

Die extemporirten Komödien hatten sich mit und nach
Hafner beiläufig ausgelebt, obwohl sie noch immer sporadisch vorkamen. Hatte doch sogar der berühmte Brockmann
ihnen noch das Wort gesprochen, als einer unschätzbaren
Uebung für den Schauspieler, welchem sie Sicherheit und
Gewandtheit im Spiel verleihen; selbst Goethe im „Wilhelm Meister", in der Wasserfahrt-Scene, läßt seine Personen etwas Aehnliches äußern. In Wien dagegen, zur
Aufklärungszeit, sah man die Sache anders an, sprach
von der Würde der Kunst, von Läuterung des Geschmackes
und dergleichen.

Kurz, im Jahre 1768 wurde das Extemporiren gänzlich verboten; zugleich übte Sonnenfels das Amt des Thea-

ter=Censors aus. Als Bernardon=Kurz, durch längere
Zeit auf Hannswurst=Kunstreisen, im Jahre 1770 nach
Wien zurückkehrte, wollten seine Späſſe auch nicht mehr
„ziehen.“ Mit ihm starb das Geschlecht der eigentlichen
Hannswurste aus. Die berbe Komik zog sich bald gänzlich aus
dem Stadttheater zurück und wanderte nach den Vorstädten.

Im Jahre 1781 eröffnete Marinelli sein Theater
in der Leopoldstadt. Perinet füllte das Haus mit seinen Be=
arbeitungen der Hafner'schen Possen und Parodien, meist in
Knittelversen. „Der travestirte Aeneas“ von Gieseke
machte Aufsehen.

Nebst Perinet und Gieseke hatte auch Gewey mit seinem
„Pygmalion, oder: Die Musen bei der Prüfung“
die Götter des Olymps herbeigezogen, um in dem Contraste
zwischen Pathos und Wiener=Sitte mit Wiener=Deutsch die
neueste Gattung des Komischen zur Erscheinung zu bringen.

Wenzel Müller verlieh diesem neuen Genre, sowie
manchem später auftauchenden noch einen besonderen Reiz
durch seine nationalen und gefälligen Melodien, die sich frei=
lich vorzugsweise im Dreivierteltacte zu bewegen pflegten.
Doch hatte er jedenfalls seine musikalischen Verdienste! Man
erzählt sich sogar, der große Mozart habe dem viel und
leicht schreibenden Compositeur, dem Vater der berühmten'
Sängerin Grünbaum, bei der Aufführung der „Schwestern
von Prag“ während einer musikalischen Ensemble=Scene au
die Schulter geklopft und ausgerufen: „Wenzel, das hätt'
ich wohl gern selber geschrieben!“

Die olympischen Theaterspiele waren in Wien bald
vorüber, wie nichts, nebst der weiblichen Laune, so schnell
wechselt als ein Theater=Repertoire — doch wer erinnert

sich hier nicht an die Olympiaden von heute, an „Orpheus
in der Unterwelt", an „Die schöne Helena" und an den je=
tzigen deutsch=französischen Wenzel Müller, Jaques Offen=
bach?

Auch dieser ist ein ausgesprochener Liebhaber des
Dreiviertel= und Dreiachteltactes, nur daß er ihn raffinirter
zu bringen und zu benützen versteht, als der naive böhmisch=
österreichische Wenzel! Und auch die neuen Götter und Hel=
den des alten Homer, welche in den früheren Parodien echt
wienerisch auftraten, mußten sich erst zu einem französischen
Fricassée zerhacken lassen und können dem Hautgoût unse=
rer Theater=Habitués nur genügen, wenn der feine Pariser
Parfum aus der Pastete hervorduftet.

Diese Fabel lehrt, daß sich Welt und Theater in einem
ewigen Kreislauf bewegen, daß auf unserem Planeten nur
äußerst wenige originelle Ideen cursiren, die immer in ande=
rer Gestalt wiederkehren, und daß sich nur die Form ändert,
das Wesen aber und die Materie, der alte Sauerteig, ewig
derselbe bleibt.

Nach den Götter=Travestien kamen Hensler und
Huber mit ihren Ritter= und Zauberstücken, und „Das
Donauweibchen", „Die Teufelsmühle am Wienerberge",
„Der Teufelsstein in Mödlingen", „Die zwölf schlafenden
Jungfrauen", „Wendelin von Höllenstein", „Caspar der
Zauberfagottist" und Anderes erhielt sich eine geraume Zeit
zur Freude und Lust der Wiener, theilweise auch der Berliner,
die sich nur etwa das harmlose „Donauweibchen" in die vor=
nehmer klingende „Nymphe von der Spree" umtauften.

In den genannten Stücken erweckte der dicke, behag=
liche La Roche den alten Hannswurst zu neuem Leben in

dem beliebten Kasperl. Wenn der Ritter nach einem patheti=
schen Monolog seinen Knappen herbeirief: „Käsperle, wo
bleibst du?" so stand wohl schon La Roche, mit Mühe aus
dem Bierhause herbeigeholt, noch kaum halb für seine Rolle
angekleidet, hinter den Coulissen und schickte seine Stimme
voraus. Auf das schnarrende: „Er—r—kommt schon!" erhob
sich ein Vorjubel auf den Galerien wie im Parterre, ein Vorge=
schmack der so lang ersehnten komischen Seligkeit — und
wenn endlich der Knappe Käsperle mit den geschwärzten
Augenbrauen, dem ziegelroth angestrichenen Gesicht und den
noch halb herunter hängenden Inexpressibles, die er erst im Auf=
treten völlig zunestelte, vor Ritter und Publicum mit einer
ziemlich derb angedeuteten Entschuldigung seines Verspätens
erschien und seine übrigen Dummheiten vorbrachte, da kannte
der Enthusiasmus kein Ziel und Maß! — Glückliche, kin=
dische oder kindliche Wiener! Warum habt ihr den „Kasperl"
verloren? Er ist und bleibt unersetzbar — auch in den par=
lamentarischen Tagen von Grenter und Konsorten. —

Der Zulauf in das Leopoldstädter Theater war zu
jener Zeit ungeheuer. Castelli, der immer voll alter Anek=
doten war, erzählte mir, daß der Director Marinelli an
Sonntagen, wenn der Andrang an das noch geschlossene
Theaterthor bereits zur Mittagsstunde begann, im Uebermuth
einige Silberstücke (damals gab es noch dergleichen!) in den
dicken Menschenknäuel warf, und wenn der süße Pöbel gar
zu laut und ungestüm wurde, mit gebieterischer Stimme
über's Fenster rief: „Still da unten! Sonst laff' ich heut' gar
nicht spielen" — worauf sogleich das Publicum wie eine
Heerde Schafe zusammenschrack und lammfromm stille hielt.
Das waren Theaterzeiten! Herr Steiner, Herr Strampfer

e tutti quanti, wäffert Euch der Mund nach diefen halcyo=
nifchen Tagen? Umfonft! Sie find vorüber — für immer
vorüber!

Die mittelalterliche Romantik, welche noch in diefe
Aera der Wiener Volksbühne hineinragte, machte sich auch
ohne allen Beifaz von phantaftifchen Elementen rein geltend
in gewissen Ritter= und halbhiftorifchen Stücken, wie:
„Friedrich mit der gebissenen Wange", „Das Faustrecht in
Thüringen", „Hasper a Spada", in welch' lezterem die
Darstellung des immer durstigen Ritters Feige von Bomsen
durch Sartory für eine Meisterleistung galt. Aber die ei=
gentlichen Zauberstücke waren doch noch immer gern gesehen
auch auf Schikaneder's Bühne im Freihaufe, welche zu irgend
einer Zeit auch unter der Oberleitung eines Bauernfeld,
eines meiner Ahnen gestanden hatte. Schikaneder war nicht so
glücklich wie Marinelli. An der Neigung, das Geld zum
Fenster hinauszuwerfen, gebrach es ihm zwar durchaus nicht
— allein das Publicum fand sich nur spärlich ein, und dem
Director brannte es auf den Nägeln. Wie ein neues Zugftück
schaffen? Das war die Lebensfrage. Die Muse so mancher
Künstler und Erfinder, die Noth, hauchte ihm nun den Ge=
danken ein, ein theatralisches Ding oder Unding zusammen=
zustoppeln, welches Ernst und Spaß, Zauberei und die da=
mals so beliebte Freimaurerei bunt durcheinandermischend,
einen ungeheuern Erfolg versprach, wenn neben Romantik
und Komik darin auch für die Schaulust, sowie für das mu=
sikalische Ohr des Wiener Publicums gehörig gesorgt würde.

Gedacht, gethan! Mit dem halbfertigen Libretto der
„Zauberflöte" wendet sich nun der bedrängte Theater=Di=
rector an seinen Freund Mozart, welchem er zugleich, der

Sage nach, einige leichte Melodien vortrillerte, wie sie etwa für den lustigen „Papageno" passen dürften, dessen Rolle sich Schikaneder selber zugedacht. Mozart, welchem der Plan gefiel, besonders in seinem mysteriösen Theile, ließ sich bereitwillig finden, und so war die Oper binnen sechs Mo= naten componirt und einstudirt und kam im Herbst 1791 zur Aufführung.

Papageno konnte mit dem riesigen Erfolge zufrieden sein; allein der Schöpfer dieses vielleicht originellsten aller musikalisch=dramatischen Werke lebte nur kurze Zeit über seinen letzten und größten Triumph hinaus.

Der „Zauberflöte" mußte hier gedacht werden, da sie, ihrer Genesis nach, der Wiener Volksbühne angehört, ja als die schönste Blüthe und Frucht jener damals noch so beliebten romantisch=komischen Richtung zu betrachten ist. Und kein Zweifel, die Schlange, die Affen, die fliegenden Ge= nien, Wasser und Feuer wie Papagenoschloß und Glockenspiel haben nicht wenig dazu beigetragen, das Meisterwerk popu= lär zu machen, und die Priester mit ihren Hörnern, in wel= che sie dreinbliesen, sowie die geheimnißvoll=dunklen Pyra= miden=Eingänge waren gleichfalls nothwendig, um das Volk mit dem gehörigen Respect und Schauer zu erfüllen; denn das Volk ist das frisch aufnehmende Kind, welchem man, Gott Lob, noch mit Scherz und Ernst beikommen kann! Die sogenannten gebildeten Leute rümpften dagegen sehr bald die Nase über den, wie es ihnen dünkte, unglaublich albernen Text der „Zauberflöte". Es sind das dieselben Leute, welche man auch das „gebildete Publicum" nennt und welche an der Ziege in der „Dinorah" oder an den anderen Dumm= heiten der „Afrikanerin" so wenig ein Aergerniß nehmen,

als ihre Vorfahren an der Schlange und am Papagenoschloß.
Das macht, die gebildeten Leute glauben an keine Dumm=
heit, als die just in der Mode und en vogue ist! Mozart
hat nun freilich die Poesie in die „Zauberflöte“ erst hinein=
gebracht, aber die Erfindung Schikaneder's ist darum nicht
zu verachten.

Hat doch sogar der große Goethe dem Librettisten
die Ehre erwiesen, „der Zauberflöte zweiten Theil“
zu dichten, in welchem verschiedene junge Papageno's und Pa=
pagena's aus Eiern hervorkriechen. Wir — um im Recen=
senten=Ton zu sprechen — wir ziehen den ersten Theil ohne
Eier vor, und sind der Ansicht, daß der große Mann nicht
nnr diese lebendige Eierspeise, sondern auch die eingebrockte
Milchsuppe in seinem „Bürger=General“, ohne seinem
Ruhme zu schaden, unaufgetischt lassen konnte.

Das Romantische und Phantastische hatte sich nach
und nach auf der Wiener Volksbühne verloren, inzwischen
war ein bürgerlich=hausbackenes Element aufgetaucht,
welches sich späterhin noch ein letztesmal mit dem Feen= und
Zauberwesen verquickte.

Jean-fesse est mort, vive Jean-fesse! Der Hanns=
wurst stirbt nicht oder lebt immer wieder auf's neue auf, in
veränderter Gestalt, unter einem andern Namen — aber
wenn ihr ihn beim Lichte beseht, ist es der alte Schalksnarr
mit Schellenkappe und Pritsche, über welchen der gravitäti=
sche Professor Gottsched und die respectable Frau Ne=
berin ein vergebliches Autodafé gehalten, denn der Narr,
der sich nicht im Mörser zerstampfen läßt, widersteht auch
dem Flammentode.

Die Narrheit ist der wahre Vogel Phönix. Schon der ernste Homer hat seinen Göttern und Heroen die Thorheit in Gestalt eines Momos und Thersites beigesellt. Das Leben wäre nicht vollständig ohne seine eigene lebendige Parodie — darum, wie die Hannswursten=Natur unverwüstlich ist, so fühlt sich auch die Menschheit unwiderstehlich von ihr ange= zogen, zu ihr hingezogen. Niemand hat den Zwiespalt von Weisheit und Narrheit, zugleich von Idealismus und Rea= lismus, welcher sich im Menschen ebenso bekämpft als ver= einigt, tiefer und geistreicher empfunden, so wunderbar abge= schildert und für alle Zeiten hingestellt, als der göttliche Cervantes. Sein Held strebt nach dem Erhabenen, Himm= lischen und Idealen, und erntet Prügel dafür; der dicke Schild= knappe hält sich an die reale Erde und ihre Freuden und Ge= nüsse — aber da regnet's wieder Prügel! Die Beiden mit einander, diese getrennten und mißhandelten Hälften, sind der Mensch — der Prügelknabe der Schöpfung. Auch Pferde, Esel und Hunde bekommen zwar Prügel, doch sie fühlen nur den physischen Schmerz davon; der Mensch allein genießt den Vorzug, über die erhaltenen Schläge des Schicksals nach= grübeln zu können, was man auch philosophiren nennt.

Das alte Wien, von den groben Possen und Parodien übersatt, war nach und nach gesitteter, nüchterner und zahmer geworden, was sich auch in den Volksstücken jener Zeit kund= gab, in welchen statt des früheren phantastischen von nun an das bürgerliche Element immer mehr zur Geltung kam.

Auch die Stadttheater hatten ihre Volkskomiker, wie eine Art Volksstücke. Baumann als Adam im „Dorfbar= bier", und als Bettelstudent (nach Cervantes) bezeichnet die ganze harmlose Richtung jener Periode, welche dem „Wiener

Spaß" ausschließlich huldigte und für die der eigentliche Humor eine terra incognita blieb.

Auf demselben Felde wirkte auch der urspassige Wiener= Rüpel Anton Hasenhut (vom Theater an der Wien) in seinen Thaddädl=Rollen; er vereinigte Natürlichkeit und selbst Grazie des Spieles und der Mimik mit Fertigkeit und Ge= schick im Vortrage komischer Lieder, (trotz seiner krähenden Stimme) und mit Gewandheit und Beweglichkeit im Tanze. Als Peter in „Menschenhaß und Reue" neben dem großen Iffland (als Bittermann) brachte er den ernsthaften Künstler durch sein echt komisches stummes Mienenspiel in der Tabakpfeifen=Scene beinahe gänzlich aus der Haltung.

Ein Hannswurst erschlägt den anderen, und der Jüngere und Ueberlebende bleibt im Recht, im Besitz. Hasen= hut fing bereits zu altern an, als sich ihm im „Kasperl= Theater" ein gefährlicher Nebenbuhler erhob. Der kleine Mann mit dem kleinen Höcker, den er mit vielem Anstande trug, unterstützt von einem lebhaften Auge, einer höchst be= weglichen Miene, einer angenehmen Baßstimme und einem Spiel voll Feinheit und Charakteristik — Ignaz Schuster hatte Stranitzki's Pritsche übernommen, die er mit mehr ge= bildeter Anmuth zu handhaben wußte, als alle seine Vor= gänger.

Er war es, für welchen Bäuerle den „Staberl" erfand — eine eigenthümliche Wiener Schöpfung, die man nicht gering anschlagen darf und die bald die Runde durch ganz Deutschland machen sollte.

Das Stück hatte in Wien bereits weit über hundert Vorstellungen erlebt, als die Censur plötzlich dahinterkam, daß sich die Posse über die ehrsame Wiener Bürgerschaft und

ihren naiven Patriotismus lustig mache — worauf dem ehr=
lich=lustigen Staberl mit seiner „Decreter=Uniform“ und
seinem: „Da sitz' ich und steh' Schildwacht“ ein ewiges Still=
schweigen auferlegt wurde. Director C a r l hatte in der Folge
die vortrefflich erfundene Figur zum Zerrbilde und zur Fratze
umgewandelt, wodurch sie, wenn auch von grotesk=komischer
Wirkung, doch ihrer ursprünglichen Bedeutung völlig ver=
lustig ging.

Bäuerle's Stücke bewegten sich meist im bürgerlichen
Elemente, doch nahmen sowohl er als seine Nebenbuhler
G l e i c h und M e i s l gelegentlich den Zauber= und Feenspuk
wieder auf. Das neue Genre war amüsant genug — es
fehlte nichts, als der meist lose und zwecklos gehaltenen Fa=
bel eine tiefere poetische oder sittliche Idee unterzulegen, und
das neue bessere Volksstück war gewonnen. Ein ähnlicher Ge=
danke mag einem begabten, aber wenig gebildeten jungen
Manne, der sich bisher nur als Schauspieler versucht hatte,
seit Langem nnklar vorgeschwebt haben, bevor er sich des
schöpferischen Talentes bewußt warb, welches in ihm schlum=
merte. — F e r d i n a n d R a i m u n d, eine ernste Natur, die
es auch mit der Kunst ernsthaft nahm, hatte sich gelegentlich
selbst in tragischen Rollen versucht. Sein G o t t l i e b K o k e,
an und für sich eine dramatische Carricatur, die im Grunde
ein Jeder dem Effecte zu Dank spielt, war nicht übel, dage=
gen sein F r a n z M o o r überladen, abscheulich, nichts als
Grimasse.

Die Jugend, in der das Ideal noch frisch ist, traut
sich oft das Ungeheuere zu, und das gilt nicht blos von dem
Künstler. Es gibt keinen so ledernen Philister, der nicht im
Mai seines Lebens wenigstens ein paar sentimentale Liebes=

ober Jenseitsgedichte fabricirt hätte. Und nun gar ein junges
Genie in seinem dunklen Triebe! Wie häufig geht das auf
falsche Fährte, geräth auf Irrwege und unter theatralische
Dornen, in dramatisches Gesträppe!

Das war auch bei dem guten Raimund zuweilen der
Fall, der seine Jugendmarotten nicht loswerden konnte.
Längst ein berühmter Komiker und gefeierter Volksschau=
spiel=Dichter, was aber seinem Ehrgeize nicht genügte, wollte
er durchaus noch immer tragisch dichten, tragisch spielen. —
„Ich bin zum Tragiker geboren", sagte er mir einst in edler
Aufwallung, „mir fehlt dazu nix, als die G'stalt und 's Or=
gan!" —

Diese Worte, mit seiner immer nervös zuckenden
Miene, der schiefen Kopfhaltung, der heiser=vibrirenden
Stimme und in echtem Wiener Jargon vorgebracht, verfehl=
ten bei mir jede Wirkung; doch verbiß ich das Lachen aus
Respect. Ein andermal, bald nach der Aufführung der „Un=
heilbringenden Zauberkrone", die dem Verfasser sel=
ber kein Heil brachte, lud er mich zu Tisch. Wir Beide waren
allein, nur Landner dabei, ein nicht übler Komiker und
höchst bescheidener Mensch.

Landner war Raimund's getreuer Schildknappe und
folgte ihm wie sein Schatten. Daß über Tisch von nichts die.
Rede war, als von der unseligen „Zauberkrone", versteht
sich von selbst. Es gibt Leute, die ihr liebes, oft so unbedeu=
tendes Ich stets zum Mittelpunkt allen Gespräches machen
— das kam bei Raimund gewissermaßen gleichfalls vor,
aber nur, weil es ewig in ihm gährte, weil er unablässig mit
sich selbst und seiner Doppelkunst beschäftigt war; auch
brachte man ihn selber gerne auf seinen Lieblingsgegenstand,

hörte ihn mit dem höchsten Antheil sprechen, denn er sprach
so lebhaft, so naiv=aufgeregt, so natürlich und wahr, so
liebenswürdig! Ich hatte mich bemüht, ihm das durchgefal=
lene Stück, welches in der That an Schwulst und Bombast
seinesgleichen suchte, auf das schonendste zu kritisiren — aber
vergebens! Raimund ließ nicht den geringsten Tadel gelten.

So sind wir Autoren! Die mißrathensten Kinder sind
uns häufig die liebsten. —

Trieb ich den Dichter doch bisweilen in die Enge und
wußte er sich keinen Ausweg, so zog er, obwohl selbst Schau=
spieler, über die Darsteller los — gleichfalls eine üble Ge=
wohnheit verunglückter Theater=Schriftsteller! Die schlechte
Darstellung hat dem Meisterwerk zuerst geschadet, das kalte
oder undankbare oder wohl gar unverständige Publicum hat
es fallen lassen und eine böswillige Kritik hat ihm den Gar=
aus gemacht! In ähnlicher Weise raisonnirte damals Rai=
mund. Die Schauspieler des Leopoldstädter Theaters, nur
an Possen und derlei gewöhnt, hätten ihm die ernsten und poe=
tischen Scenen verdorben, besonders gewisse pathetische Stel=
len, von denen sich der Dichter Wunder versprochen hatte.
So die lange Tirade, mit welcher der Held des Stückes einen
Löwen anredet. Zum Schlusse hatten ein paar Hände applau=
dirt, aber auch ein leises Kichern habe sich im Parterre ver=
nehmen lassen.

„Warum hat das Publicum gelacht? Warum? Was
ist daran zum Lachen?“ Hier sprang Raimund vom Tische auf
und recitirte den in Trochäen geschriebenen Monolog aus=
wendig und mit flammendem Auge, mit den heftigsten Gesti=
culationen und mit einer heiseren Donnerstimme, die immer
accelerato darauf losging, bis sie polternd=unverständlich

erloſch, was eine kunſtvoll nachgeahmte Seelen= und Körper=
erſchöpfung des Helden hätte ausdrücken ſollen.

Raimund hielt inne; Landner, den er als Löwen
apoſtrophirt hatte, machte ein Schafsgeſicht, und ich wußte
nicht, was ich ſagen ſollte, ſchwieg alſo und wartete die Dinge
ab. Da ſtellte ſich der tragiſche Komiker dicht vor mich hin
und ſagte mit dem Tone der tiefinnerſten Ueberzeugung:
„Sehen Sie, hätte der Menſch die Stelle ſo geſprochen, dann
hätt' ſie Furore machen müſſen!“ —

Meine Anſicht im Stillen und meine Ueberzeugung
war, daß das Lachen bei einer ſolchen Deklamation erſt
recht ausgebrochen wäre. Da ich mich aber ſchon mit dem
Dichter nicht völlig einverſtanden erklären konnte, ſo wollte
ich zum Ueberfluß nicht auch noch dem Mimen und Decla=
mator wehe thun. Ich gab ihm alſo im Princip Recht, und
wirklich war die Aufführung im Ganzen mittelmäßig
und gereichte dem an ſich wunderlichen Stücke jedenfalls zum
Nachtheil, was man der Wahrheit gemäß immerhin beſtäti=
gen konnte. Damit gab ſich der kindliche Dichter zufrieden
und umarmte mich von Herzen. Landner hatte während der
ganzen Mahlzeit und wohl dreiſtündigen Discuſſion den Mund
nur zum Verſchlingen geöffnet.

Raimund's Stücke, jene gemüthlich=komiſchen, alle=
goriſch=poetiſchen Märchen, tauchten noch vor den Zwanziger
Jahren auf, bald nachdem er in den Verband des Leopold=
ſtädter Theaters aufgenommen worden. Auf dieſer Bühne
war damals die Wiener Volkskomödie zu ihrer höchſten und
glänzendſten Blüthe emporgeſchoſſen. Neben J. Schuſter und
Raimund bewegte ſich noch der alte Bomſen=Sartory
in friſcher, immer behaglicher Thätigkeit; Korntheuer,

voll unerschöpflicher parodistischer Laune, gründete sich ein
eigenes Fach in seinen gehorsamen Ehemännern und Siman=
deln, sowie in den bornirten Geisterkönigen; Landner war
in komischen Nebenrollen fast ein geringerer Hasenhut, Swo=
boda (der Grois von damals) in niedrig=komischen Partien
ausgezeichnet. Von den Frauen wirkten zu gleicher Zeit die
Huber, Ennökl und Krones; die Erste durch ihre
derbe, gesunde Komik und tüchtige Stimme immer siegreich,
die Zweite, als Gegensatz, auch dem Anstand und feineren
Ton auf den lustigen Brettern einen Platz zusichernd und be=
hauptend. Wie läßt sich aber die Natur einer Krones be=
schreiben, dieser keck=genialen wienerischen Déjazet? Hoff=
mann's Gestalten von phantastischen Prinzessinnen, einer
„Brambilla" und dergleichen, schwebten mir beständig vor,
wenn ich die schlanke, kühne und dabei zierliche Frau über
die Bretter schreiten und sich selber parodiren sah, wenn ich
ihre tollen Possen, ihre wilden Gesänge vernahm, die man
keinem weiblichen Munde verzeihen konnte als dem ihrigen
— denn wie Ophelia Schwermuth und Leid, so war die
Krones im Stande, Zweideutigkeiten, ja offenbare Zötlein
in Anmuth und Zierlichkeit umzuwandeln. Der Gedanke
läge vielleicht nahe, sie mit unserer Gallmeyer zu vergleichen
— doch sind dies zwei höchst verschiedene Individualitäten.
Josephine Gallmeyer ist vielseitiger und hat bei weitem
mehr dramatisches Genie als die Krones; sie wäre eigentlich
im Stande, Alles zu spielen, auch das feinere Naive, wie
das halb Rührende, und sie spielt sich mit Allem, liebt es,
sich selbst zu parodiren (darin gleicht sie der Krones), und
Publicum und Director obendrein. Früher, im Theater an
der Wien, hatte sie sich gefallen, mit ihrem Cancan und an=

deren Zuthaten eine Art weiblichen Nestroy vorzustellen —
aber die kleine gemüthliche Rolle, welche sie im „Hanns Jörge"
neben Dawison zu übernehmen hatte, zeigte uns wie im
Blitzesleuchten auf einen Moment die Künstlerin, welche,
wenn sie nur will, einen Charakter von Grund aus zu
schaffen und durchzuführen versteht, mit schöner Wahrheit,
Consequenz und Discretion, mit den feinsten Nuancen und
ohne alle Uebertreibung. Auch in ihrem neuen Wirkungskreise
hat sie sich in dieser Richtung bethätigt, wo man ihr etwas
Gelegenheit dazu bot, wie in: „Hohe Gäste", „Alte Sünden"
und Aehnlichem. Man konnte Herrn Ascher nur Glück wün=
schen, ein solches Talent gewonnen zu haben.

Aber kehren wir aus dem Carltheater zu dem Kas=
perl=Theater der Zwanziger=Jahre zurück, wo neben der ge=
sprochenen und gesungenen Posse sich eine ebenso ausgezeich=
nete tanzende bewegte, eine Pantomime mit Rainoldi
als Grotesktänzer und komischen Liebhaber, mit seiner Frau
als Columbine, mit Einweg als Pantalon (durch vierzig
Jahre!) Brinke als Harlekin und Hempel, später Scha=
detzky, als Pierrot. Man darf wohl behaupten, daß die ko=
mische Muse nirgendwo und zu keiner Zeit bacchantischere
Feste gefeiert, als damals in Wien. Es ist begreiflich, daß
ein Talent wie das unseres Raimund in solcher Umgebung
den Antrieb und Stachel fand, die Art von Komik, die in
ihm lag, im regen Wetteifer mit seinen Kunstgenossen immer
mehr zu entfalten; doch galt es vor Allem, sich seinen Stand=
punkt zu gewinnen. Die Komik und Laune, welche Raimund
eigen war, hatte der Basis der Gemüthlichkeit, ja selbst
einer gewissen Rührung vonnöthen, die in den Stücken und
Rollen, wie sie sich eben vorfanden, nur selten ihre Anwendung

fand. Raimund besprach sich nun mit den Dichtern, die
für ihn schrieben, schnitt sich die Rollen beiläufig selber zu,
machte Zusätze, legte Lieder ein, bis er zuletzt den Entschluß
faßte, sich selbst an die Composition einer dramatischen Fabel
zu wagen. Gleich der erste Versuch wurde mit dem glänzend=
sten Erfolge gekrönt. „Der Barometermacher auf der
Zauber=Insel" (mit Raimund, Korntheuer und der
Krones) schien in seiner harmlosen Munterkeit und doch
besseren Richtung, zugleich mit der Beimischung des Phan=
tastischen wie des Gemüthlichen, eine neue Aera für die Wie=
ner Volksbühne herbeizuführen. Und so war es auch. „Der
Diamant des Geisterkönigs" erschien als eine ausge=
bildetere Fortsetzung der glücklich angeschlagenen Weise.
Eine tiefere Wirkung brachte „Das Mädchen aus der
Feenwelt" und „Der Alpenkönig und der Men=
schenfeind" hervor; man erfuhr, daß man es mit einem
wahren und wirklichen Poeten zu thun habe, dessen „Rap=
pelkopf" bald zum Typus ward. Dem Dichter aber wurden
seine eigenen Schöpfungen ein neuer Sporn, die versäumte
Bildung nachzuholen und durch Studium und Aufnahme
desjenigen, was seine Vorgänger geschaffen, sich für neue
gediegenere Leistungen vorzubereiten und zu befähigen.
Mit einer wahren Heißgier fiel der ehemalige Darsteller
des Franz Moor über Shakespeare und Calderon
her und vertiefte sich in die Romantik und tiefe Charak=
teristik des Engländers, in die Allegorienwelt und den
Mysticismus des Spaniers. Das erste Product dieser
Studien: „Die gefesselte Phantasie" fand zwar nicht
den enthusiastischen Beifall, den sich der Dichter erwartet
haben mochte; das Publicum nahm die ernsten Scenen hin,

4*

hielt sich aber mehr an das glücklich beigemischte Komische,
an die zuckenden Flügel der Krones und an die Bänkelsän-
gereien Raimund's als blinder Harfenist. Dagegen wollten
die späteren Leistungen: die mehrerwähnte „Zauberkrone"
und „Moisasur's Zauberfluch" in ihrer wunderlich
mystischen Poesie dem gesunden Volkssinn durchaus nicht zusagen, was den ohnehin reizbaren und gereizten Dichter völlig zur Verzweiflung brachte. Auch die Schauspielerei war
ihm beiläufig verleidet, obwohl er, von der Leopoldstädter
Bühne und der späterhin übernommenen Direction zurückge-
treten, auf seinen Kunstreisen in Berlin und sonst in seiner
Doppel-Eigenschaft die höchste Anerkennung gefunden. Er
sammelte sich nun durch längere Zeit und trat endlich im
Josephstädter-Theater mit seinem „Verschwender" wieder
an's Lampenlicht. Der treue Valentin mit seiner Natürlichkeit, Gemüthlichkeit und komischen Rührung war vorzugsweise geeignet (besonders im letzen Act), die darstellende
Kraft des Dichters in ihrer vollsten Eigenthümlichkeit erscheinen zu lassen. Das Stück machte Furore, auch mit den
ernsten Scenen, und wurde über vierzigmal ohne Unterbrechung wiederholt.

Raimund hatte in den letzten Jahren seines Wirkens
mit richtigem Tact herausgefühlt, daß er schlechterdings nur
in seinen eigenen Stücken auftreten müsse; hier ist er
einzig, originell; die geschriebene und gespielte Rolle wächst
erst hier zu einem wahren Naturproducte zusammen: zu
Raimund's Stücken gehört seine Persönlichkeit. Merkwürdi-
gerweise hat man dies allgemein im Stillen gefühlt, ohne es
auszusprechen; jeder Schauspieler, welcher nach Raimund
eine seiner Rollen spielte, fühlte sich wie unwiderstehlich ge-

trieben, ihn nachzuahmen. Ich muß gestehen, daß ich nur ein einzigesmal einer solchen Second sight-Darstellung beiwohnte und troß Kunst und Fleiß des nachahmenden Schauspielers nicht bis zum Ende auszuhalten vermochte. Wie sehr Alles jubelte, so erschien mir doch das Ganze nur wie ein geschmackloses Kunststück; der Geist fehlte, das Leben, die schöne Wirklichkeit — kurz, ich bleibe dabei: man kann Raimund nicht ohne Raimund spielen!

Das Leopoldstädter Theater hatte seinen Höhepunkt bereits erreicht — vor Raimund! Er war ein edlerer Zusaß, ein besseres Element, er wie seine Stücke mit ihren poetisch-sittlichen Tendenzen; doch war die alte, frische, gesunde Wiener Posse durch jene, wenn auch zum Theil genialen, aber nicht selten verworrenen Zwitterstücke verdrängt worden, auch war die Raimund'sche Muse nicht geeignet, eine Schule zu gründen. Er war der König des gemüthlichen Humors, doch war die Dynastie zugleich mit ihm erloschen. Inzwischen hatte das Wiener Leben selbst eine bedeutende Umwandlung erfahren, der Ausbruch der Juli-Revolution bereits auch auf das behaglich-bequeme, „Backhendel"-verzehrende Phäakengeschlecht seine Wirkung zu äußern angefangen. Die Skepsis regte sich, sociale und politische Unzufriedenheit begann ihr erstes leises Gemurmel, welches nach und nach lauter und lauter wurde, bis es sich achtzehn Jahre später in articulirten Tönen aussprach und Preßfreiheit und Constitution verlangte. Der Barometer der öffentlichen Meinung, die Polizei, hatte schon vor 1830 in den „Stimmungsberichten" auf „schlechtes Wetter" gewiesen, doch hatten die damaligen Machthaber das Geschriebene beiseite gelegt und in olympischer Ruhe „abgewartet", Decrete unterfertigt, den Kanzleistyl verbessert und

Untersuchungen gegen Demagogen und „einzelne Uebelge=
sinnte" eingeleitet, auch in den Gasthäusern „Fastentische"
aufzustellen befohlen — eine geistreiche Maßregel, durch welche
man das Uebel in der Wurzel zu ersticken glaubte, die
aber, an dem Leichtsinn der Wiener und an ihrer Gleichgil=
tigkeit gegen Alles, was Gesetz heißt, scheiternd, bereits nach
acht oder vierzehn Tagen in Vergessenheit gerathen war und
nur, wie die vielen anderen tausende von erlassenen und
nicht gehaltenen Gesetzen und Verordnungen, in das Repo=
sitorium eingetragen und mit einer Registraturs=Nummer
versehen wurde, um sie bei Gelegenheit „auszuheben" und
als „Simile" oder „Schimmel" (ein Beamtenwitz!) benützen
zu können. Die Göttin der Narrheit aber, den Machthabern
wie den Wienern gleich hold, schüttelte den Kopf bei dieser
Sorglosigkeit der Regenten wie der Regierten! Nicht ge=
wohnt, sich unmittelbar mit der Politik zu beschäftigen, ob=
wohl diplomatisch und im Stillen bei jedem öffentlichen Acte
daran betheiligt, hatte die Himmlische bei sich beschlossen,
den guten Leuten wenigstens über die böse Zeit gelinde hin=
überzuhelfen und das murrende, auch bereits etwas hungernde
Volk, welches „Panem" schrie, vorläufig durch neue „Cir=
censes" zu beschwichtigen. Die muntere Fee mit der Schellen=
kappe schwang daher ihren Zauberstab, berührte damit das
Theater an der Wien und verwandelte es urplötzlich in
einen Tempel des Jocus, in welchem die Triumvirn des
neuen Narrenthums, Carl, Scholz und Nestroy, unter
bacchantischem Volksjubel und in Begleitung des bösen Gei=
stes „Lumpacivagabundus", des ersten Repräsentanten und
Vorläufers des modernen Lumpenthums, ihren feierlichen
Korybanten=Einzug hielten; hierauf drehten sie sich, die

Branntweinflasche in der Hand, mehrmals im Kreise herum wie die verzückten Derwische und warfen sich schließlich unter tausend Lazzis auf ausgebreitete Strohbündel nieder, um im Schlafe das Vergessen ihrer Volksleiden und den Glückstern zu erwarten, welcher dem Zunftzwange, der Gewerbebeschränkung, der Recrutirungs-Pflichtigkeit, dem Paßwesen, dem nächtlichen Aufgreifen durch die Polizei, kurz all' den Nergeleien und Quängeleien ein Ende machen sollte, womit arme Teufel in einem wohleingerichteten Staate zur Aufrechthaltung der Ruhe, Ordnung und Sicherheit von jeher geplagt wurden, geplagt werden und werden werden!

Das jubelnde Zuschauervolk, nicht minder arme Teufel wie dieser Tischler, Schneider und Schuster auf der Bühne, griff die leichtfaßliche Allegorie flugs begierig und scharfsinnig auf. Das Sardanapal'sche und Lord Byron'sche:

> „Eat, drink and love, the rest
> s'not worth a filipp!"

wurde augenblicklich in die Wiener Localsprache übertragen. Ins Wirthshaus gehen, nichts arbeiten, sich über Alles lustig machen und in der Lotterie gewinnen — das war von heute an das Ideal der Volksmassen, und die Regierung mit ihrer Verzehrungssteuer, ihrem Lottogefäll und ihrem sogenannten „System" schien vollkommen damit einverstanden. Abwarten wurde im Grunde das Losungswort beider Parteien, wogegen sich nichts einwenden läßt, bei Individuen sowie bei Völkern, wenn sie auf ein bestimmtes Ziel lossteuern, — ein gefährliches Schiboleth aber, wenn man nicht recht weiß, worauf man denn eigentlich wartet, wie es hie bei beiden Theilen leider der Fall schien!

Director Carl aber, ein feiner Kopf, den die Göttin der Narrheit zu ihren weitaussehenden Planen mit Weisheit auserkoren, war sich vollkommen klar und bewußt, was Wien von ihm, was er von Wien zu erwarten hatte.

Ueber den Mann ließe sich viel und Vieles sagen. Ich sah ihn noch den Grafen Wetter von Strahl spielen, neben Margarethe Carl als Kätchen. Als Mann von Geist, Routine und praktischem Blick wußte er sich aus jeder theatralischen Affaire zu ziehen, warf sich aber zuletzt aus Opportunitäts-Gründen völlig auf die Carricatur und entzückte die Wiener jahrelang als eine Art dramatischer Hogarth. Der speculative Director war ihm aber stets die Hauptsache, und so hatte er in kurzer Zeit und mit wenig Aufwand eine tüchtige Gesellschaft bei einander, die es mit dem bereits allmälig zerfallenden Leopoldstädter Theater mehr als aufnehmen konnte.

Der Komiker Scholz vom Josephstädter Theater machte damals Aufsehen. Obwohl von Geburt ein Preuße, war er doch völlig in dem Wiener aufgegangen und darf als der letzte und unvergleichliche österreichische Clown gelten. Scholz war aber auch Charakteristiker, kein gewöhnlicher obendrein! Sein „Agamemnon Pünktlich", „Magister Losenius" uud andere Figuren voll feiner Komik, Natur und Wahrheit, hatten sogar die Aufmerksamkeit der damals ziemlich zurückhaltenden Direction des Hofburgtheaters auf den Künstler gelenkt, welcher, in andere Verhältnisse und in eine bessere Umgebung versetzt, wol befähigt sein mochte, sich zum komischen Alten des höheren Lustspiels auszubilden. Das Burgtheater hatte klug gethan, auf einen solchen Charakter-Darsteller zu fahnden, aber Carl war noch klüger, jedenfalls schneller, und fesselte den beliebten Komiker, der immer in Geldverlegenheiten war, durch einen anscheinend günstigen Contract auf Lebenszeit an sich und sein Haus. Mein Freund Holtei, dieser preußisch=schlesische Idealist, hat mir wie oft auseinanderzusetzen gesucht, wie edel und uneigennützig Direc= tor Carl im Grunde immer handle und wie irrig und bös= willig der Ruf sei, der ihn gern für eine Art Seelenkäufer ausgeben möchte — mag sein, man hat den Mann vielleicht zu hart beurtheilt. Allein ein Blick in die Contracte mit seinen Schauspielern, welche sämmtlich ad nutum amovibi= les waren, ohne daß sie sich selber, wenn anderwärts eine bessere Aussicht winkte, losmachen konnten, falls es dem Di= rector beliebte sie festzuhalten; ferner sein Verhältniß zu Scholz und Nestroy, seinen theatralischen Bureau=Chefs und den Hauptstützen der Carl'schen Hannswursten=Dynastie, die sich erst nach Jahren und nach rastlosen Kämpfen mit dem Director eine etwas bessere Stellung zu erringen ver= mochten — dies und Anderes, wie sein Benehmen gegen den armen Gämmerler, den er nicht selten vor dem Publicum, ihn bei seinem Namen nennend, zur Zielscheibe seines Witzes und Spottes machte, das Alles nebst verschiedenen Realitäten anderen Kalibers ließe sich gegen Holtei's idealistisch=carli= stische Tendenzen vielleicht mit einigem Erfolge anführen und geltend machen.

Die bedeutendste geistige Kraft, welche sich Director Carl gewinnen konnte, war unstreitig Johann Nestroy. Der Sohn eines Advocaten, hatte er sich den Rechtsstudien gewidmet, allein eine unwiderstehliche Neigung lockte ihn bald auf die Bretter. Durch eine stattliche Gestalt und eine nicht unbedeutende Baßstimme von der Natur begünstigt, wendete

er sich anfangs der Oper zu und debütirte im Jahre 1821
im Kärntnerthor-Theater als Sarastro, erhielt auch einen
Ruf als erster Bassist nach Amsterdam, ging später zum
Schauspiel über und trieb sich auf verschiedenen Provinz-
bühnen herum. Im Jahre 1831 kam er wieder nach Wien.

     Gleich im Anfange vermochte Nestroy in Wien weder
durch seine Spielweise, noch durch die Stücke, die er aus
Graz mitbrachte, eine besonders nachhaltige Wirkung zu erzielen; aber ein fähiger Kopf, wie er war, und im Vereine
mit dem gewandten Director Carl hatte er bald sein Ter-
rain erkannt, ausstudirt und den Plan entworfen, es dauernd zu beherrschen in seiner doppelten Eigenschaft als Schauspieler und dramatischer Dichter. Mit einem scharfen und
zersetzenden Verstande begabt und, zu Raimund's gemüthlicher Richtung im diametralen Gegensatz, ein mehr kritischer
als dichterischer Menschenbeobachter, dessen unerbittlichem
Auge kein Gebrechen der Gesellschaft entging, brachte er das
neue Volksstück in der gutgegliederten Posse „Lumpacivagabundus" zur Erscheinung und Geltung. „So einen gemeinen
Titel hätt' ich nicht niederschreiben können!" bemerkte mir
Raimund kopfschüttelnd, als wir damals den Anschlagezettel
mit einander lasen.

     Der Aristophanes an der Wien hatte aber bald Sieg
auf Sieg errungen! Da, vor den satyrischen und ironischen
Spiritus- und Branntwein-Geistern, vor „Robert der Teu-
xel" und seinem „Nur Böses!" erblaßte der harmlose, etwas
bornirte „Geisterkönig" Raimund's wie sein unschuldiger
„Ajaxerle", auch die „Jugend" entfloh, die „Phantasie"
blieb gefesselt und die alte allegorische Zufriedenheit fand
keinen Anklang mehr — dafür traten die Skepsis, die Welt-

verachtung und der crasse Egoismus im Bunde mit der
gröbsten Sinnlichkeit gewissermaßen als handelnde Personen
auf, und das Publicum wie sein Lieblingsdichter waren immer bereit, jede bessere Empfindung, jeden freien, edlen Gedanken zu verspotten, zu verhöhnen, in den Staub zu ziehen.
Die Wiener Jugend, auch die aristokratische, nährte sich zu
jener Periode mit lauter Nestroy'schen Witz- und Stichwor-
ten, eine frivole Speise, von der Polizei zwar äußerst begünstigt, allein durchaus nicht geeignet, um Kämpfer für die
Freiheit zu erziehen, die bereits mit rauschendem Fittig zu
ihrem Dienste rief.

Ich will dem Satyriker Nestroy übrigens durchaus
keinen Vorwurf machen. Er schilderte die Welt wie sie war,
so erbärmlich, so haltlos, richtungslos, wie er sie vorfand,
und befreite sich durch Spott und keckes Spiel von dem
Drucke, der auf ihm lastete wie auf jedem Andern. Er stand
weit über den Figuren, die er schuf, und war im Leben der
ehrenhafteste Charakter. Ueber sein Doppeltalent als Bühnen-
schriftsteller und Schauspieler brauche ich mich nicht näher
zu äußern — beide stehen noch lebhaft vor Jedermanns Erinnerung. Allein das Theater ist der wahre Saturn, der
seine eigenen Kinder verschlingt; auch Nestroy's Schöpfungen treten bereits in den Hintergrund. Von ihm mag dasselbe
gelten wie von Raimund: man kann Nestroy nicht ohne
Nestroy spielen.

Je mehr wir uns dem nicht wegzuläugnenden Verfalle
der specifischen Wiener Volksbühne nähern, desto kürzer kann
sich diese referirende Skizze fassen. Eines muß aber erwähnt
werden: von Hafner bis Nestroy hat die komische Wiener
Volksmuse nicht nur den Platz Wien, sondern beiläufig auch

das übrige Deutschland beherrscht, auch sind die Hannswurste, die darstellenden Kräfte, von jeher reich und üppig aus dem Wiener Boden hervorgequollen; allein dieser Boden ist all= mälig dürr und unfruchtbar geworden, es wollen ihm keine frischen, lustigen Saaten mehr entsprießen. Sogar der Wie= ner Dialect verliert sich nach und nach von der Volksbühne; bereits mit Beckmann (früher im Theater an der Wien) mußte sich die einheimische komische Muse entschließen, Berli= nisch zu lernen, und Ascher, Knaack und andere Komiker nöthigen sie, diese Studien fortzusetzen. Wie kein vorherrschen= der Localkomiker (den weiblichen, die Gallmeyer, etwa aus= genommen), so ist auch kein Localdichter aufgestanden, wel= cher die Bühne, wie ihrzeit Hafner, Perinet, Bäuerle, Raimund, Nestroy, als Autokrat beherrschte und ihr den Stempel einer mächtigen Individualität aufzudrücken ver= stände. Talente sind zwar noch vorhanden; die besseren Sachen von Berg, Langer und Anderen machen ihren Weg, und Stücke mit echt komischen Elementen, wie „Die leichte Person", werden auch in Berlin nicht verschmäht; allein diese einzelnen Producte sind nicht mächtig genug und bringen zuletzt nicht das Neue, Zeitgemäße, Schlagende, dessen die Volksbühne von jeher bedurfte.

Die paar politischen Anspielungen, die ohne Wahl und Richtung bald nach rechts, bald nach links ausschlagen, machen aber das Neue nicht aus. Was ist aber dieses Neue, nach welchem wir schmachten? Das Phantastische, das Parodistische, das Romantische, das Halbhistorische, das rein Bürgerliche, das Satyrisch=Ironische, kurz alle früheren Phasen sind er= schöpft und der moderne theatralische Eklekticismus will nicht mehr ausreichen — was also bringen? Vor mehr als zwei=

tausend Jahren gab es in dem alten Athen einen theatrali=
schen Volksdichter, der gab seinen „Rechenärn“, was sie
eben nöthig hatten. Der Mann war ein hartnäckiger Anhän=
ger der (seiner) alten Zeit und zog gegen die moderne Sit=
tenverderbniß, gegen die Gebrechen des Staates, gegen den
verderbten Richterstand, gegen die ihm besonders verhaßten
Demagogen, gegen den dummen und leichtgläubigen Demos,
gegen den Unsinn des Kriegführens, wenn man Eintracht
und Frieden zu Hause haben könnte, mit allen Waffen von
Poesie, Geist, Witz, echt komischer Laune, wohl auch göttlicher
Grobheit los — mit Einem Worte: er brachte das social=
politische Element zur dramatischen Anschauung und
Geltung, mit der gar nicht verhehlten Absicht, das Volk von
Athen zu bessern und es von Privatschlechtigkeiten wie von
öffentlichen Dummheiten abzuhalten. Leider ist das weder
dem witzigen Aristophanes noch dem weisen Sokrates (ge=
legentlich von dem Dichter gleichfalls durchgehechelt) beson=
ders gelungen! Die Athenienser blieben das Gesindel, das
sie bis zum heutigen Tage sind; das alte Athen führte zu
seinem Verderben den absurden peloponnesischen Krieg trotz der
schönsten „Parabasen“, die davon abmahnten, und das neue
will gelegentlich nach Konstantinopel marschiren, ohne Trup=
pen, ohne Geld und ohne Führer. Aber gleichviel! Ein bra=
ver und gescheiter Mann, zugleich ein guter Dichter, warnt
seine Landsleute und sucht sie zu leiten, zu bessern — was
kann er mehr? Wollen sie ihm nicht folgen, um so schlimmer
für sie! Er wäscht sich die Hände wie Pilatus. Dixi et ani-
mam salvavi! Diesen alten und ehrlichen Aristophanes
sollten sich nun die Wiener Volksdichter zum Muster nehmen
und etwa seine „Vögel“ oder seine „Ritter“ bearbeiten.

Aber die Theater-Cenſur! — In Athen gab es nichts
dergleichen. Ariſtophanes, wenn er den Gärber Kleon ſpielte,
brauchte nicht zu „ſtreichen“. Er risfirte freilich ſeinen Kopf,
der angegriffenen Partei gegenüber. Nun, der Kopf bleibt
den Wiener Poſſendichtern trotz der Scheere der Cenſur ge-
ſichert.

Kein politiſches Luſtſpiel alſo! Begnügen wir uns vor
der Hand mit dem „Pariſer Leben“, mit der „Großherzogin
von Gerolſtein“ und mit der „Prinzeſſin von Trapezunt“,
welche letztere uns beiläufig wieder in die alte Hannswurſt-
Komödie zurück bugſirt!

# IV.

(Jugendfreunde. — Schwind und Schubert.)

Das Gemüth ist die Unruh' in der Uhr.
Fischart.

Mit Moriz v. Schwind bin ich im Gymnasium auf der Schulbank gesessen. Seitdem ist weit über ein halbes Jahrhundert verstrichen, und die Jugendfreunde waren sich traute Freunde geblieben, bis zum Scheiden des Einen. Den Jünglingen hatte sich ein Dritter beigesellt: Franz Schubert — leider nur für wenige Jahre! Das Verhältniß zwischen den Beiden war eigen und einzig. Moriz Schwind, eine Künstlernatur durch und durch, war kaum minder für Musik organisirt, als für Malerei. Das romantische Element, das in ihm lag, trat ihm nun in den Tonschöpfungen seines älteren Freundes zuerst überzeugend und zwingend entgegen — das war die Musik, nach der seine Seele verlangte! Und so neigte er sich auch dem Meister mit seiner ganzen jugendlichen Innigkeit und Weichheit zu, er war völlig in ihn verliebt, und ebenso trug Schubert den jungen Künstler, den er scherzweise seine Geliebte nannte, im Herzen sei=

nes Herzens. Er hielt auch große Stücke auf Schwind's musikalisches Verständniß, und jedes neue Lied oder Clavier= stück wurde dem jungen Freunde zuerst mitgetheilt, welchem das immer wie eine neue Offenbarung seiner eigenen Seele klang.

„Wie der componirt, so möchte ich malen können!" rief es in seinem Innern. Und die Wirkung nach Außen ließ nicht lange auf sich warten. Eine Jugendarbeit, eine Reihe Blätter von reicher Erfindung und reizender Zeichnung: „Die Hochzeit des Figaro", konnte nur von einem mu= sikalischen Maler herrühren, und die Cartons zur „Zau= berflöte", für das neue Opernhaus bestimmt, sowie die Entwürfe zu den Opernscenen für's Foyer führten den alten, aber noch lebenskräftigen Mann wieder der Richtung zu, den Keimen, die in der Seele des Jünglings gelegen.

Diese Skizzen, poetisch=musikalisch gedacht und em= pfunden und mit Grazie gezeichnet, sind längst nach ihrem vollen Werthe gewürdigt worden. Was die Ausführung im Großen und die Farbe betrifft, so sind tadelnde Stimmen darüber laut geworden, zumeist über die Fresken der „Loggia". Ich überlasse diese Streitpunkte mit Recht den competenten Kennern und Kunstrichtern. — Cornelius und seine Schule, wie auch Kaulbach, gehen ihrer innersten Natur nach nur wenig auf blendende Farbeneffecte aus, sie wirken durch Conception und Erfindung, Geist und Symbolik. Auch die Schwind'schen Märchenbilder erfordern Stimmung, wie sie sie erwecken; das reiche und mannigfaltige Leben, welches sie enthalten, schließt immer ein neues Schönes auf, je mehr man sich darein vertieft und es Einem zuletzt klar wird, daß es nur der innere Gehalt ist, die edle

Harmonie zwischen Stoff und Form, wodurch irgend eine Schöpfung sich zum wahren Kunstwerke erhebt.

. Der junge Künstler hatte lange gebraucht, bis er sich emporgerungen und geschwungen, doch gilt er nun seit geraumer Zeit als das, was er längst war. In poetischer Conception kommt ihm kein Lebender gleich, kaum nahe; da ist Alles frisch empfunden, menschlich wahr, voll Humor, Geist und Grazie — ich erinnere nur an die „sieben Raben", an die „Fresken auf der Wartburg" und im Wiener=Opernhause, sowie an sein letztes: „Melusine". Die Meisterschaft in der Zeichnung sprechen ihm selbst seine Gegner nicht ab. Von seinen nicht zahlreichen Oelgemälden darf man „Ritter Kurt's Brautfahrt" herausheben. In dieser Jugendarbeit geben sich bereits alle Vorzüge des Maler=Dichters in Erfindung und Charakteristik kund.

Moriz Schwind ist und bleibt Romantiker, ein Stück Mittelalter ist in ihm wieder ins Leben getreten, zugleich von dem lebendigsten Hauch der Gegenwart angeweht. Mein alter und immer junger Freund, eine urwüchsige Natur, ist zugleich ein Wiener, auf München gepfropft und seinerzeit durch Meister Cornelius gepelzt. Wenn man ihm sein bisweilen derb sarkastisches Wesen, seine anscheinend einseitige Richtung, sein künstlerisches Parteinehmen zum Vorwurfe macht, so wird sich manches Schroffe an ihm in weit milderem Lichte zeigen, kennt man erst seinen Lebensgang. Im Ganzen ist's ein Kernmensch, dessen Wesen und Genesis ein wenig zu verfolgen jedenfalls der Mühe lohnt.

Freund Moriz war noch zu Schubert's Zeiten ein schlanker junger Mensch von Mittelgröße, mit einer angenehmen, wohl geschnittenen, echt deutschen Physiognomie, frisch=

rother Gesichtsfarbe, kleinen, aber bedeutenden, scharf blitzenden Augen, das lange wallende Haupthaar wie Schnurr- und Spitzbart röthlich-blond. Eigentlich ein hübscher Junge, welchem sich Frauen und Mädchen durchaus nicht abgeneigt erwiesen, und er sich ihnen ebensowenig. Er machte unter Scherz und Possen den Hof, die hübschen Kinder kamen ihm vertraulich entgegen, behandelten ihn wie einen guten Kameraden. Darum erhielt er auch von den Freunden den Spitznamen „Cherubin"; sonst hieß der junge Romantiker wohl auch „Giselher". — Beherbergte die Natur des jungen Künstlers viel des Zarten, Weichen, beinahe Weiblichen, so grübelte und spintisirte er nicht wenig, war immer bewegt unruhig, eine Art Selbstquäler, von seinem eigenen Thun und Lassen unbefriedigt. Dieser hamletische Zug findet sich mehr oder minder in jeder zart besaiteten jugendlichen Seele die nach einem Ideellen gerichtet ist, und in diesen Schmerzen des jugendlichen Volllebens ist zugleich eine Art Wolluft, die dem ruhigen, aber gleichgiltigen Alter immer fremder wird „La mélancholie c'est le bonheur d'être triste", wie Victor Hugo bemerkt. Wenn Schwind zeitweise ein Kopfhänger war so hatte ihn die Natur dafür mit Frische und Humor ausgestattet, daß er über die üblen Stunden bald wieder weg kam Leicht aufregbar, ging er in Freundeskreisen, wenn er kaum von Wein oder Punsch genippt hatte, von der düstersten Grübelei urplötzlich in die ausgelassenste Lustigkeit über, gab wohl auch mit schlagendstem Witz und trefflichster Selbstironie das komische Zerrbild seiner künstlerischen Zerrissenheit zum Besten

Schwind war und ist in seinen Briefen, deren ich eine Unzahl besitze, so originell und ursprünglich, wie in seinen Reden. Er schreibt immer geistreich und prägnant. Sein

Aussprüche über Kunst und Leben wie Personen sind jederzeit treffend, ja schlagend. Die Phrase kennt er nicht; jeder
seiner Zettel ist individuell. Und so kommt mir eben ein ver-
gilbter Brief in die Hand, den er mir von seinem ersten Ausfluge nach München (in den Zwanziger-Jahren) geschrieben
und worin er sich über unser Wiener Jugendtreiben lustig
macht. Eine Stelle der humoristischen Epistel, die gelegentlich
in Hexameter à la Voß übergeht, lautet folgendermaßen:

„Du wirst vielleicht lachen, aber die Götter des Cornelius umarmen ihre Weiber auf eine solche Art —

Daß mir die Lust für itzo verging nach süßem Gemädel,
Denen zuletzt kein ander Verdienst, als ein sammtener Nacken,
Leicht hintänzelnder Fuß, Capuchon und ein Pelzchen am Halse!
Anders wohl wird dir's zu Muth, wenn du schaust, wie Pe-
              leus der Thetis
Goldenen Gürtel löset in Lieb', als wenn Resi und Susi
Zart den gewichsten Boden voll Scham und Anstand behupfen;
O Geschlecht, für Ohrringe gut und an Uhren zu hängen,
Das zum Leben nicht Muth und zum Entsagen nicht Kraft hat,
Dessen Tugend so groß als ihr Unterrock oder ihr Mieder!
Götter ruhen im Arm der Göttinnen frisch und befriedigt,
Und hinhaspelten wir durch die Nacht und gaben noch Geld aus,
Sandten auch Steinchen und Staub an das unerreichbare Fenster,
Daß uns die Holde zuletzt en silhouette noch zunick'!
An Stricknadeln, o Schmach, zapft Unsereines sich Blut ab,
Stopselt' Verse zusammen und ließ sich schimpflich ertappen,
Wenn er das saub're Geschreib' erzdumm unter'm Tisch in die
              Hand steckt';
Gräulich wechselt Mama die Farb', und der Padre erhebt sich.
Herkules spann, es ist wahr, am Rocken — aber du mein Gott,
Anderes that er wohl früher genug, nun verübt er auch das noch,
Und doch ward er dafür ein Aushängschild und ein Stichwort
Jedem beherrschten Mann, er, der sie Alle noch einsteckt!" — —

5*

Wenn der Freund hier seiner Ketten spottet, so saß ihm doch der Angelhaken tief in der Brust. Ein junges Fräulein, nicht eben hübsch zu nennen, aber zierlich, gebildet, mehr häuslich-bürgerlich als genial, hatte es verstanden, den urwüchsigen Huronen zu fesseln, ihn auch gehörig im Zaum zu halten. Das Verhältniß, welches sich lange hinschleppte, hatte aber auch seine ernsthafte Seite und sollte endlich zum Ziele führen. Schwind, noch in der Entwicklung begriffen, ohne Stellung, ohne künstlerischen Namen, lebte vom Tage auf den Tag, war genöthigt, „Bilderbogen" für Tretsensky zu zeichnen und ähnliche Aufträge zu übernehmen. Der poetische und geniale Künstler konnte es in Wien zu nichts bringen, während weit geringere Talente nicht genug oberösterreichische Landschaften, Alpenscenen, sentimentale Genrebildchen, „Rastelbinder", ungarische Heubauern und dergleichen fabriciren konnten, wie es eben dem Verständnisse und dem Geschmacke eines naiven Publicums entsprach, dessen Bildungsstufe beiläufig auf gleicher Höhe mit dem Kunstsinn jener „Künstler" stand. Trotz seiner precären Lage hatte der treue Mensch seine Geliebte im Frühjahr 1828 feierlich begehrt, war auch als Bräutigam angenommen worden. Die Sippschaft des Mädchens wurde nun zusammengetrommelt, ein kleines Heer von Tanten und Basen, Onkeln und Cousins, alten Hofräthen und dergleichen — kurz, eine Kaffee- und Whist-, nebenbei Brautgesellschaft. Freund Moriz wollte erst gar nicht dabei erscheinen, oder im Malerrock, da ihm der schwarze Frack fehlte, mit welchem ihm zuletzt einer der Freunde aushalf; dann dachte er daran, gleich in der ersten Viertelstunde wieder auszureißen — die Braut hatte alle Noth, ihn bis zehn Uhr festzuhalten.

Ich hatte den glücklichen Bräutigam mit Schubert im Kaffeehause erwartet. Er trat ganz verstört ein, schilderte uns die philisterhafte Gesellschaft mit einer Art verzweifelten Humors. Schubert kam aus seinem gemüthlichen Kichern nicht heraus. Schwind stürzte ein Glas Punsch nach dem anderen hinunter, versicherte uns dabei, er fühle sich total vernichtet und hätte nicht übel Lust, sich auf der Stelle zu erschießen. Und seine Lage war darnach.

In einem Familienrathe ward nun beschlossen, der Bräutigam in spe sollte sich ein zweitesmal nach „Monacho Monachorum" begeben, sich in der Malerstadt par excellence, vielleicht mit Beihilfe des großen Cornelius, eine Stellung zu gründen suchen.

Und so geschah's. Schwind blieb über Jahr und Tag weg, Briefe liefen hin und her, es gab Zweifel, Mißverständnisse, die rechte Stellung wollte sich nicht finden — die Sippschaft schüttelte die Hofrathsköpfe! Nach seiner Rückkehr fand der Brautwerber manches verändert. Die Braut selbst, mehr und mehr einer pietistischen Richtung hinneigend, machte ihm Vorwürfe nach dieser Seite. Er war ihr nicht fromm genug, wenn er gleich ihr zuliebe gewissenhaft zur österlichen Beichte ging. Da wurde er toll.

„Sagte ich: Verlieben Sie sich in den Papst!" hatte er ihr schließlich geantwortet, wie er mir mittheilte, und war kopfüber davongerannt.

Kurz, die Sache hatte sich zerschlagen. Schwind ging ein drittesmal nach München.

Im Sommer 1834 besuchte ich den Jugendfreund, fand ihn nicht wenig verändert, von Außen wie nach Innen. Das Münchener Bier hatte ihm nicht übel bekommen! Das

immer rothe Gesicht glänzte voll und frisch und **noch** immer
jugendlich — aber wo war die schlanke Gestalt geblieben?
Der Körper hatte bedeutend an Umfang gewonnen, der An=
satz zum künftigen stattlichen Bauche war bereits sichtbar.
Schwind war in der neuen Residenz beschäftigt, malte am
Tieckzimmer. Er machte meinen Cicerone, führte mich überall
herum, und so auch zu den Schöpfungen des großen Cor=
nelius, zu den Fresken der Glyptothek. Ich hatte sogleich
begriffen, von welchem Einfluß die Nähe und Anleitung dieses
Meisters, der vertrautere Umgang mit ihm auf einen jungen
Künstler sein mußte, der in Anlage und Richtung so manchen
gemeinschaftlichen Zug mit dem großen Manne in sich fühlte,
dessen Art und Weise des Vortrages und der Zeichnung wie
der zarten und poetischen, freilich nicht eben glänzenden Far=
bengebung ihm seit seinen Jünglingsjahren als Ideal vor=
geschwebt hatte. Er arbeitete und rang auch seinem gewaltigen
Vorbilde rastlos nach, und der Meister wie auch Schnorr
und andere Künstler von Bedeutung ließen dem unter ihnen
emporstrebenden Genie alle Anerkennung widerfahren —
allein das große Publicum nahm damals noch wenig Notiz
von ihm. Wie seinerzeit an Schubert's poetischen Liedern nur
ein kleiner auserwählter Kreis theilgenommen, so ging es
auch mit den geistreichst erfundenen und innigst empfundenen
Schwind'schen Bildern und Skizzen. Die Sachen wurden als
poetisch belobt, aber Niemand wollte sie kaufen, keine Bestel=
lung lief ein, und während Kaulbach bald der Mann des
Tages war, wurde Schwind's Name noch durch Jahre nur
so nebenbei genannt. Das nagte an ihm, verbitterte seine
Stimmung, machte ihn verdrießlich, wol auch ungerecht gegen
die Leistungen Anderer, welche er, wenn sie seinem (dem

Cornelius'schen) Ideale nicht entsprachen, mit dem er=
barmungslosesten Spotte verfolgte. Dazu kam, daß ihm die
Wiener Freunde fehlten, der gemüthliche, auch anregende
Umgang, für welchen die jungen Maler, von denen es in
München wimmelte, in keiner Hinsicht als Ersatz gelten
konnten. Im Ganzen fühlte er sich in dem Bockbier=Athen
unbehaglich, vereinsamt, obschon er abermals in neuen Liebes=
banden befangen war. Er vertraute mir seine Neigung zu
einem Mädchen, einer Art „Rosalinde“, die sich diesem
Romeo bald freundlich, bald schroff erwies. Zwei Jahre
später besuchte ich den Freund abermals, fand seine Stellung
wie Stimmung nicht gebessert. Ein Glück, daß er im
Jahre 1838 auf längere Zeit nach Wien zurückkam! Dort
malte er für Arthaber, entwarf eine Menge neuer Skizzen,
fand sein altes Wesen im trauten Freundeskreise wieder,
welchem sich auch angenehme weibliche Elemente beigesellt
hatten.

Nach München zurückgekehrt, erhielt er später einen Ruf
nach Karlsruhe. Dort lernte er das reizende und charakter=
volle Wesen kennen, mit welchem er sich im Jahre 1842 ver=
lobte: die schöne Louise Sachs, mit der er nach Frankfurt
übersiedelte. In der Folge wurde ihm die Stelle eines Pro=
fessors der Akademie in München zu Theil, welche er bis zu
seinem Ableben bekleidete. Am 5. September 1867 hatte er
bereits seine silberne Hochzeit mit der noch immer stattlichen
Frau Louise gefeiert. Er war glücklicher Gatte und Vater,
und auch an Enkeln fehlte es nicht.

Der poetisch=musikalische Maler war im Alter ruhiger
geworden. Künstlerruhm, eine ehrenvolle Stellung, gemüth=
liche Häuslichkeit, Alles trug dazu bei, sein Gemüth zu

sänftigen — doch war sein Haß gegen alles Schlechte und Verkehrte noch immer so lebendig geblieben, wie seine Verehrung für das Schöne und Große. Und so brauste er noch häufig auf, schnauzte Diesen und Jenen an oder ab — nur war's nicht gar so schlimm damit gemeint. Ein Wort Börne's über Lord Byron mag hier am Platze sein.

„Weiche Herzen, wie das seine, schützt die Natur oft durch ein Dornengeflecht von Spott und Tadel, damit das Vieh nicht daran nage. Aber wer kein Schaf ist, weiß das und fürchtet sich nicht, dem stechenden Menschenfeinde nahe zu kommen."

Nun, Schwind war kein Menschenfeind à la Byron, aber ein Mensch, ein Künstler, der sich fühlt. Dabei gehörte er einer bestimmten Richtung an, in welcher er für ein Unicum gelten konnte. Er lebte und webte nun einmal in dem Zauberkreise, in den er gebannt war. Doch war er nicht blind für das, was ihm fehlte, und der Farbe, die er sein Lebenlang suchte, herzhaft auf den Leib zu gehen, war immer sein Drang. Auch er war in seinen Jugendtagen nach dem Künstler=Mekka gepilgert, und Rafael's Anmuth und blühendes Colorit wie Tizian's große und breite Manier schwebten seiner Seele stets lebendig vor. Aber eben darum liegt sein Form= und Farben=Ideal weit ab von gewissen, mehr schimmernden und gleißenden als wahrhaft glänzenden Erscheinungen des Tages, welche die Technik und den Effect quand même obenan stellen. Diese modernen Künstler sind eine Gattung Virtuosen und haben einen „concertanten Vortrag", wie das der musikalische Schwind mit einer glücklichen Analogie bezeichnete, und so bringen sie auch nur ein „concertmäßiges Entzücken" hervor.

Eine derlei Manier sei aber für ernst componirte, thema-
tische Vorwürfe ebensowenig zu brauchen, als etwa die Abbé
Liszt'schen Künste für eine Oper ober für ein wahrhaftes
Oratorium ausreichen. Die Sache bleibt sich gleich in allen
Künsten. So hat seinerzeit auch Friedrich Schlegel seine
Tragödie „Alarkos" in lauter Terzinen, Sonetten und
anderem Reimgeklingel zusammengeschmiedet, weil er eben
ein Virtuose war und kein Dichter. Ein Jeder, der es ernsthaft mit der Kunst meint, ringt nach Styl, das heißt nach
dem eigentlichen Ausdrucke seines wahren Ich, wobei man
freilich voraussetzen muß, daß er eines hat und daß er kein
Hannswurst ist! Das gilt von Cimabue bis auf Cornelius, von Sebastian Bach und Händel bis auf Karl
Maria Weber und Schubert. Der Styl kann schroff und
hart sein und die Verse holperig wie in den Nibelungen —
aber da ist Kern, Seele, Lebensathem, wahres pulsirendes
Leben! Aus nichts wird nichts. Was hat man von dem
Virtuosenstück, wie etwa von einer frömmelnden, süß flöten-
den und, als Composition betrachtet, hin und her flatternden,
völlig zerfahrenen „Amaranth!" Derlei ist für Weiber
und Kinder. Die Kunst ist ewige Heiterkeit, aber kein Spielzeug von heute auf morgen! Wo sich Charakter zeigt, da ist
Bestand — das Manierirte, wenn es sich auch der Gunst
des Tages erfreut, wird zuletzt in Dunst und Nebel zer-
fließen. —

    Ich habe hier beiläufig die Gedanken und die Gesin-
nungen meines Freundes ausgesprochen. Man sieht, Moriz
Schwind hatte seinen festen Standpunkt und den Muth
seiner Meinung. Bruder Mattherz und die „Alles Gut-
heißer" mögen sich darüber aufhalten! Das Kunst= wie das

Lebensmotto meines feurigen Jugendfreundes, **welches er** gern und häufig im Munde führte, ist das Wort aus Goethe's „Pandora" :

„Des thät'gen Manns Behagen sei Parteilichkeit!"

Am 8. Februar 1871 verlor ich meinen besten Freund, die Künstlerwelt Eine ihrer schönsten Zierden. Der Werth des einzigen und unersetzlichen Mannes wurde in der „Schwind= Ausstellung" erst völlig klar. Ein ganzes Menschenleben in Bildern! Phantastisches und Märchenhaftes, Gemüthliches und Häusliches; auch das Heroische fehlte nicht — und Alles frisch, ursprünglich, in Geist und Humor getaucht, wie es aus der ewig jugendlichen Seele, aus dem goldenen Herzen des Mannes herausgequollen! — Schwind war ein musikalischer Maler, er ist der malende Schubert — sie gehörten zusammen, und man kann des Einen nicht gedenken, ohne sich des Andern zu erinnern. —

Franz Schubert war im Convict erzogen und wohnte später wieder im elterlichen Hause, wo er seinem Vater (Schul= lehrer in der Roßau) als Schulgehilfe zur Seite stand. Daß dem jungen Genie diese pädagogische Beschäftigung nicht beson= ders zusagen mochte, ist wohl begreiflich. Indessen componirte der Jüngling, zwischen Sorgen und Plagen aller Art, frisch darauf los, unbekannt, namenlos, das Talent nur von einigen Freunden gewürdigt.

Franz v. Schober\*), ein geistreicher junger Mann, nur um ein paar Jahre älter als Schubert, nahm nun diesen

---

\*) Verfasser der „Palingenesien", eines Bandes Gedichte, im Verlag von Cotta, der Oper „Alphons und Estrella" u. s. w.

gastfrei in die Wohnung auf, die er mit seiner Mutter theilte. Vom lästigen Schulzwang befreit, athmete der junge Künstler frisch auf, ergab sich leidenschaftlich einem rastlosen Probu= ciren, fühlte sich auch lebhaft angeregt, da er, seinen kümmer= lichen Verhältnissen entrückt, plötzlich in eine für ihn neue Welt, zugleich in einen bedeutenden Freundeskreis gerieth, darunter der Dichter Mayrhofer, der Maler Kupel= wieser, der philosophische Bruchmann und Andere. Dort kam er auch zuerst mit dem berühmten dramatischen Sänger Michael Vogl in Berührung. Der Darsteller des Orest, des Patriarchen Jacob, des Telasko, Grafen Almaviva u. s. w., in Kunst wie Literatur heimisch, ein musikalisch und artistisch vollkommen ausgebildeter Sänger, damals im Zenith seiner Berühmtheit, fand sogleich heraus, was für ein reicher musi= kalischer Quell aus den ersten Liedern und Balladen des jun= gen Menschen hervorströme. Vogl war es auch, welcher un= sern Franz zuerst dem Wiener Publicum vorführte.

Der „Erlkönig", von Vogl im Kärntnerthor=Theater gesungen, von Schubert am Clavier begleitet, schlug gehörig ein und machte bald seine Runde durch die Welt. So war das Eis gebrochen, auch die harten Herzen der Kunsthändler fingen an, ein wenig aufzuthauen, obwol sich ihre Geld= börsen, dem neu entdeckten und gehörig auszubeutenden Genie gegenüber, durchaus nicht weit genug öffnen wollten.

Schubert brachte sich eine geraume Zeit nur kümmer= lich durch, gab Clavier=Lectionen, componirte, was man ihm auftrug, auch Kirchensachen.

Im Winter 1824/25, als Jurist im vierten Jahre, war ich zugleich mit der Wiener Shakspeare=Ausgabe, so wie mit eigenen Productionen über und über beschäftigt. Eine Menge

Dramen und Lustspiele lagen mir nach und nach aufgehäuft, darunter die „Geschwister von Nürnberg", später „Der Musicus von Augsburg", „Fortunat" und anderes Ideelle und Romantische, wovon das reale und praktische Theater vor der Hand nichts wissen wollte. Doch arbeitete ich rastlos weiter, brachte damals auch fast alle meine Abende in meiner einsamen Stube zu.

So saß ich auch im Februar 1825 eines Abends in meiner Klause, als mein Jugendfreund Schwind den in= zwischen bereits berühmt, wenigstens bekannt gewordenen Schubert zu mir brachte. Wir waren bald vertraut mit einander. Auf Schwind's Aufforderung mußte ich einige ver= rückte Jugendgedichte vortragen, dann ging's ans Clavier, Schubert sang, wir spielten auch vierhändig, später ins Gast= haus, bis tief in die Nacht. Der Bund war geschlossen, die drei Freunde blieben von dem Tage an unzertrennlich. Aber auch Andere gruppirten sich um uns, meist Maler und Musiker, ein lebensfrischer Kreis von Gleichge= sinnten, Gleichstrebenden, die Frend' und Leid mit einander theilten.

Das Alter wird ab und zu geschwätzig, aber nur in der Jugend hat man sich eigentlich etwas mitzutheilen und wird nie damit fertig.

So erging es auch uns. Wie oft strichen wir Drei bis gegen Morgen herum, begleiteten uns gegenseitig nach Hanse — da man aber nicht im Stande war, sich zu tren= nen, so wurde nicht selten bei Diesem oder Jenem gemein= schaftlich übernachtet. Mit dem Comfort nahmen wir's dabei nicht sonderlich genau! Freund Moriz warf sich wohl ge= legentlich, blos in eine lederne Decke gehüllt, auf den nackten

Fußboden hin, und mir schnitzte er einmal Schubert's Augen-
gläser=Futteral als Pfeife zurecht, die eben fehlte. In der
Frage des Eigenthums war die communistische Anschauungs-
weise vorherrschend; Hüte, Stiefel, Halsbinden, auch Röcke und
sonst noch eine gewisse Gattung Kleidungsstücke, wenn sie sich nur
beiläufig anpassen ließen, waren Gemeingut, gingen aber nach
und nach durch vielfältigen Gebrauch, wodurch immer eine
gewisse Vorliebe für den Gegenstand entsteht, in unbestritte-
nen Privatbesitz über. Wer eben bei Kasse war, zahlte für
den oder die Andern. Nnn traf sich's aber zeitweilig, daß
zwei kein Geld hatten und der britte — gar kein's! Natürlich, daß Schubert unter uns Dreien die Rolle des Krösus
spielte und ab und zu in Silber schwamm, wenn er etwa
ein paar Lieder an Mann gebracht hatte oder gar einen
ganzen Cyclus, wie die Gesänge aus „Walter Scott", wofür
ihm Artaria oder Diabelli 500 fl. W. W. bezahlte —
ein Honorar, mit welchem er höchlich zufrieden war, auch gut
damit haushalten wollte, wobei es aber, wie stets bisher,
beim guten Vorsatz blieb. Die erste Zeit wurde flott gelebt
und tractirt, auch nach rechts und links gespendet — dann
war wieder Schmalhans Küchenmeister! Kurz, es wechselte
Ebbe und Fluth. Einer solchen Fluthzeit verdanke ich's, daß
ich Paganini gehört. Die fünf Gulden, die dieser Con-
cert=Corsar verlangte, waren mir unerschwinglich; daß ihn
Schubert hören mußte, verstand sich von selbst, aber er wollte
ihn durchaus nicht wieder hören ohne mich; er ward ernstlich böse, als ich mich weigerte, die Karte von ihm anzunehmen. „Dummes Zeug!" rief er aus — „ich hab' ihn schon
Einmal gehört und mich geärgert, daß Du nicht dabei warst!
Ich sage Dir, so ein Kerl kommt nicht wieder! Unb ich hab'

jetzt Geld wie Häckerling — komm' also!" — Damit zog er mich fort. Wer hätte sich da nicht erbitten lassen? Wir hör= ten also den infernalisch=himmlischen Geiger, über dessen Phantasien Heine so schön phantasirt, und waren nicht min= der entzückt von seinem wunderbaren Adagio als höchlich er= staunt über seine sonstigen Teufelskünste, auch nicht wenig humoristisch erbaut durch die unglaublichen Kratzfüße der dämonischen Gestalt, die einer an Drähten gezogenen, mageren schwarzen Puppe glich. Herkömmlicherweise wurde ich nach dem Concert noch im Gasthause freigehalten und eine Flasche mehr als gewöhnlich auf Kosten der Begeisterung gesetzt.

Das war die Fluthzeit! Dagegen kam ich ein andermal zu früher Nachmittagsstunde in das Kaffeehaus beim Kärnt= nerthor=Theater, ließ mir eine „Melange" geben, verzehrte ein halb Dutzend Kipfel dazu. Bald darauf stellte sich auch Schubert ein und that desgleichen. Wir bewunderten gegen= seitig unsern guten Appetit, der sich so früh nach Tisch ein= gestellt hatte.

„Das macht, ich hab' eigentlich noch nichts gegessen", erklärte mir der Freund, etwas kleinlaut. — „Ich auch nicht!" versetzte ich lachend.

So waren die beiden ohne Verabredung in das Kaffee= haus gekommen, wo wir hinlänglich bekannt waren und hatten die Melange „auf Puff" genommen, anstatt des Mit= tagsmahls, welches heute Keiner von uns zu bestreiten im Stande war. Es war zur Zeit der beiderseitigen völli= gen Ebbe.

In ähnlicher Lage hatten wir uns auch das „Du" — mit Zuckerwasser zugetrunken! Dann kamen wol wieder

Schubert=Abende, sogenannte „Schubertiaden" mit munteren und frischen Gesellen, wo der Wein in Strömen floß, der treffliche Vogl alle die herrlichen Lieder zum Besten gab und der arme Schubert Franz accompagniren mußte, daß ihm die kurzen und dicken Finger kaum mehr gehorchen wollten. Noch schlimmer erging es ihm bei unseren Hausunterhaltun= gen — nur „Würstelbälle" in jener einfachen Zeit — wobei es aber an anmuthigen Frauen und Mädchen durchaus nicht fehlte. Da mußte nun unser „Bertel", wie er im Schmeichel= ton bisweilen genannt wurde, seine neuesten Walzer spielen und wieder spielen, bis ein endloser Cotillon sich abge= wickelt hatte, so daß das kleine, corpulente und schweiß= triefende Männchen erst beim bescheidenen Souper sein Be= hagen wiederfinden konnte. Kein Wunder, daß er uns bis= weilen anriß und sogar manche „Schubertiade" o h n e Schubert stattfinden mußte, wenn er just nicht gesellig ge= stimmt war oder ihm dieser und jener Gast nicht besonders zusagen wollte. Nicht selten, daß er eine geladene Gesellschaft vergebens auf sich warten ließ, während er mit einem halben Dutzend Schulgehilfen, seinen ehemaligen Collegen, in einer verborgenen Kneipe behaglich beim Weine saß. Wenn wir ihm Tags darauf Vorwürfe machten, so hieß es mit einem ge= müthlichen Kichern: „Ich war nicht aufgelegt!" —

Hier mag es am Platze sein, gewisse Irrthümer zu be= richtigen, welche über den ungenirt=genialen Künstler noch immer zeitweise in Umlauf sind, besonders unter Leuten, die sich auf ihre sogenannte Bildung nicht wenig zugute thun. „Das Talent ließ sich nun wol dem guten Schubert nicht absprechen; aber der feine Schliff, der gute Ton, auch das Wissen, kurz jede weltmännische wie literarische Bildung

fehlten ihm gänzlich", behauptete man, und man war zuletzt
nicht übel gewillt, sich den zarten Liedersänger als eine Art
genialen „besoffenen Wilden" vorzustellen, wie sich seinerzeit
der prosaische Voltaire den Riesenpoeten Shakspeare
in usum Delphini zurechtgelegt hatte.

Schubert besaß nun allerdings keine eigentliche akade-
mische Bildung; seine Studien reichten kaum über das
Gymnasium hinaus und er blieb sein kurzes Leben lang
Autodidakt. In seinem Fache kannte er die Meister und
Muster ziemlich genau, hatte sich auch, unter Salieri's
Leitung, mit der Theorie seiner Kunst hinlänglich abgegeben.
Auch in der Literatur war er übrigens nichts weniger als
unbewandert, und die Art und Weise, wie er die verschiedensten dichterischen Individualitäten, als Goethe,
Schiller, Wilhelm Müller, J. G. Seidl, Mayrhofer, Walter Scott, Heine poetisch-lebendig auf-
zufassen, in neues Fleisch und Blut zu verwandeln und eines
Jeden Wesen in schöner und edler musikalischer Charakteristik
treu wiederzugeben verstand — diese Sanges-Palingenesien
dürften allein genügen, um ohne allen weiteren Beweis blos
durch ihr eigenes Dasein darzuthun, aus welchem tiefen Gemüth, aus welcher zart besaiteten Seele diese Schöpfungen
hervorgequollen. Wer die Dichter so versteht, ist selbst ein
Dichter! Und wer ein Dichter ist und mit Freunden und
Gleichgesinnten ab und zu anakreontisch zecht, hat noch weit
zum besoffenen Wilden! Auch hatte sich dieser Wilde nicht
selten an ernste Lectüre gewagt, es finden sich Excerpte von
seiner Hand aus historischen, selbst philosophischen Schriften
vor, seine Tagebücher enthalten seine eigenen, zum Theil
höchst originellen Gedanken, auch Gedichte, und sein Lieb-

lingsumgang waren Künstler und Kunstverwandte. Dagegen trug er eine wahrhafte Scheu vor gewöhnlichen und lang= weiligen Leuten, vor Spießbürgern, hoch oben ober in der Mitte, die man gewöhnlich die „Gebildeten" nennt, und Goethe's Aufschrei:

> „Lieber will ich schlechter werden
> Als mich ennuiren!"

war und blieb sein, wie unser Aller Motto. In mittel= mäßiger Gesellschaft fühlte er sich einsam, unbehaglich, ge= drückt, und verhielt sich meist schweigsam, gerieth wohl auch in üble Laune, so sehr man dem berühmt werdenden Manne entgegenkam. Kein Wunder, wenn er sich dann bei Tisch zu= weilen ein herzhaftes Räuschchen antrank und sich nebstbei von der lästigen Umgebung durch einige derbe Ausbrüche zu befreien versuchte, so daß man erschrocken von ihm zurückwich.

Die Lebensweise Schubert's war einfach, wie er selbst. Jeden Morgen um neun Uhr besuchte ihn die Muse und ver= ließ ihn selten vor zwei Uhr Mittags ohne eine bedeutende Gabe. Wenn ihm nun was recht Tüchtiges gelungen war, so schlug sein guter Humor vor und belebte des Abends den ganzen Freundeskreis. Aber man hat nicht lauter gute Stunden! Melancholie und zeitweiliger Katzenjammer blei= ben keinem Sterblichen aus. Nebenbei lief es auch bei dem, in gewissen Dingen ziemlich realistischen Schubert nicht ohne einige Schwärmerei ab. Eigentlich war er zum Sterben in eine seiner Schülerinnen verliebt, in eine junge Comtesse Eszterhazy, welcher er auch eine seiner schönsten Clavier= sachen, die vierhändige Phantasie aus F-moll, gewidmet hatte. Er kam auch außer den Lectionsstunden bisweilen in das gräfliche Haus, unter Schutz und Schirm seines Gönners,

des Sängers Vogl, der mit Fürsten und Grafen wie mit
Seinesgleichen verkehrte, überall das große Wort führte und
sich, wenn er den genialen Compositeur unter seine Flügel
nahm, wie der Cornac geberdete, der eben eine besondere
Rarität aus dem Thierreiche vorzuzeigen hat. Schubert
ließ sich bei dieser Gelegenheit nicht ungern in Schatten
stellen, hielt sich im Stillen zu der angebeteten Schülerin,
drückte sich den Liebespfeil immer tiefer ins Herz. Für den
lyrischen Dichter wie für den Tondichter ist eine unglückliche
Liebe, wenn sie nicht gar zu unglücklich ist, vielleicht von
Vortheil, indem sie seine subjective Empfindung erhöht und
den Gedichten und Liedern, die ihr entströmen, Farbe und
Ton der schönsten Wirklichkeit aufdrückt. Productionen, wie
die „beiden Suleika“, die „zürnende Diana“, Vieles aus
den „Müllerliedern“ und der „Winterreise“, lauter musikalische Selbstbekenntnisse, in die Glut einer wahren und tiefen
Leidenschaft getaucht, sind geläutert und abgeklärt als echte
Kunstwerke in schönster Form aus dem zarten Innern des
Liebenden hervorgegangen. In Schubert schlummerte übrigens eine Doppelnatur. Das österreichische Element,
derb und sinnlich, schlug im Leben vor wie in der Kunst.
Neue und frische Melodien wie Harmonien und Rhythmen
sprudelten in Hülle und Fülle aus einer reich begabten Brust,
trugen auch nicht selten den Charakter des von jeher sang-
reichen Bodens an der Stirne, welchem ihr Schöpfer ent-
sprossen war — was übrigens kein Tadel sein soll, weit
davon! Wie das Volkslied überhaupt die Grundlage der
Oper ist, so wird und muß sich auch Lied und Oper einer
Nation nach ihrer eigenthümlichen musikalischen Empfin-
dungsweise gestalten und ausbilden. Es genügt, Rossini,

Auber und Weber zu nennen, um die verschiedenſten nationalen Opernrichtungen anzudeuten. Die italieniſche Barcarole, die franzöſiſchen Chanſons und Romanzen ver= harren beiläufig in ihrer ſtereotypen Form; das deutſche Lied ſcheint einer unendlichen Weiterbildung fähig. Im Anfang war es einfaches Strophenlied, wie unter Reichardt und Zelter; ſpäterhin brachte Zumſteg die durchcomponirte Ballade in Schwung, bis Schubert ſeine kleinen lyriſchen und Seelendrama's ſchuf. Seitdem hat das deutſche Lied nun freilich keine weiteren erheblichen Fortſchritte gemacht, denn wenn man auch die rein künſtleriſche, edle und poetiſche Form, welche ihm Mendelsſohn aufzudrücken wußte, nicht gering anſchlagen darf, ſo geht doch bei dieſem Meiſter die Erfin= dung, das Urſprüngliche und Schöpferiſche nicht gleichen Schrittes mit ſeiner Bildung und Kunſtausbildung. Bei Schubert dagegen läßt ſich an der Form, an der muſikali= ſchen Declamation, an den friſchen Melodien ſelbſt ſo Man= ches tadeln. Die letzteren klingen bisweilen zu vaterländiſch, zu öſterreichiſch, mahnen an Volksweiſen, deren etwas niedrig gehaltener Ton und unſchöner Rhythmus nicht die volle Berechtigung hat, ſich in das poetiſche Lied einzudrängen. In dieſer Richtung kam es gelegentlich zu kleinen Discuſſionen mit Meiſter Franz. So wenn wir ihm nachzuweiſen ſuchten, daß gewiſſe Stellen in den „Müllerliedern" an einen alten öſterreichiſchen Grenadiermarſch und Zapfenſtreich erinnerten, oder an Wenzel Müller's: „Wer niemals einen Rauſch hat g'habt!" — Er wurde wohl ernſtlich böſe über ſolche kleinlich nergelnde Kritik, oder er lachte uns aus und ſagte: „Was verſteht Ihr? Es iſt einmal ſo und muß ſo ſein!" — Aber es mußte und ſollte nicht ſein, wie ſich's die erſte

6*

sprudelnde, übermüthige und unausgebildete Jugend in den
Kopf gesetzt, und in den späteren und reiferen Erzeugnissen
ist auch keine jener von uns getadelten burschikosen und tri=
vialen Weisen fürder zu entdecken.

Kam in dem kräftigen und lebenslustigen Schubert,
so im geselligen Verkehr wie in der Kunst, der österreichische
Charakter bisweilen allzu stürmisch zur Erscheinung, so
drängte sich zeitweise ein Dämon der Trauer und Melan=
cholie mit schwarzem Flügel in seine Nähe — freilich kein
völlig böser Geist, da er in den dunkeln Weihestunden oft die
schmerzlich=schönsten Lieder hervorrief. Allein der Kampf zwi=
schen ungestümem Lebensgenuß und rastlos geistigem Schaffen
ist immer aufreibend, wenn sich in der Seele kein Gleich=
gewicht herstellt. Bei unserm Freunde wirkte zum Glück eine
ideelle Liebe vermittelnd, versöhnend, ausgleichend, und man
darf Comtesse Caroline als seine sichtbare wohlthätige
Muse, als die Leonore dieses musikalischen Tasso betrachten.

Meister Franz erging es wie allen deutschen Composi=
teuren, er sehnte sich sein Lebelang nach einem tüchtigen
Operntext. Zwar lagen fertige Opern vor, wie „Alphons
und Estrella" und „Fierabras", so die Operette: „Der
häusliche Krieg", die einige dreißig Jahre später zur
Aufführung gelangte, Furore machte, aber bei der Gleich=
giltigkeit aller Theater=Directionen für das Poetische und
wahrhaft Schöne bald wieder vom Repertoire verschwunden
war, weil es — der Theaterkasse nicht zusagte, daß für eine
solche Kleinigkeit die ersten Opernkräfte verwendet werden
mußten. — Auch mich hatte Schubert längst um einen
Operntext angegangen. Nun hatte ich den Frühling und
Sommer 1826 in Begleitung eines Freundes im Kärntner=

gebirge zugebracht und mir an kalten oder regnerischen Tagen
die Sage vom „Grafen von Gleichen" als Opernstoff zurechtgelegt, darüber auch an Schubert berichtet, der mit der
Antwort nicht lange warten ließ. Der Brief, an beide
Freunde gerichtet, obwohl ich wunderlicherweise nur ganz
allein angesprochen werde, lautet wie folgt:

„Lieber Bauernfeld!

Lieber Mayrhofer!

Daß Du die Oper gemacht hast, ist ein sehr gescheidter
Streich, nur wünschte ich, daß ich sie schon vor mir sähe.
Man hat hier meine Opernbücher verlangt, um zu sehen,
was damit zu machen sei. Wäre Dein Buch schon fertig,
könnte man ihnen dieses vorlegen und bei Anerkennung des
Werthes, woran ich nicht zweifle, in Gottes Namen damit
anfangen oder es nach Berlin zur Milder schicken. Die
Mlle. Schechner ist hier in der „Schweizerfamilie" aufgetreten und hat außerordentlich gefallen. Da sie viel Aehn-
lichkeit mit der Milder hat, so kann sie gut für uns sein. —
Bleibe doch nicht so lang aus, es ist sehr traurig und miserabel
hier — — die Langweiligkeit hat schon zu sehr um sich gegriffen. Von Schober und Schwind hört man nichts als
Lamentationen, die viel herzzerreißender sind, als die wir
in der Charwoche gehört haben. — In Grinzing war ich,
seit Du fort bist, kaum einmal, mit Schwind gar nicht."
(Hier folgen ein paar Privat-Anspielungen, zur Mittheilung
nicht geeignet.) „Aus allem diesen kannst Du Dir ein schönes
Sümmchen Lustigkeit zusammendividiren. Die „Zauberflöte"
wurde an der Wien sehr gut gegeben. Der „Freischütz" im
k. k. Kärntnerthor-Theater sehr schlecht. Der Herr Jacob
und die Frau Baberl in der Leopoldstadt unübertrefflich.

Dein Gedicht, welches in der Modezeitung erschienen ist," —
(ich weiß nicht mehr welches!) „ist sehr schön, doch schöner
ist das Gedicht in Deinem letzten Brief. Die erhabene Lustigkeit und die komische Erhabenheit und besonders der zarte
Schmerzenslaut am Ende, wobei Du die gute Stadt Villach
— ach — ach! meisterhaft benütztest, erheben es unter die
schönsten Muster dieser Gattung." (Ich hatte nämlich eine
Art Parodie: „Die Lustigen in Villach" geschrieben,
und darin unser bukolisches Leben mit Bauern, Verwaltern
Förstern, Pfarrern, auch deren Köchinnen abgeschildert.) —
„Ich arbeite gar nichts. — Das Wetter ist hier wirklich
fürchterlich, der Allerhöchste scheint uns gänzlich verlassen zu
haben, es will gar keine Sonne scheinen. Man kann im Mai
noch in keinem Garten sitzen. Schrecklich! fürchterlich!! entsetzlich!!! für mich das Grausamste, was es geben kann!
Schwind und ich wollen im Juni mit Spaun" (in der Folge
Hofrath und mein Chef) „nach Linz gehen. Dort oder in
Gmunden könnten wir uns ein Rendezvous geben, nur laß es
uns bestimmt wissen — sobald wie möglich. Nicht erst in
zwei Monaten.

   Lebt wohl!"

   Damit endet die Epistel. Der zerstreute Mensch hatte
vergessen, seinen Namen beizusetzen. Das ist zugleich der
einzige Brief Schubert's an mich, der sich noch vorfindet.
Die übrigen, wie auch Briefe Raupach's, Immermann's,
Tieck's, Meyerbeer's, Mendelssohn's und anderer bereits geschiedener Celebritäten sind in die Hände jener verwünschten Autographensammler gewandert, die nicht müde
werden, Einen anzubetteln. So erinnere ich mich, daß nach

Gräffer's Ableben eine Autographen-Licitation stattfand; in dem Katalog war auch ein Brief Schubert's an mich verzeichnet. Ich wollte mein ehemaliges Eigenthum wieder erstehen, kam aber zu spät. Der vertrauliche Brief, etwas verfänglichen Inhalts, war bereits von fremder Hand erstanden. Vergebens beklagte ich meinen Leichtsinn im Verschwenden von Documenten, die unschätzbar sind, wenn es sich darum handelt, sich Personen, Zustände und Zeiten zu vergegenwärtigen. Das macht, wenn man kein Sammler ist, wie seinerzeit Castelli, sondern ein Streugütlein wie ich!

Daß man dem Freunde endlich eine Oper abverlangte, war mir höchst angenehm zu erfahren. Bisher hatte man sich stets ablehnend und kalt gegen das große Genie verhalten.

Ein wiederholtes Ansuchen Schubert's um eine zweite oder dritte Capellmeisterstelle im Kärntnerthor-Theater oder in der Hofcapelle wurde kaum einer Antwort gewürdigt. Schubert litt aber auch an dem Unglück, ein Oesterreicher zu sein! Das österreichische System bewahrt übrigens seine Ehren und Würden nur für die goldene Mittelmäßigkeit und hält einen Jeden, der nur ein Bischen Talent an den Tag legt, für seinen gebornen Feind, was er freilich auch ist und sein Leben lang bleiben wird, bis der zähe Polyp System endlich niedergekämpft ist! —

In August 1826 brachte ich die fertige Oper mit und Schubert machte sich sogleich darüber her, hatte auch den Text vorläufig der Regie des Kärntnerthor-Theaters überreicht, welche sich der Censur wegen einigermaßen besorgt zeigte. Grillparzer trug sich bereitwillig an, für den Fall des Verbots in Wien die Aufführung der Oper auf der

Königsstädter Bühne zu vermitteln.   Im Laufe des nächsten
Winters hatte Schubert den Text beiläufig durchcomponirt,
mir auch Einiges davon auf dem Clavier vorgetragen, zur
Noth vorgesungen.   Es klang gar reizend und poetisch!
Doch fehlte noch die Instrumentation, die nur hie und da
angedeutet war und deren volle Ausführung erst die gehörige
Färbung gibt. Dabei überraschte ihn aber der Tod. Beinahe
erst nach vierzig Jahren tauchte die Partitur, von Schubert's
Hand geschrieben, durch des rastlosen Herbeck's Bemühungen
wieder auf, der mit allem Feuereifer daran ging, die Oper
nach des Maestros Andeutungen vollständig zu instrumentiren.
Die einzelnen Stücke, die eines der Gesellschafts=Concerte
brachte, machen jedenfalls auf das ganze musikalische Werk
begierig, dem ich so glücklich war, das poetische Substrat
liefern zu dürfen. Ich hatte mir dabei Mozart's Ausspruch
vor Augen gehalten: „Und ich weiß, bei einer Oper muß
schlechterdings die Poesie der Musik gehorsame Tochter 'ein."
— Richard Wagner denkt freilich anders über den Punkt!

    Schubert lebte zumeist von seinen Liedern, die ihm nach
und nach besser honorirt wurden, und sonst von Bestellungen
der Kunsthändler. Unter seine besonderen Gönner gehörte
Ladislaus Pyrker, früher Patriarch in Venedig, in der
Folge Abt in Lilienfeld.   Die Gönnerschaft beschränkte sich
aber vorzugsweise darauf, daß er ihn im Hochsommer bis=
weilen nach Gastein mitnahm, nie aber habe ich vernommen,
daß der reiche, nur etwas genaue Kirchenfürst die Dedication
der „Allmacht" und anderer Werke anders als mit — Freund=
lichkeit erwidert hätte.

    Die Freunde und Genossen, in deren Mitte Schubert
am liebsten weilte, waren wenig in der Lage, ihm thatkräftig

unter die Arme zu greifen; in höhere Kreise sich zu drängen und Gönner zu suchen, die ihn emporzuheben vermöchten, dazu fehlte ihm Neigung und Geschick. Kein Wunder also, daß er es weder zu einer Anstellung brachte, noch irgend eine seiner Opern zur Aufführung gelangte. So verharrte er sein Lebelang in einer mehr als mittelmäßigen Stellung, und die Kunsthändler, die ihn genugsam gedrückt und ausgebeutet, waren und blieben vor wie nach seine einzige Zuflucht und Hilfsquelle. Zeitweise fühlte er sich auch völlig muth- und hoffnungslos, voll düsteren Ausblicks in die Zukunft. So erinnere ich mich des Sommers 1827, als ich mir in dem neuen Kreisamtsdienste so wohl gefiel, zugleich Aussicht hatte, mit Nächstem, nach langem Harren endlich, auf die geheiligten Bretter des Hofburgtheaters zu gelangen.

Auf einem Spaziergange erzählte ich dem Freunde frohen Muthes von meinen Hoffnungen und Planen. „Mit Dir gehts vorwärts!" sagte er, in sich gekehrt. „Ich sehe Dich schon als Hofrath und als berühmten Lustspieldichter! Aber ich! Was wird mit mir armen Musikanten? Ich werbe wohl im Alter wie Goethe's Harfner an die Thüren schleichen und um Brod betteln müssen!" Ich sah den hypochondrischen Freund groß an und rieth ihm zu einem Concert, nur von seinen eigenen Sachen und unter Mitwirkung der tüchtigen Wiener Virtuosen, welche sich's gewiß zur Ehre schätzen würden, dem Maëstro mit ihren Talenten beizustehen. — „Du magst vielleicht recht haben!" versetzte der Freund nachdenklich, „wenn ich die Kerls nur nicht bitten müßte!"

Er bat sie doch und das Concert kam im Frühjahre 1828 zu Stande. In der nachfolgenden Einladung ist das Programm enthalten.

# Einladung

zu dem Privat-Concerte, welches **Franz Schubert** am 26. **März**, Abends 7 Uhr im Locale des österreich. Musikvereins unter den Tuchlauben Nr. 558 zu geben die Ehre haben wird.

### Vorkommende Stücke.

1. Erster Satz eines neuen Streich-Quartetts, vorgetragen von den **Herren Böhm, Holz, Weiss** und **Linke**.

2. a. Der Kreutzzug von **Leitner**
   b. Die Sterne von demselben
   c. Der Wanderer a. d. Mond v. **Seidl**
   d. Fragment aus dem Aeschylus
   } Gesänge mit Begleitung des **Piano Forte**, vorgetragen **von Herrn Vogl**, k. k. pensionirten Hofopernsänger.

3. Ständchen von **Grillparzer**, Sopran-Solo und Chor, vorgetr. v. **Fräulein Josephine Fröhlich** und den Schülerinnen des Conservatoriums.

4. Neues Trio für das Piano Forte, Violin und Violoncell, vorgetragen von den Herren **Carl Maria von Boklet, Böhm** und **Linke**.

5. Auf dem Strome von **Rellstab**, Gesang mit Begleitung des Horns und Piano Forte, vorgetr. von den Herren **Tietze** und **Lewy** dem **Jüngeren**.

6. Die Allmacht, von **Ladislaus Pyrker**, Gesang mit Begleitung des Piano Forte, vorgetragen von Herrn **Vogl**.

7. Schlachtgesang von **Klopstock**, Doppelchor für Männerstimmen.

Sämmtliche Musikstücke sind von der Composition des Concertgebers.

Eintrittskarten zu fl. 3 W. W. sind in den Kunsthandlungen der Herren **Haslinger, Diabelli** und **Leidesdorf** zu haben.

Der Saal war vollgepfropft, jedes einzelne Stück wurde mit Beifall überschüttet, der Compositeur unzähligemale hervorgerufen. Das Concert warf einen Reinertrag von beinahe achthundert Gulden (Wiener Währung) ab — was damals für eine Summe galt! Die Hauptsache aber: Schubert hatte sein Publicum gefunden und war mit dem frischesten Muthe erfüllt!

Das Concert hatte am 26. März 1828 stattgefunden. Merkwürdig genug! Das Jahr vorher, an demselben Tage, war Beethoven gestorben.

Am 29. März 1827 hatte ich mit Schubert den Leichenzug nach dem Währinger Kirchhofe begleitet, wo Anschütz die von Grillparzer verfaßte Leichenrede hielt. Und das Jahr nachher Schubert's erstes Concert! Und über's Jahr?!

Im September 1828, nach dem Succès d'estime, oder
dem Ehrendurchfall meines nichts weniger als ersten, aber
von allen zuerst zur Aufführung gelangten Lustspiels „Der
Brautwerber", fand der Freund Gelegenheit, mich zu
trösten wie ich früher ihn. Nach dem Theater hatte ich mich
mit Grillparzer, Schubert, Schwind, Schober und
anderen Freunden in unser gewöhnliches Gasthaus bestellt,
war aber nicht im Stande, das Rendezvous einzuhalten, hätte
mich lieber in den Bauch der Erde verkriechen mögen. So
lief ich in den dunkeln Straßen herum und stieß nach Mitter=
nacht auf Grillparzer, der mich auf die liebenswürdigste
Weise aufzurichten bemüht war. Am nächsten Morgen be=
suchten mich Schwind und Schubert, der meine Hypo=
chondrie gar nicht begreifen konnte. „Mir hat das Lustspiel
ganz außerordentlich gefallen" — versicherte er wiederholt —
„uns Allen! Und wir sind doch keine Esel!"

„Was hilfts? wenn ich Einer bin!" versetzte ich halb
ärgerlich, halb lachend.

Schubert wohnte damals in der Vorstadt Wieden, ich
auf der Landstraße — so kam es, daß wir uns im Novem=
ber bei schlechtem Wetter ein paar Tage nicht gesehen hatten.
Er war auch im Gasthause nicht erschienen, weder des Mit=
tags noch des Abends. Schon früher hatte er über Mangel
an Appetit geklagt, sich unwohl gefühlt, doch kam das bis=
weilen vor und schien uns nicht von Bedeutung.

Da erhielt Schober einen Brief des Freundes — ver=
muthlich den letzten seines Lebens. Die Zeilen lauteten:

„Lieber Schober!

Ich bin krank. Ich habe schon elf Tage nichts gegessen
und nichts getrunken, und wanble matt und schwankend von

Sessel zu Bett und zurück. Rinna behandelt mich. Wenn ich auch was genieße, so muß ich es gleich wieder von mir geben.

Sei also so gut, mir in dieser verzweiflungsvollen Lage durch Lectüre zu Hilfe zu kommen. Von Cooper habe ich gelesen: Den letzten der Mohikaner, den Spion, den Lootsen und die Ansiedler. Solltest Du vielleicht noch was von ihm haben, so beschwöre ich Dich, mir solches bei der Frau v. Bogner in Kaffeeh. zu depositiren. Mein Bruder, die Gewissenhaftigkeit selbst, wird solches am Gewissenhaftesten mir überbringen. Oder auch etwas Anderes.

Dein Freund<br>Schubert."

Der Zettel war ohne Datum. Ohne Zweifel die letzten Zeilen des kranken Freundes! Aber wer glaubt in der Jugend an Krankheit und Tod?

Als ich Schubert zum letztenmal besuchte — es war am 17. November — lag er hart darnieder, klagte über Schwäche, Hitze im Kopf, doch war er noch des Nachmittags vollkommen bei sich, ohne Anzeichen des Delirirens, obwohl mich die gedrückte Stimmung des Freundes mit schlimmen Ahnungen erfüllte. — Sein Bruder kam mit den Aerzten — schon des Abends phantasirte der Kranke heftig, kam nicht mehr zum Bewußtsein — der heftigste Typhus war ausgebrochen. Bereits am Elisabethstage, bald nach 3 Uhr des Nachmittags, war er eine Leiche. Noch die Woche vorher hatte er mir mit allem Eifer von der Oper gesprochen, und mit welcher Pracht er sie orchestriren wolle! Auch völlig neue Harmonien und Rhythmen gingen im Kopfe herum, versicherte er — mit diesen ist er eingeschlummert.

Am 21. November 1828 wurde Franz Schubert mit seinen Melodien im 32. Jahre seines Alters zu Grabe getragen.

Schwind und ich konnten lange Zeit nicht begreifen, daß dieser Dritte im Bunde nicht mehr mit uns wandeln sollte. Jeder von uns Beiden wäre gern statt des Freundes gestorben — ein verzeihlicher Egoismus! Man will keinen ungeheuern Verlust erleiden, und darum lieber nicht sein, als Schmerz und Qual empfinden. „Nicht sein ist besser als sein!" sagt eine Formel alt=egyptischer Weisheit. Und im Oedipus lautet das:

„Nie geboren zu sein, ist der Wünsche größter!"

# V.

(Ein Schubert-Sänger. — Der Compositeur des „Dorfbarbier"
und sein mündliches Testament.)

> Der Mensch lebt! ein paar Tage
> und wie schnell hat er vergessen.
> Der Mensch stirbt! ein paar Tage
> und wie schnell ist er vergessen.
> Ida Gräfin Hahn-Hahn.

Die besten Schubert-Sänger waren ihrer Zeit der theatralische Vogl und dessen vorzüglichster Schüler, der noch lebende Baron Schönstein. —

Johann Michael Vogl war ein ebenso großes Talent als eine höchst merkwürdige Persönlichkeit. An ihn knüpft sich zugleich die Erinnerung an die goldene Zeit der Wiener Oper. Ihrer wie seiner darf daher in diesen Wiener Memoiren wohl einige Erwähnung geschehen.

Vogl war im Jahre 1768 in dem oberösterreichischen Städtchen Steyr geboren. Als Sängerknabe an der dortigen Pfarrkirche erhielt er gründlichen Musikunterricht, legte später die Gymnasial- und philosophischen Studien in dem Stifte

Kremsmünster zurück. Nun waren in dem Kloster bisweilen kleine geistliche Schau= und Singspiele aufgeführt worden, die letzteren von der Composition und unter der Leitung des talentvollen Süßmayer und unter der thätigsten Mitwirkung des jungen Vogl, welcher als Schauspieler, und Sänger reichlichen Beifall erntete.

Mit diesen theatralischen Lorbeern geschmückt, begab er sich nach Wien, um die juridischen Studien anzutreten, die er auch vollendete. Der Sänger stand eben auf dem Punkte, seine amtliche Praxis zu beginnen, als er durch Süßmayer (inzwischen Hoftheater=Kapellmeister), der sein Talent längst erkannt hatte, einen Ruf zum Hofoperntheater erhielt. Vom Jahre 1794 bis 1822 gehörte Vogl nun einem Künstlerkreise an, welcher für die Entwicklung und Weiterbildung der deutschen und dramatischen Sangkunst von hoher Bedeutung war. —

Mit Vogl wirkten zu gleicher Zeit: Weinmüller, Saal, Sebastian Mayer, Baumann und Gottdank als Komiker, die Damen Saal, Laucher und Bondra; später Anna Milder, Anna Buchwieser (Forti, Wild), zuletzt Wilhelmine Schröder und Karoline Unger.

Sowohl die große Oper wie das Singspiel waren durch diese Kräfte gehörig vertreten, man war im Stande, auch kleinere Partien durch geschickte Repräsentanten zu besetzen und so dasjenige zu erreichen, was eigentlich das Ziel und die Seele alles theatralischen Unternehmens ist oder sein soll: ein künstlerisches Ensemble. Durch Vogl's Hinzutreten gelangte übrigens der Geist der an sich vortrefflichen Gesellschaft erst völlig zum Durchbruch. — Eine

imposante, kräftige Persönlichkeit, eine ausdrucksvolle Miene,
freier, edler Anstand, der wohltönendste Bariton, waren die
äußeren Vorzüge des deutschen Sängers; dabei erschienen
allerdings die Bewegungen der Hände und der allzu großen
Füße nicht immer als die anmuthigsten, auch war hie und
da eine Stellung in einer griechischen Heldenrolle etwas zu
absichtlich der Antike entnommen. —

Im Gesang verfolgte Vogl mit strenger Consequenz
und mit vollem Bewußtsein den einzig richtigen Weg der
dramatischen Gesangskunst. Er besaß ein feines Ohr für den
Rhythmus der Verse, und hatte das, seitdem, wie es scheint,
beinahe verloren gegangene Geheimniß des rezitativischen Vor=
trages vollkommen inne; ebenso wenig waren ihm die Gesetze
der Harmonie fremd, durch deren Kenntniß und Studium es
dem Sänger einzig möglich wird, in Ensemblestücken gehörig
mitzuwirken, bald hervorzutreten, bald sich unterzuordnen,
und Licht und Schatten so zu vertheilen, daß dem Sinne des
mehrstimmigen Gesangstückes sein ihm gebührendes Recht
werde.

Vogl's Element war vorzugsweise die Darstellung
des Charakteristischen; hier, in der Verbindung der
Wahrheit mit der Schönheit, feierte er seine höchsten
Triumphe, auch erfreute er sich wahrhaft nur an Rollen, die
es ihm möglich machten, einen entschiedenen dramatischen
Charakter darzustellen, während ihm zum Beispiel die Nebel=
gestalten der (damals) modernen italienischen Oper zum
Gräuel und Abscheu dienten. Dafür machten ihm die
Gegner seiner Gesangsweise häufig den Vorwurf, er ver=
nachlässige allzu sehr den bindenden, flüssigen Gesang,
wie ihn etwa die Arie erfordert.

So stellte man ihm auch den künstlerisch weit minder ausgebildeten Wild nicht ungern entgegen, der freilich den Zauber der Jugend voraus hatte und der sich schon durch den wunderbaren Schmelz seiner Tenorstimme Aller Herzen leicht gewann. Vogl konnte nicht umhin, bei allem Selbstbewußtsein, die glänzenden Gaben und Vorzüge seines jungen Nebenbuhlers anzuerkennen, wenn er auch gelegentlich über das Publicum in Harnisch gerieth, welches den Fehlern und Unarten seines Lieblings beinahe noch mehr zujubelte, als es über sein wirklich Gutes und Lobenswerthes entzückt war.

Von seiner Seite verharrte Vogl fest auf seinem, nun einmal klar erkannten, viel durchdachten, wohl auch an sich richtigen Princip, zu welchem er sich in Wort und That leidenschaftlich bekannte und nicht einen Schritt von seiner idealen Bahn abwich.

Dem dramatischen Sänger und Menschendarsteller hat es übrigens durchaus nicht an Methode gefehlt; bei dem Ernste, der ihm innewohnte, bei dem unablässigen Triebe zum Lernen ließ er auch kein Hilfsmittel unbeachtet, welches ihn bei Lösung seiner Lebensaufgabe fördern konnte. Ein günstiges Geschick fügte es, daß er im Anfang seiner Laufbahn auch für kleinere Partien der italienischen Oper verwendet wurde, wobei er mit dem berühmten Crescentini in ein freundliches Verhältniß gerieth. Von jeher waren die Italiener im Besitz einer richtigen Methode. Sie articuliren deutlich, wissen mit der Stimme Haus zu halten, sie durch häufiges Solfeggiren geschmeidig zu bewahren, zu beherrschen, die tauglichen Punkte zum versteckten Athemholen verstehen sie geschickt aufzufinden, und ihre Verzierungen sind immer präcis, auch geschmackvoll. Was sich von solchen Künsten

und Fertigkeiten erwerben und verwerthen ließ, entging nun
dem deutschen Sänger durchaus nicht; dabei hütete er sich
aber sorgsam, in die Fehler des hohlen Pathos oder des
Concertgesanges auf dem Theater zu verfallen. So mußte er
sich auch in der italienischen Oper Geltung zu verschaffen,
doch nur in der deutschen und französischen erreichte er den
Gipfel seines Ruhmes. Von der erschütterndsten Wirkung
war sein Orest in der „Iphigenia auf Tauris", wo er die
Lorbeern mit der Milder theilte, über welche sich Schubert
freilich gelegentlich äußerte: „Sie singt am schönsten und
trillert am schlechtesten." — Allein das Trillern ist nicht
überall am Platze! So auch nicht in der „Schweizer=Familie",
deren bedeutender Erfolg dem Zusammenwirken jener beiden
Künstlergrößen hauptsächlich zu danken war. — Unter den
hervorragenden Rollen Vogl's wären noch zu nennen: der
Patriarch Jakob in „Joseph und seine Brüder", Graf
Dunois in „Agnes Sorel", der Oberst im „Augenarzt"
(Beides von Gyrowetz); ferner Spontini's „Milton",
Creon in Cherubini's „Medea." — Es lassen sich kaum
zwei verschiedenere Persönlichkeiten erdenken, als die des Telasko in „Ferdinand Cortez" und des Grafen Almaviva
in „Nozze bi Figaro." Wenn Vogl als wilder Mexi=
kaner durch seine leidenschaftliche Gluth hinriß, so zwang der
stolze, vornehme Graf, nach seiner Arie im zweiten Act,
einem damals bekannten Schriftsteller und Theater=Enthu=
siasten den Ausruf ab: „So und nicht anders singt ein
spanischer Grande erster Classe!" —

Vogl's letzte bedeutende Schöpfung war die des
Propheten Daniel in „Baal's Sturz" von Weigl. Man
vergaß dabei die Lampen und Coulissen, während die alt=

testamentarische Zeit wie verkörpert aus ihrem ehrwürdigen
Grabe hervorstieg. —

Sein letztes Auftreten (im Jahr 1822) fand in einer
sogenannten Nebenrolle statt, im Gretry's „Blaubart"
mit Forti und Wilhelmine Schröder. Wenn die Schöne
im letzten Act von dem ehelichen Tyrannen an ihren wallen=
den blonden Locken unbarmherzig über die Bühne gezerrt
wurde, so brach der Zuschauerraum in lauten Jubel aus;
aber neben Jugend, Schönheit und Anmuth machten sich
auch Geist und Kunst des reifen Alters bemerkbar. Vogl als
„alter Castellan" schuf eine Mustergestalt im kleineren
Genre, und über den Vers: „Was gehen mich die Weiber
an!" erhob sich fast ein noch größerer Beifallssturm, als
ihn die göttliche Minna erregt hatte. —

Mit Schubert bekannt geworden, hatte Vogl den
„Erlkönig" bereits im Jahr 1821 auf dem Theater vor=
getragen und den jungen Compositeur, der ihn am Clavier
begleitete, gewissermaßen dem Publicum vorgestellt. Jetzt,
von der Bühne entfernt, aber die Kunst noch immer im
Herzen, bot sich dem Veteranen in den Liedern Schubert's
das willkommenste Element dar, sich aufzufrischen und in
lebendiger Theilnahme zu erhalten. Er kam den Wünschen
gebildeter Kunstfreunde gerne entgegen und sang jene drama=
tischen Lieder bis in sein hohes Alter, wo dann freilich Geist
und gebildeter Vortrag nicht immer ausreichten, den völligen
Mangel an Stimme zu ersetzen. „Memnon", „Antigone
und Oedip", Fragment aus dem „Aeschylus", „Orest",
„Philoktet", „Der zürnenden Diana", „Der Wanderer",
„Der Einsame", „Ganymed", „Schwager Kronos", „Die
Müllerlieder", „Die Winterreise" und sofort, bildeten

sein reiches Repertoire, welches wir nicht müde wurden, anzuhören. —

Ueber den Mann selbst erübrigt noch Einiges zu sagen. — Vogl war durchwegs kein gewöhnlicher Mensch, wohl aber ein sonderbarer Kauz, ein Sonderling. Das Kloster, die klösterliche Erziehung staken ihm im Leibe und hatten dazu gedient, eine gewisse, schon in den Keimen seines Wesens gelegene Beschaulichkeit zu nähren und zu pflegen, welche nicht selten den wunderlichsten Contrast mit seinem Stande und seinen äußeren Verhältnissen bildete. Der Grundton seines Wesens war eine moralische Skepsis, ein grübelndes Zergliedern seines Selbst so wie der Welt; ein innerlicher, nie ruhender Antrieb, von Tag zu Tag besser, vollkommener zu werden, verfolgte ihn durch sein ganzes Leben, und wenn ihn die Leidenschaft, wie alle reizbaren, zugleich kräftigen Naturen, bisweilen zu gefährlichen, ja frevelhaften Schritten hinriß, so kam er wohl dahin, sich darüber selbst anzuklagen, zu zweifeln, zu verzweifeln, bis ein neuer Fehltritt neue Selbstvorwürfe brachte, Gewissensbisse, Zerknirschung. Lectüre und Studien standen natürlich mit dieser Sinnesrichtung im innigsten Zusammenhang. Das alte und neue Testament, die Evangelien der Stoiker: Mark Aurel's Betrachtungen und Epiktet's Enchiridion, Thomas a Kempis, Taulerus hatte Vogl zu steten Begleitern und Rathgebern seines Lebensganges auserwählt. Das Buch „von der Nachahmung Christi" übersetzte er und ließ es in Abschriften unter ähnlich gesinnte Freunde vertheilen. So kam mir auch ein Werk des Epiktet zu Gesicht, von Vogl's sauberer Handschrift in vier Sprachen (griechisch, latein, englisch und deutsch) copirt. — Man glaube aber ja nicht, daß erst

der lebensmüde Greis zu solcher Art von Tröstung seine
Zuflucht nahm; der religiös=philosophische Faden, bereits im
Kloster angesponnen, hatte sich durch Vogl's ganzes Leben
ununterbrochen fortgezogen.

Nun war es freilich eine ziemlich wunderliche Er=
scheinung, wenn man den gefeierten Theaterhelden im
Costume des Agamemnon, Orest oder sonst eines heid=
nischen Heros in der Garderobe sitzen und mit Aufmerk=
samkeit in den Evangelien lesen sah, oder im Thomas
a Kempis! Wer aber die Langeweile des Treibens hinter
den Coulissen kennt und die schaalen Reden und Späße, die
dort gang und gäbe sind, der wird es wohl begreiflich finden,
daß sich ein geistreicher Mann von seiner lästigen Umgebung
auf diese Weise zu befreien suchte und lieber für einen Son=
derling gelten mochte, als sich dem völlig Geistlosen, Rohen
und Absurden preiszugeben. Einige Eitelkeit mochte wohl
auch mit im Spiele sein, was die ungebildeteren Collegen
bald begriffen und es an Scherzreden über den gelehrten
Mimen nicht hatten fehlen lassen. —

Seit Jahren war Vogl durch ein Gichtleiden gequält,
welches sich in verschiedenen Formen äußerte und den, trotz
seinen Stoikern immer ungeduldigen und des Duldens unge=
wohnten Mann häufig in die übelste Laune versetzte. Wie
erstaunten aber die Freunde, als ihnen der Hagestolz plötzlich
seine nahe bevorstehende Vermählung eröffnete! Nach seiner
versteckten Weise hatte er nie von einem ähnlichen Vorsatze
gesprochen, ja, man konnte aus seinen Aeußerungen weit
eher abnehmen, daß er Zeitlebens unverheirathet zu bleiben
gedenke. Nun aber erfuhr man mit einem Male, er habe
Jahre her mit einem, fast außer Zusammenhang mit der

Welt erzogenen weiblichen Wesen in einer Art von ethisch=
pädagogischem Verhältniß gestanden, wobei er sich als be=
rathenden Freund und Lehrer benahm, während ihm das
sanfte Gemüth des nicht mehr ganz jungen Mädchens mit
leidenschaftlicher Verehrung zugethan war.

Im Jahre 1826, in Vogl's achtundfünfzigstem Le=
bensjahr, wurde die Verbindung vollzogen, welche den
gereiften Sänger noch im Herbst seiner Tage mit einem
Töchterlein beglücken sollte. Doch nahmen Kränklichkeit und
üble Laune zu, die Welt schien dem Leidenden nun völlig
„im Argen" zu liegen (eine seiner Lieblingsphrasen) und es
bedurfte der ganzen himmlischen Geduld der sanften und
frommen Frau, um weder in der Krankenpflege noch im
Zusprechen und Trösten völlig zu ermatten. Bei alledem
überlebte der sieche und noch immer singende Greis den lebens=
kräftigen Liederdichter um volle zwölf Jahre. Die verhängniß=
volle Stunde schlug ihm erst am Abend des 19. Novem=
ber 1840 — gerade am Jahres= und Erinnerungstage von
Schubert's, bereits im Jahre 1828 erfolgtem Ableben. —

Das Sterben ist nach Friedrich Schlegel ein philo=
sophischer Act; — ich halte das Sterbenmüssen für eine
Art Beleidigung, die uns die Natur anthut. Mein Ich soll
wieder aufhören — das ist die Bedingung, unter welcher ich
existire. Welche Zumuthung! Wer weiß, hätte ich die Exi=
stenz, wäre mir die Bedingung im Voraus bekannt, über=
haupt angenommen! — —

Vier Jahre vor Vogl's Ableben, im Jahre 1836,
hatte ich einen anderen alten Freund und Sonderling ver=
loren, meinen ehemaligen Clavierlehrer, den Compositeur

des „Dorfbarbier", Johann Schenk. Er war ein Schüler
des berühmten Wagenseil, der ihn in die Geheimnisse des
Contrapuncts und Doppelcontrapuncts eingeweiht, auch die
alten Meister von Palästrina bis Händel gründlichst mit ihm
durchstudirt hatte. Als Beethoven im Jahre 1792 bei
Joseph Haydn die Harmonielehre zu studiren begann, ver-
trugen sich der stürmisch-geniale Schüler und der etwas
pedantische, mit seinen eigenen Arbeiten über und über beschäftigte Lehrer nicht immer zum Besten. So, wenn der
Meister, eine Aufgabe flüchtig durchblickend, ganz kurz sagte:
„Das stimmt ja nicht!" erwiderte wohl der Feuerkopf von
Schüler: „Es muß stimmen!" und rannte spornstreichs
davon. —

Durch Abbé Gelinek's Vermittlung wurde nun der
gelehrte und bescheidene Schenk in Vorschlag gebracht, um
Meister Haydn zu ersetzen. Beethoven war damit einverstanden. Der gradus ad Parnassum von Joseph Fux ward
vorgenommen und rasch an's Werk geschritten. Da entstand
ein sonderbares Verhältniß, indem der neue Lehrer, die
Größe seines Schülers erkennend, den höchsten Respect vor
ihm empfand und sich selbst nur als Werkzeug betrachtete,
um zur theoretischen Ausbildung des werdenden musikalischen
Titanen sein Scherflein beizutragen. Der unruhige Kopf
hielt aber nicht lange an, kaum ein volles Jahr währte der
Unterricht.

Mitten hinein kam ein Zettel:

„Lieber Schenk!

Ich wünschte nicht, daß ich schon heute fort würde
reisen nach Eisenstadt." (Auch Haydn weilte dort und
Beethoven war von dem Fürsten Eszterhazy für längere

Zeit dahin berufen.) „Gerne hätte ich noch mit Ihnen ge=
sprochen. Unterdessen rechnen Sie auf meine Dankbarkeit für
die mir erzeigten Gefälligkeiten. Ich hoffe Sie bald wieder zu
sehen und das Vergnügen Ihres Umgangs genießen zu
können. Leben Sie wohl und vergessen Sie nicht ganz

Ihren Beethoven."

Späterhin bildete sich bei aller ihrer Verschieden=
heit noch ein innigeres Verhältniß zwischen den beiden
Maëstri's aus und dauerte bis zu Beethoven's Ableben im
Jahre 1827.

Der alte Schenk hatte in seiner Jugend viele Opern
geschrieben, deren sich mehrere, wie „Die Jagd", „Die
Weinlese", „Der Faßbinder", durch längere Zeit auf dem
Repertoire erhielten. Sein komisches Meisterwerk: „Der
Dorfbarbier" war am 6. November 1796 im Kärntnerthor=
theater zum ersten Male zur Aufführung gelangt, mit
Baumann als „Adam" und Weinmüller als „Lux."
Die Oper erlebte viele hundert Wiederholungen und reicht
bis in die Neuzeit, wo sich noch Nestroy als „Adam" ver=
suchte. Zuletzt brachte das „Strampfer=Theater" die lustige
Arbeit noch im Winter 1872 zur Darstellung und machte
Glück damit. — Das Leichte, Gefällige, Zierliche und An=
muthige, mit einem gewissen naiven Humor gebracht, war
das musikalische Element, auf welches Meister Schenk (wie
auch Dittersdorf mit seinem „Doctor und Apotheker")
angewiesen war, wie schon die Wahl ihrer ländlichen und
häuslichen Stoffe darthut; die Reinheit des Satzes, die nette
Instrumentirung geben dem Gedanken zugleich eine gewisse
klassische Vollendung.

Es war ein kleines, aber liebenswürdiges Genre. Damit gab sich aber der im Stillen überaus ehrgeizige Schöpfer des lustigen „Adam" nichts weniger als zufrieden. Eine große tragische Oper im Gluck'schen Styl schwebte ihm stets als Ideal vor der Seele und sollte endlich in einem heroischen „Achmet und Almazinde" in's Leben treten. Das Publicum ließ die Oper fallen, das Werk langjähriger Studien, gewissenhaften Fleißes. Der Componist war tief er= schüttert, Schwermuth und Trübsinn bemächtigen sich seiner, ein heftiges Nervenfieber erfolgte. Der Kranke genas, wurde körperlich wieder vollkommen gesund und kräftig, allein die Kraft seines Geistes schien durch seinen Mißerfolg wie ge= brochen. Der Mann hatte das Vertrauen auf sein Talent verloren. So zog er sich noch in ziemlich guten Jahren für immer von der gleißenden Bühne zurück, arbeitete für sich im Stillen, gab dabei Clavierstunden, doch mit Auswahl, nur in Häusern, die ihm sonst befreundet oder genehm waren. Er unterrichtete auch die Töchter des von ihm hochverehrten Hofcapellmeisters Weigl, die er mir oft genug als Muster anpries, denn der alte Schenk war der Hausfreund meiner Angehörigen und mein Clavierlehrer seit meinem achten oder neunten Lebensjahr. Er war groß und kräftig gebaut, immer nett und sauber gekleidet, nur mußte auch der neue Rock den alten Schnitt bekommen — so ging er stattlich einher, mit weißer Halsbinde, in kurzen Beinkleidern, Strümpfen und Schnallenschuhen. Zu Pantalons ließ er sich nur schwer bewegen, erst in seinen letzten Lebensjahren. Seiner Bildung nach gehörte Schenk der josephinischen Zeit an. Ohne ge= lehrte Erziehung, ohne geregelte Studien hatte er doch von jeher den größten Respect für Kunst und Wissenschaft. Außer

einer bedeutenden musikalischen Sammlung schaffte er sich
nach und nach eine Bibliothek der classischen Schriftsteller an,
der nichtdeutschen in Uebersetzungen. Er las viel und eifrig,
besonders historische Werke, und Namen wie Gibbon und
Robertson kamen nie ohne Ehrfurcht über seine Lippen,
wie ihm unter den Dichtern Klopstock und Gellert als
die höchsten und unerreichbarsten Muster galten. Wie an
seiner Person, so herrschte auch in seinem Wohnzimmer die
größte Ordnung; wer ihn besuchte, erhielt den Eindruck einer
abgeschlossenen, stillen, reinlichen Existenz, und so bot er im
Ganzen das liebenswürdigste Bild eines behaglichen alten
Junggesellen und Hagestolzen dar. Es gab Familien (wor=
unter auch die meinige), in deren Kreisen er seit dreißig
Jahren und länger heimisch blieb, und für welche er eine
rührende Treue und Anhänglichkeit bewahrte, an allen häus=
lichen Ereignissen liebevoll theilnehmend, auch in bedenklichen
Tagen, ohne sich aufzudrängen, immer zu Rath und
Hilfe bereit.

Mein alter Jugendlehrer wurde im Laufe der Jahre
mein wahrer väterlicher Freund, der auch große Stücke auf
mich hielt. Ich machte ihn mit Schubert bekannt, und der
alte Classiker ließ der neuen Romantik alle Gerechtigkeit
widerfahren, wie er in der Folge auch an meinen drama=
tischen Versuchen und Erfolgen den innigsten Antheil nahm
und den Vorstellungen meiner Lustspiele bisweilen beiwohnte,
und zwar im Orchester, da seine Harthörigkeit zugenom=
men hatte.

Der gute Schenk war inzwischen immer älter und
gebrechlicher geworden, hatte zuletzt die Lectionen aufgeben
müssen. Ich benützte die Gelegenheit, um ihn auf sein Ge=

wissen zu befragen, ob er nicht etwa in Verlegenheit gerathen, einer Beihilfe bedürftig sei. Der alte Mann, der mich in meinen jungen Tagen wie oft beschenkt hatte, durfte mir gegenüber offen sein, er versicherte mich aber, daß seine Bedürfnisse, wie ich wisse, gering seien, und daß er habe, was er brauche. So war es auch. Er besaß ein kleines aufgespartes Capital und seine Verhältnisse waren vollkommen geregelt; er lebte einen Tag wie den andern, kaum daß er sich ab und zu von mir in unser Gasthaus zu Tisch laden ließ. Er wollte nicht aus seinem Geleise heraus. Seit vierzig Jahren speiste er im „Jägerhorn", saß täglich in demselben Winkel, bekam die gewohnten ausgiebigen Portionen immer um denselben Preis.

Eines Tages eröffnete er mir aber nach einer andern Richtung sein Herz. Er habe in seiner Jugend eine Oper geschrieben, die „Jagd" — berichtete der Greis; das Ding habe gefallen, sei jedoch unreif, erst jetzt, im Alter, und mit hinreichender Erfahrung wisse er, woran es fehle. Vor Allem am Text! Wenn ich ihm den umarbeiten, hübsche neue Strophen für Arien, Duette, Ensembles machen wollte! Ich ließ mich dazu herbei, schrieb ihm einen ganzen neuen ersten Act, worüber er entzückt war, sich gleich darüber hermachte. Ich sah die Arbeit als ein Spielzeug des Alters an, was es auch wohl war, und zögerte mit dem zweiten Act, da mich eben ein neues Lustspiel über und über beschäftigte.

Während dem war mein guter Alter nicht unbedenklich erkrankt; der Arzt und Freund, der ihn behandelte, fing an, vom Geistlichen und vom Testamente zu sprechen, wofür der arme S ch e n k durchaus keine Ohren hatte. So zog sich die Sache hin, bis die Schwäche des Dreiundachtzigers zunahm und man ihm die letzte Oelung verabreichen mußte. Nur ein mündliches Testament war mehr möglich. Ich wurde dazu berufen. Kapellmeister Weigl und ein junger Advokat, einer der letzten Schüler des Maëstro, auch einige Hausgenossen wohnten dem Acte bei. — Der schwer Kranke, befragt, wer sein Erbe sein solle, murmelte für sich, gab lange keine Auskunft; auf wiederholtes Drängen von Seite des Advocaten lallte er endlich: „Muß ich denn sterben?"

Man versicherte ihn des Gegentheils, doch gelte es, auf alle Fälle gefaßt zu sein — wem er also sein Hab' und Gut vermachen wolle?

„Vermachen?" wiederholte der Patient und suchte sich aufzurichten. „Einem Anderen vermachen? Dann hab' ja ich nichts, wenn ich am Leben bleibe."

Man suchte ihm begreiflich zu machen, daß er für diesen erwünschten und gehofften Fall unbestrittener Eigenthümer bleibe und daß das Testament nur nach ihm zu gelten habe. — Es war nicht leicht, einem von jeher eigensinnigen und argwöhnischen Manne, der nun nicht mehr im Vollbesitz seiner Sinne war, die Sache begreiflich zu machen. Als es sich aber darum handelte, seinen Erben namhaft zu machen, da blieb der dem Scheiden Nahe vollkommen verstockt. Der junge Advocat fragte nun, ob Schenk Verwandte habe. — Dieser verneinte mit einer leisen Kopfbewegung. — Wen er also zum Erben einsetzen wolle? Der Rechtsfreund nannte mehrere Namen, auch den meinigen.

„Mein lieber Eduard" — hauchte mein ehemaliger Lehrer gerührt, und suchte meine Hand.

Ich war stummer Zeuge geblieben, hatte mich durchaus nicht in die Verhandlung eingemischt, befand mich über=

dies in einer eigenthümlichen Lage. Lange vor der Catastrophe hatte Schenk, wie mir der Rechtsfreund mitgetheilt, diesem eröffnet, daß ich der Erbe seines Vermögens sein solle; dieselbe Erklärung hatte er auch nach der Beichte noch in Gegenwart des Geistlichen von sich gegeben. Von da an verschlimmerte sich aber sein Zustand und er war wenige Stunden darauf nicht mehr vollkommen zurechnungsfähig. — Ein „Ja", welches mich in Gegenwart der Zeugen als Erben bestätigte, war aus dem Kranken nicht herauszubringen; man nannte ihm also auch andere Namen, auch den Weigl's.

„Mein verehrter Hofcapellmeister" — hieß es — „mein lieber Eduard."

Ob vielleicht die Beiden miteinander erben sollten?

„Sind Beide gute, liebe Männer — werden sich vergleichen."

Das ginge nicht an, eine bestimmte Willenserklärung sei nöthig, der Namen des Erben müsse genannt werden. Der Sterbende brachte endlich nach langem Zureden den Namen „Weigl" hervor. — Der Advocat sah mich verwundert an. Ich winkte ihm leise, den Leidenden nicht länger zu quälen.

Hier war ein merkwürdiger psychologischer und pathologischer Fall. Kein Zweifel, der alte Schenk hatte mir seit Jahren sein Erbe zugedacht, doch trug er, wie viele Leute, eine gewisse Scheu, seinen letzten Willen niederzuschreiben — jetzt aber, da er sich mündlich erklären sollte, überkam den erschöpften Mann der gewohnte Respect vor dem gleichfalls gegenwärtigen Hofcapellmeister, seine Liebe für mich trat in den Hintergrund, und der Compositeur der „Schweizer=Familie“, ein mehr als wohlhabender Mann, war zu seinem eigenen Erstaunen de facto Erbe des armen „Dorfbarbier“ geworden.

Der Rechtsfreund war ärgerlich über die unerwartete Wendung und ließ nicht ab, den Kranken zu quälen, bis er aus dem Erblasser heraus bekam, daß mir sein Clavier und seine Bibliothek zufallen solle.

Ich dankte dem Himmel, als die peinliche Stunde vorüber war.

Am Christtag 1836, am frühen Morgen nach dem Abende des mündlichen Testamentes, hauchte mein alter Schenk seine kindliche Seele aus.

Weigl hatte mich ersucht, gemeinschaftlich mit ihm den Nachlaß durchzusehen. Wir fanden Wäsche und alte Kleider in Unzahl, ganze Laden voll Zwieback und Speise= reften, dagegen eine höchst werthvolle Musikaliensammlung. An baarem Gelde waren nur einige hundert Gulden vor= handen, allein eine hübsche Anzahl von „Tausendern“ in Metalliques und Rothschild’schen Losen. Der verschlossene Schenk hatte sich gegen Niemanden jemals über seine ver= borgenen Schätze ausgesprochen. — Weigl schien fast verlegen über den unerwarteten Zuwachs seines ohnehin nicht unbedeutenden Vermögens. Er bat mich, ihn statt des alten Schenk zum Freunde anzunehmen. Das war wohl nur eine Redensart!

Ich hatte dem Erben von der Oper erzählt. Weigl wollte das Manuscript sogleich durchsehen, die Arbeit „seines verewigten und hoch talentirten Freundes“ ergänzen, sie zu dessen Andenken zur Aufführung bringen. Ich sah Weigl

im Leben nicht wieder, nach ein paar Besuchen und Gegen=
besuchen, vernahm auch nichts mehr von der Sache.

So hatten wir meinen alten lieben Lehrer zu Grabe
getragen. Das Legat, welches mir zugefallen, ein Brod=
mann'sches Clavier mit schwarzen Unter= und weißen
Obertasten, stellte sich merkwürdiger Weise als dasselbe
heraus, welches vor Jahren zu Grillparzer's ersten
Uebungen gedient hatte.

(Beamtenlaufbahn. — Shakspeare als Nahrungsquelle. — Leiden
eines jungen Dramatikers. — Hinter den Coulissen.)

So leben wir ein Jeder,
Der von der Gans, der von der Feder!

Wenn ich im Gymnasium ein sogenannter fleißiger
Student war, auch in den philosophisch-philologischen Classen
nicht zurück blieb, so waren dagegen die juridisch-politischen
Studien meinerseits nicht eben auf das Eifrigste betrieben,
noch die Collegien besonders frequentirt worden. Nur unmittelbar vor dem Examen ging es immer heiß her! Durch
vierzehn Tage, wohl auch die Nächte, wurde „gebüffelt", um
die nöthigen „Eminenzen" zusammen zu raffen, deren ich
bedurfte, um mein Stipendium nicht zu verlieren. Zufälliger
Weise bestand ich besonders glänzend bei Professor Vincenz
August Wagner, der auch sonst persönliches Wohlgefallen
an mir gefunden hatte. Der lebhafte Mann, noch in den
besten Jahren, tradirte Lehen-, Handels- und Wechselrecht,
gerichtliches Verfahren und Geschäftsstyl, war zugleich der

Herausgeber der ersten österreichischen juridischen Zeitschrift. Leider daß mit ihm eine bedeutende wissenschaftliche Kraft frühzeitig verloren ging. — Der Antheil, den er an der Literatur überhaupt nahm, hatte ihn auf mich aufmerksam gemacht, der ich, noch als Student, mit der Uebersetzung mehrerer Shakspeare'schen Dramen debutirte, — ein kühnes Unternehmen, dessen in der Folge des Näheren erwähnt werden soll. — Als ich nun meine Zeugnisse bei dem Fach= gelehrten abholte, sagte er mir vieles Schmeichelhafte, sowohl über meine Schriftstellerarbeit, wie über meine mündliche und schriftliche Prüfung, meinen Stil und meinen guten mündlichen Vortrag insbesondere betonend. Dabei verkannte aber der treffliche Mann meine etwaigen Anlagen so wie meine eigentliche Natur so sehr, daß er mir schließlich in Aussicht stellte, mich zu seinem Adjuncten annehmen zu wollen, nur müßt' ich mir erst den Doctorhut verschaffen. Dazu fehlten mir aber die Lust wie die Mittel. Ich lehnte daher gerührten Herzens ab — im Stillen verwundert und beschämt, wie sich der elegante Jurist durch mein zwar gut vorgetragenes, aber nur flüchtig und obenhin, ad hoc (des Examens) zusammen gestoppeltes Wissen zu meinem Gunsten und weit über mein Verdienst hatte täuschen lassen. — Auch ein anderer Plan, der meinem Wesen näher lag, mich um eine philologische Lehrkanzel zu bewerben, ließ keinen nahen Erfolg voraussehen — so erübrigte dem Mittel= und Gönner= losen nichts, als in irgend ein Amt unterzukriechen!

Im August 1825 hatte ich mein Jus absolvirt — so war kein Hinderniß, die Beamtenlaufbahn anzutreten, zu welcher auch meine Angehörigen mich zu drängen suchten. Ich war lange unschlüssig, zögerte, wartete ab. Die Poesie

und das Burgtheater standen als Zukunftslockungen vor mir
und Platen's Verse klangen mir im Ohr:

„Wandle Keiner, der den Dichter=Lorbeer tragen will davon,
Morgens zur Kanzlei mit Acten, Abends auf den Helikon!" —

Was hast Du zu eilen, ein Sclave zu werden! rief
ich mir zu — Du bist jung und hast ein ganzes Leben vor
Dir! —

So ging ich vorläufig noch nicht unter das Joch,
sondern machte im Frühjahr 1826 mit einem Freunde eine
Gebirgsreise nach Kärnten, Tirol und in das Salzkammer=
gut. Ueber volle drei Monate trieb ich mich mit Bauern,
Jägern, Verwaltern und Landpfarrern herum und kehrte
gegen Herbst, gestärkt an Leib und Seele, doch mit ziemlich
leeren Taschen nach dem heißen und staubigen Wien zurück.

---

„Gestern hab' ich mein Anstellungsdecret erhalten —
es ist mir, als sollt' ich gehängt werden!" — Also steht zu
lesen in meinem Tagebuch, unter'm 11. September 1826.
Ich diente als Conceptspraktikant anfangs bei der n. ö. Re=
gierung, dann beim Kreisamt V. U. W. W., legte die Prü=
fung ab für den Dienst als politischer Verwalter und für
das Richteramt in „schweren Polizei=Uebertretungen", später
auch die Finanz=Prüfung, trat zur Hofkammer über, und
beendete meine Beamtenlaufbahn als Concipist der Lotto=
Direction. Seit dem 13. März 1848 hatt' ich es ver=
schworen, je ein Bureau wieder zu betreten. —

Als Student bezog ich meinen Unterhalt, mit Bei=
hilfe eines bescheidenen Stipendiums, hauptsächlich durch
„Stunden geben"; der junge Beamte, erst nach Jahren mit
einem „Adjutum" von 400 Gulden bedacht, war genöthigt,

die pädagogische Robot, fortzusetzen. Inzwischen hatte sich
mir, schon während der letzten Studienjahre, eine andere,
etwas ausgiebigere Nahrungsquelle eröffnet. Der Lithograph
Trentsensky suchte mich nämlich zu einem allerdings ge=
wagten literarischen Unternehmen anzuwerben. Keck, wie die
Jugend ist, schlug ich ein! Es war eine Arbeit, von der man
sich nicht nur anständig ernähren, sondern sich auch tüchtig
daran üben, daran lernen konnte. Vorschüsse waren geleistet
worden, die Vorarbeiten seit mehr als Jahr und Tag im
Vereine mit Freunden und Genossen im stillen Fleiße voll=
bracht — nun sollte das Werk endlich in's Leben treten!

Im Mai 1824 hatten die Anschlagzettel der Wiener
Shakspeare=Ausgabe an allen Straßenecken geprangt,
und die Namen von unbekannten Studenten und angehenden
Literaten dem des größten Dichters aller Zeiten beigesetzt,
mochte wohl Manchem, der die Ankündigung las, fast wie
Ironie erscheinen. Aber daran dachten wir kaum in unserer
Uebersetzerwuth! Eilf Stücke waren in neuen metrischen
Uebersetzungen zu liefern; auf mein Theil kamen: „Die
beiden Edelleute von Verona", „Heinrich VIII.", „Troilus
und Cressida", „Das Lustspiel der Irrungen", ein paar
Acte von „Antonius und Cleopatra", dazu später noch die
Gedichte. Der Rest wurde unter literarische Freunde wie
Hermannsthal, Andreas Schumacher und Andere ver=
theilt. Wir Uebersetzer, wie auch Moriz Schwind, der die
Vignetten zu zeichnen hatte, standen völlig im Solde Trent=
sensky's und erhielten jeden Samstag unsere Wochengage,
gleich den übrigen Arbeitern der lithographischen Anstalt.
Wir gingen übrigens mit aller Gewissenhaftigkeit und Pietät
an unsere Arbeit, nur daß der Eine mehr in der Manier des

8*

alten Voß mit derben Sprachquadern bauen wollte, der
Andere es vorzog, gleich A. W. Schlegel lauter zarte
linguistische Mosaiksteinchen sorgsam zusammenzufügen. So
gab es häufig philologischen Streit bis auf's Messer, wir
konnten nie völlig einig werden, und zuletzt übersetzte ein
Jeder, wie ihm der Schnabel gewachsen war.

　　Wir hatten uns nach und nach so sehr in unsern
Autor eingelebt, daß wir gar nicht mehr conversiren konnten,
auch mit fremden Personen, ohne uns Shakspeare'scher
Floskeln und der beliebten „Humours" zu bedienen, wie
ihrerzeit — si parva licet componere magnis — Goethe
mit Lenz und Genossen. Auch die Damen unseres Kreises
wurden in diese Geheimsprache eingeweiht, und Trentsensky's
geistreiche Schwester Therese wußte sich geschickt in den
blühenden Unsinn zu fügen. Reichte ihr z. B. Einer von
uns beim Nachtisch einen Apfel mit den Worten des Fähnrich
Pistol: „So iß und sei fett, schönste Callipolis!" war sie
nicht faul, flugs zu erwidern: „Kommt, gebt uns Sekt!" —
„Gebt mir was Sekt!" jubelte der Chorus, worauf wir uns
wacker zutranken. Wurden wir zu einem Diner oder auf
einen Ball geladen, so lautete die Annahms=Floskel un=
weigerlich: „Sei's lebend oder todt, ich komme, wenn ich
kann!"

　　Diese Schwänke gaben wohl auch Gelegenheit zu
Mißverständnissen. So eines Tages, als wir bei Trentsensky
zu Tische waren und der Bediente die Schüssel herumreichte,
fragte ich pathetisch: „Ist das gemeiner phrygischer Lungen=
braten?" — Trentsensky's Mama, die sich als Hausfrau
beleidigt glaubte, erwiderte darauf in etwas gereiztem Tone:
„Nein, das ist Rehbraten!" — „Also gemeiner phrygischer

Rehbraten!" verſetzte ich kaltblütig. Ein allgemeines Ge=
lächter klärte die gutmüthige Dame auf, daß man ihre Küche
durchaus nicht tadeln, ſondern nur eine Shakſpeare'ſche Re=
densart habe anbringen wollen. Dieſe Späſſe hatten aber
auch ihre ernſte Kehrſeite. Man tappt nicht ungeſtraft jahre=
lang an einem großen Genie herum, welchem zugleich eine
gewiſſe greifbare, zur Nachahmung anreizende äußere Manier
nicht abzuſprechen iſt, an die man ſich hält, und wenn man
ſie tant bien que mal nachäfft, Aehnliches producirt zu
haben wähnt. Die Shakſpearomanie, an welcher die
deutſche Literatur eine geraume Zeit gelitten und welche an
dem trefflichen Immermann wie an dem pathologiſch=
genialen Grabbe vorzugsweiſe zum Ausdrucke gelangte, iſt
noch immer nicht völlig überwunden — Zeuge deſſen das
Preisluſtſpiel v. J. 1868, „Schach dem König“, welches
Laube ganz richtig als eine „Shakſpeare=Studie“ bezeichnet.
Kein Zweifel, daß ſich der junge Verfaſſer in ſein großes
Vorbild verbiſſen hatte, wie das bei mir vor einigen vierzig
Jahren der Fall war.

So hatte ich im Jahre 1824 ein Luſtſpiel: „Die
Geſchwiſter von Nürnberg“, zu Stande gebracht, in
Manier und Ton ſtark an die „Edelleute von Verona“
mahnend, von meinen damaligen Freunden und Genoſſen
geprieſen, von Grillparzer und Schreyvogel mit Ein=
ſchränkungen gelobt, doch jedenfalls, der lebendigen Bühne
gegenüber, für lebensunfähig, für „unpraktiſch“ erklärt, wie
vieles Andere von meiner Mache.

In meinen Jünglingsjahren hatte mich nun eine
wahre Verzweiflung ergriffen über meine endlos verfehlten
Verſuche, und ich bekam nicht übel Luſt, Shakſpeare, Tieck

und die gesammte Romantik über Bord zu werfen. Von der
Ueberſetzungs=Robot, die mir längſt in der Seele zuwider
geworden, war ich endlich im Laufe des Jahres 1825 be=
freit — ich legte das Original einſtweilen beiſeite.

Das Burgtheater, dem ich ſeit Jahren gegenüber ge=
wohnt, ſchaute mich ſo einladend an. Wie aber auf die heiß=
erſehnten Bretter gelangen? Die Neuigkeiten von Dein=
hardſtein, Töpfer, Frau v. Weiſſenthurn und Anderen
wurden immer brühwarm auf die Bühne gebracht — ſtanden
ſie denn gar ſo himmelhoch über meinen eigenen Verſuchen,
die der bärbeißige Dramaturg mit eiſerner Conſequenz zu=
rückwies! Schreyvogel verlangt durchaus ein modernes
Luſtſpiel — das läßt ſich auch noch machen!

> „Gebt ihr euch einmal für Poeten,
> So commandirt die Poeſie!“

Ein bürgerlich=häuslicher Stoff hatte mir längſt vor=
geſchwebt. Ich las nun den halben Kotzebue eifrig durch,
ging auch ein paarmal ins Theater, um mir den modernen
Ton zu vergegenwärtigen und aufzufriſchen, zugleich das
Romantiſche aus den Gliedern zu bringen. Und ſo an’s
Werk! — Im Spätherbſt 1826 lagen drei Acte des Luſt=
ſpiels: „Leichtſinn aus Liebe“ fertig vor mir, die ſich
endlich der Billigung des Dramaturgen erfreuen durften.
Im Februar 1827 war das mehrmals überarbeitete Stück
glücklich zu Stande gekommen, und ich ſollte damit in meinem
fünfundzwanzigſten Lebensjahre auf die Bretter des Hof=
burgtheaters gelangen. Gleich hing mir der Himmel voll
Geigen — die ſich leider nur zu bald garſtig verſtimmten.

Schreyvogel, der ehrenwertheſte Mann und mir
insbeſondere geneigt, war in Theatergeſchäften äußerſt ge=

wiſſenhaft und bedächtig. Das Erſtlingswerk eines beinahe
unbekannten jungen Dichters auf die Hofbühne zu bringen,
ſei keine Kleinigkeit, hieß es. Das Luſtſpiel war endlich im
Auguſt unbeanſtändet von der Cenſur herabgelangt, aber auch
im Herbſt und Spätherbſt war von der Aufführung nicht die
Rede; ich wurde auf die nächſte Faſtenzeit vertröſtet! Bis
dahin ſollte ich faſten? Denn es brannte mir längſt auf den
Nägeln. Die Shakſpeare=Geldquelle war verſiegt und als
unbeſoldeter Kreisamts=Praktikant war ich auf's neue ge=
nöthigt, mir meinen Unterhalt durch „Stunden geben" zu
verſchaffen. So hatte ich längſt auf das Honorar für die
Komödie gerechnet, beinahe aber noch m e h r auf eine Frei=
karte zum täglichen Beſuche des Burgtheaters, wonach es
mich zumeiſt ſehnte. Beides ſollte mir durch Grillparzer's
Beihilfe zu Theil werden, wenn auch nur in beſchränktem
Maße. Ich erhielt nämlich im Verlaufe des Winters 1828
einen Honorarvorſchuß, zugleich wurde mir die Erlaubniß
ertheilt, mir in der Wohnung des oberſten Kämmerers
Grafen Czernin eine Freikarte abzuholen, die ich am
nächſten Morgen immer wieder zurückbringen und durch den
Kammerdiener Sr. Excellenz auf's neue anfragen ſollte, ob
die Benützung der Karte auch für den heutigen Tag hohen
Ortes geſtattet würde! Dieſer Theaterbeſuch „mit Hinder=
niſſen" ſagte mir wenig zu, und ich bediente mich der Karte
nur bei bedeutenderen Vorſtellungen.

Inzwiſchen war der Honorarvorſchuß beiläufig auf=
gezehrt, dafür aber ein neues Luſtſpiel zu Stande gekommen:
„Der Brautwerber", in fünf Acten und in — Alexan=
drinern! Ich hatte das Stück zuerſt meinem Gönner Grill=
parzer überbracht. Als ich ihn das nächſtemal beſuchte, ging

er mit offenen Armen auf mich zu, drückte mich auf's herz=
lichste an die Brust — er freue sich immer, wenn sich in
unserem Oesterreich etwas Geistiges rege und rühre; bessere
Alexandriner wären kaum jemals auf der deutschen Bühne
gesprochen worden. (Der Rhythmus also war es, welcher
den Dichter für das Stück eingenommen hatte, über dessen
sonstige Mängel er leicht hinwegging.) Das Lustspiel müsse
aufgeführt werden, behauptete er, denn es gehöre der Literatur
an, wenn man sich auch von „Leichtsinn aus Liebe" vielleicht
eine größere Theaterwirkung erwarten dürfe.

Grillparzer hat sein Lebenlang die Ansicht fest ge=
halten, daß ich den mit dem versificirten Lustspiel einge=
schlagenen Weg niemals hätte verlassen sollen. Daß die
Verse nicht übel waren, mochte ich mir ohne Unbescheidenheit
selber zugestehen — aber ob das Publicum Geduld und
Ausdauer genug besitzen würde, um das Reimgeklapper durch
ein paar Stunden auszuhalten? Sowohl Hofrath Mosel
als Theater=Director, wie Schreyvogel als Dramaturg
glaubten übrigens für den Erfolg einstehen zu können, und
so war von meinem Erstlingswerke weiter nicht mehr die
Rede. Der „Brautwerber" wurde angenommen, censurirt,
die Rollen ausgetheilt, die Leseprobe für April 1828 an=
gesetzt. Nun aber fingen die eigentlichen Theaterleiden an!
Löwe, der anfangs wenig Lust zeigte, die nicht eben be=
deutende Liebhaber=Rolle zu übernehmen, ließ sich endlich
erbitten, dagegen sandte seine Schwester, Madame Löwe,
ihren Part einfach zurück. Sie spiele zwar das Fach der
eleganten Anstandsdamen, allein zur Uebernahme einer
Mutter=Rolle fühle sie sich durchaus nicht verpflichtet.
Merkwürdig, daß diese Damen niemals älter, ja nicht ein=

mal so alt auf dem Theater erscheinen wollen, als sie wirk=
lich sind!

Auch Anschütz hatte nach langem Bedenken heraus=
gefunden, daß der ihm zugemuthete Part für ihn nicht tauge;
statt seiner wurde Koberwein gewählt. Zu gleicher Zeit
eröffnete mir Schreyvogel, das Stück sei zu lang; von
den mehr als 2000 Versen müßten etwa vierhundert weg
— ich sollte mich ohne Zögern darüber machen! Ich war
erst wie vom Donner gerührt, bekam aber bald eine wahre
Streichwuth und wüthete zuletzt erbarmungslos gegen mein
eigenes Fleisch.

Inzwischen wurde Madame Löwe's Weigerung im
langsamen schriftlichen Geschäftswege verhandelt, doch stand
eine glückliche Beilegung der Sache in Aussicht — allein ein
neues Unglück! Madame Anschütz, damals noch die naive
Liebhaberin, war nicht unbedenklich erkrankt, und zum Ueber=
flusse war meinem komischen Alten, Wilhelmi, ein Urlaub
für den Monat Juni bewilligt worden. Unter diesen Ver=
hältnissen hatte die Direction beschlossen, das Stück bis zum
September hinauszuschieben. Quousque tandem!

Schreyvogel, der meine Entmuthigung sah, suchte
mich zu trösten; wer auf's Hoftheater kommen wolle, müsse
sich Einiges gefallen lassen! Uebrigens wolle man darauf
antragen, daß ich einstweilen die „Hauskarte“ und das
Honorar bekäme — da geschah es aber, daß sich Graf
Czernin, dermalen in Baden, den Fuß gebrochen hatte,
wodurch alle Geschäftsanträge wegfielen.

Endlich, am 23. August, kam es zur Leseprobe, die
mir nicht den günstigsten Eindruck hinterließ. Der Neuling
hatte sich erwartet, die Damen und Herren würden ihre

Rollen völlig im Charakter con amore vortragen, in lebhafter Rede und Gegenrede, so daß sich trotz der mangelnden Action doch immerhin ein geistiges Bild des Ganzen dem aufmerksamen Zuhörer kundgäbe — statt dessen war ein schläfriges Herunterlesen, ein häufiges Stocken und Stottern, von raschem Einfallen keine Rede, auch wurden Worte wie Sätze bisweilen ohne Sinn vorgebracht, die Schreibfehler langsam verbessert, dadurch die einzelnen Scenen wie der Zusammenhang nur zu oft unterbrochen — kurz, man wußte nicht, woran man war, und mein Stück kam mir bei dieser höheren Buchstabir-Uebung geradewegs wie eine Schülerarbeit vor. In der Folge hatte ich mich an dieses summarische Leseverfahren gewöhnt, welches eigentlich zu nichts dient, als den Copisten zu controliren, und wobei die Darsteller der Hauptrollen häufig durch ihr Nichterscheinen glänzen.

Wie oft hatte der dienstthuende Regisseur die zarten Aeußerungen meiner weiblichen Heldin mit der Lorgnette herunterbuchstabiren müssen! Man gewöhnt's. Bisweilen las ich selber mit, und Freund Laube, ein Lesekünstler, ersetzte nicht ungern einen fehlenden Helden oder Intrigant.

Bei den Proben des „Brautwerbers" benahmen sich die Schauspieler äußerst gefällig und zuvorkommend, manche Scene wurde drei-, viermal wiederholt; die gefürchtete Madame Löwe erwies sich unermüdlich, den Versen wurde von allen Seiten ihr Recht angethan, Schreyvogel war ganz guter Dinge, lobte mich, wie seine Schauspieler, und ich selbst, der ich die Tage her vor Aufregung kaum einen Bissen hatte hinunterbringen können, noch in den letzten Nächten ein Auge zugethan, höchstens vom Auspfeifen geträumt, begann bei der Generalprobe etwas frischeren Muth

zu schöpfen. Endlich war der 5. September 1828, der
Tag der ersten Aufführung, herangekommen.

Ich schlich im Dunkel durch die Straßen, kam erst
auf die Bühne, als der halbe erste Act vorüber war. Ein
eigenes Gefühl überkam mich, als ich die Verse vernahm!
Du hast einen Unsinn gemacht, mußt' ich mir selber sagen.
Schreyvogel zeigte sich zufrieden. Das Publicum hatte
hin und wieder gelacht, einige artige Stellen wurden ziemlich
lebhaft applaudirt. Doch fiel der Vorhang nach dem ersten
Act, ohne daß sich ein Beifallszeichen vernehmen ließ. Ich
schwankte zwischen den Coulissen herum.   Die Schauspieler,
die mich heute Vormittags auf der Generalprobe wie ein
werdendes Genie behandelt hatten, schlüpften nun stumm an
mir vorüber, nur daß mir der Eine oder der Andere ein
flüchtiges und mitleidiges: „Nun, es geht ja!" oder: „Wird
sich machen!" an den Kopf warf.   „Wenn nur mehr Hand=
lung wäre!" meinte ein Anderer, lobte aber die Sprache,
die geistreichen Pointen.   Inzwischen wurde der Einbläser
über sein schlechtes Souffliren ausgezankt, ebenso der Re=
quisiteur, der irgend einen nothwendigen Gegenstand erst im
letzten Moment herbeigeschafft; dem Liebhaber saßen Frack
und Halsbinde nicht zurecht, wofür der Ankleider einen
„Dummkopf" bekam; die Damen wurden mit der Garderobe
nicht fertig; die langen Zwischenacte sind gefährlich, Schrey=
vogel drängte, der Regisseur schrie herum — „fertig!"
riefen endlich Ansager und Nachleser, die Klingel ertönt, der
Vorhang erhebt sich zum zweitenmale.

Der zweite und dritte Act gaben ein ähnliches Resultat
wie der erste. Ich ward nicht weiter beachtet. Auch Schrey=
vogel richtete kein Wort an mich. Die unbeschäftigten Schau=

spieler lagerten im Hintergrunde der Bühne, gähnten oder
lasen die Zeitung, Andere gingen auf und ab und recapitu=
lirten ihre Rollen. Eine kleine Gruppe schien im eifrigen
Gespräch. Wovon kann die Rede sein, als von meinem
Stück? Ich schlich in die Nähe und lauschte. Die jungen
Leute hatten sich über ein Bierhaus für heute Abend und
über eine „fesche" Landpartie für übermorgen, wo sie „frei"
waren, „vereinbart." Nebstbei wurden Glossen gemacht über
die gar zu jugendliche Toilette der Madame Löwe, zuletzt
ein paar mehr als zweideutige Anekdoten erzählt, bis die
Klingel auf's neue ertönte und Alles auseinanderstiebte, sich
zum nahen Auftreten anschickte.

Der vierte Act fiel etwas besser aus, und einiger
Applaus ertönte zum Schlusse. Die Damen und Herren
gratulirten dem jungen Autor — aber es ging wohl nicht
so recht vom Herzen.

Der Komiker (Wothe) zog mich beiseite. Seine Rolle
sei charmant, versicherte er mich, aber zu kurz, nur eine Epi=
sode — ob sich nicht für die Wiederholungen etwas hinzu=
fügen lasse? Jedenfalls sollte ich ihn das nächstemal besser
bedenken.

Das nächstemal! Gibt es für mich ein nächstesmal? —
Der fünfte Act, das Ganze erhielt — was man einen succès d'estime nennt — nach meiner Empfindung war's ein
gelinder Durchfall.

Das Lustspiel wurde ein paarmal wiederholt, ich er=
schien aber nur mehr bei der zweiten Aufführung, in den
letzten Acten, saß mit Schreyvogel auf der gewohnten
Theaterbank hinter der ersten Coulisse, ließ das verfehlte
Zeugs an mir vorübergehen. — „Warum haben wir statt

der verwünschten „Alexandriner" nicht lieber die „Täuschun=
gen" aufgeführt?" sagte ich zu dem Dramaturgen. — „Das
ist nun nicht mehr zu ändern!" versetzte dieser trocken, stand
auf und verlor sich hinter den Coulissen, die Vorstellung
eines Stückes für den nächsten Abend anordnend. Auf dem
Theater geht's wie im Leben überhaupt! Was vorüber ist,
ist vorüber, der Tag setzt sich fort und Niemand kümmert
sich morgen um den, der gestern gestorben oder verdorben ist.

Die Kritik benahm sich wie immer, wo kein eigentlicher
Erfolg vorliegt; die meisten Journale sprachen mir alles dra=
matische Talent ab, ein wohlmeinender Recensent rieth mir,
mich zum „komischen Epos" zu wenden. Um allem weiteren
Gerede zu entgehen und meine bittere Empfindung loszuwer=
den, erbat ich mir vom Kreishauptmann einen Urlaub von
einigen Wochen, die ich in der Brühl zubrachte, im Kreise
der mir längst lieb gewordenen und liebenswürdigen Familie
des Leopold v. Schmerling. Die Geselligkeit, die Jugend
und der raisonnirende Leichtsinn des durchgefallenen Autors
frischten ihn bald wieder auf, so daß er im October, den
Kopf voll neuer dramatischer Pläne, in seine einsame Klause
und in sein Kreisamt zurückkehrte.

Ich wollte die Scharte auswetzen, das Theater im
Sturmschritte erobern.

So hatte ich unter Anderem ein fünfactiges Schauspiel
— „Braut und Bräutigam" — binnen drei Tagen zusam=
mengestoppelt und Grillparzer die fingerfertige Arbeit
noch am Abende des dritten Schöpfungstages brühwarm
vorgelesen. Er sprach sich nicht ungünstig darüber aus,
schrieb auch ein Scenarium auf, worin er mir Aenderungen
vorschlug; doch warf ich die Arbeit bald wieder beiseite, fing

was Neues an.  Die Schreibewuth hatte mich ergriffen. Im
Jahre 1828 wurden nicht weniger als neun Stücke zu
Stande gebracht, darunter  „Der Musicus von Augsburg"
und die Anfänge eines „Fortunat."

Von „Leichtsinn aus Liebe" war seit lange nicht mehr
die Rede.  Im Sommer 1830 änderte und feilte ich zum
letztenmale daran, reichte es auf's neue ein.

Endlich, am 12. Januar 1831 (am Vorabend meines Geburtstages und beiläufig fünf Jahre nach der ersten
Ueberreichung), kam das Lustspiel auf die Bretter und behauptet sich dort seit vollen vierzig Jahen bis zur heutigen
Stunde.

So sauer wurde es Einem gemacht, bevor man in das
Heiligthum gelangte, dessen hoher Priester (der Oberstkäm-
merer) die Dichter nur wie dienende Brüder behandelte. Den
Tempel selbst hielt er möglichst rein von aller Poesie —
darum wurden auch die Stücke von Goethe und Schiller erst
gehörig durchräuchert, das Herz wie alle edelsten dichterischen
Eingeweide herausgenommen und verbrannt.  Der Rest, mit
der gewohnten scharfen Censurbeize zubereitet, ward dann
den Logen, welche damals nie ein bürgerlicher Fuß betrat,
als beliebte leichte Abendspeise vorgesetzt, um Verdauung und
Schlaf des hohen Adels nicht zu hindern.

Das Volk bekam ab und zu einen liberalen „Tell"-
oder „Egmont"-Brocken zugeworfen! Bei diesem theatralischen Götzendienst, welcher alles rein Menschliche und Natürliche fanatisch von sich wies, konnte weder Tragödie noch
Komödie gedeihen. Ließ sich nun gar ein Dichter beikommen,
einen patriotischen Stoff zu wählen, wie Grillparzer mit
seinem „Ottokar" es gewagt, so wurde das Anathem über

ihn ausgesprochen und sein Werk mit unerbittlicher Strenge aus dem aristokratisch=theatralischen Pantheon gewiesen.

Seitdem ist's etwas besser geworden, obschon die reichen Bankiers, die jetzt den Logenbesitz mit dem hohen Adel theilen, ebensowenig' wie dieser in ihrer theatralischen Verdauung gestört werden wollen. Im Ganzen haben sich die Hoftheater beiläufig über lebt, so gut wie die Fabriken auf Staatskosten. Die Privaten arbeiten besser, rascher und wohlfeiler. Die deutsche Stadt Wien, wenn sie erst mit der Wasserleitungs=, Gas=, Donau=Regulirungs= und anderen Fragen fertig ist, würde daher wohl thun, ein großes Schau= spielhaus zu bauen, einen würdigen und wahren Tempel für den Gottesdienst der deutschen Kunst.

Das Theater war bei uns jederzeit eine Capitals= und Lebensfrage. In der guten alten Zeit, als Kaiser Franz noch täglich sein Burgtheater besuchte, war das österreichische Gouvernement eine Art „Theatrokratie."

Ich kann diesen Artikel nicht schließen, ohne noch ein paar Worte über mich selbst, meine Versuche und Leistungen beizufügen.

Man hat mir häufig den Vorwurf gemacht, daß meine Lustspiele, vom „Liebesprotokoll", den „Bekenntnissen" und „Bürgerlich und Romantisch" bis auf die neueren: „Aus der Gesellschaft" und „Moderne Jugend" die Wiener Localfarbe mehr oder minder zur Schau trügen — ich leugne das nicht! Diese meine Art und Weise hat aber ihre Entschuldigung, vielmehr ihre Berechtigung. Die Lustspiel= dichter aller Zeiten, von Aristophanes, Terenz und Plautus bis auf den französischen Molière, den Dänen Holberg und den kleindeutschen Kotzebue haben dasselbe gethan wie ich: sie haben ihre nächste Umgebung und darin ihre Zeit abgeschildert. Mit mehr ober weniger Genie — darauf kommt freilich Alles an! Wir sind eben Epigonen, und ein Schelm, der mehr gibt oder sich zu geben anstellt, als er hat! — Ich bin und bleibe Wiener mit Haut und Haar, und kann und will in meinen Lustspielen wie in den vorliegenden Skizzen schlechterdings nichts bringen, als die Anschauungen eines Deutsch-Oesterreichers, der unsere Zustände, wie sie ihm erscheinen, im Ernst und Scherz, sine ira et studio, wahrheitsgetreu darzustellen sich zur Aufgabe gemacht. Daß ich dabei das deutsche Gesammt-Vaterland, das gemeinsame Bildungs-Element immer und ewig im Auge behalte, versteht sich von selbst!

Ich empfinde mich nun einmal weit mehr als Landsmann Lessing's oder Goethe's, denn irgend eines „Wenzel" oder „Janos" oder sonst eines Menschen auf „inski", „icki" und „vich", mit denen mich ein politisches Schicksal zusammengeschweißt und die im Grunde so wenig mit mir zu schaffen haben wollen, als ich mit ihnen.

# VII.

(Literarisches Zusammenleben in den 30er und 4ner Jahren. —
Grillparzer. — Raimund. — Anastasius Grün. — Nikolaus
Lenau.)

> Wem ihren Strahl die Freiheit einmal
> durch's Herz gegossen,
> Abfällt der nun und nimmer, trotz sond'rer
> Kampfgenossen!
> Nibelungen im Frack.

Mit Schwind, Schubert, Schober, Feuchters=
leben und andern Gleichgesinnten innig und treu verbun=
den, hatte sich mir der Kreis, in welchem ich lebte und strebte,
bald vergrößert und erweitert. An Anastasius Grün
und Nikolaus Lenau erhielten wir einen neuen und
reichen Zuwachs. Alle die jungen Männer, so Künstler als
Schriftsteller, waren eben im Beginn ihres Wirkens, dabei in
anregendem und lebhaftem Verkehr mit einander. Was ein
Jeder schuf, wurde gegenseitig mitgetheilt, besprochen, wie
auch neue Stoffe, Pläne und Hoffnungen der Zukunft. Des
Censur= und sonstigen Geisteszwanges satt und übersatt, und
seit der Juli=Revolution immer ungeduldiger, die Morgen=

röthe der neuen Aera über Oesterreich heraufbrechen zu sehen,
fiel in dieser Richtung unter uns manches zündende Wort,
welches bald in den „Spaziergängen eines Wiener
Poeten" seinen warmen und schönen Ausdruck finden
sollte. —

Inzwischen hatten wir unser geselliges Hauptquartier
in Neuner's „silbernem" Kaffeehause in der Plankengasse so
wie im Gasthause zum „Stern" auf der Brandstatt auf=
geschlagen. Grillparzer, Karajan, Witthauer (da=
mals Redacteur der Modezeitung), Christian Wilhelm
Huber (in der Folge General=Consul in Alexandria), der
Hofschauspieler Schwarz (der berüchtigte Chalife der Lud=
lamshöhle) bildeten mit mir und dem jungen und über=
lustigen Alexander Baumann, wie auch anderen Freunden,
den Kern der Haus= und Stamm=Gäste, die sich jeden Mittag
und Abend zusammen fanden. Der gesellige Kreis vergrößerte
sich aber bald und gewann durch das Hinzutreten von anderen
Schriftstellern, auch Malern, Musikern, Schauspielern, einen
immer mehr literarisch=artistischen Anstrich. Mehrere deutsche
Journale brachten Artikel über den „Stern" — nicht eben
zu unserm Behagen, denn die Wiener Polizei konnte leicht
aufmerksam auf den „Club" werden, ihm das Schicksal der
Ludlam bereiten.	Doch hatten sich die Zeiten inzwischen ge=
ändert und so ließ man uns gewähren, auch später, nach dem
Tode des Kaisers Franz, als sich der Oppositionsgeist in Wien
immer mehr und mehr zu regen begann, der denn auch unter
uns gehörig wucherte, sich im dahinrauschenden Gespräch so
wie in Aufsätzen in Prosa und Versen kund gab. Dem alten
lustigen harmlosen Wiener Leben widerfuhr dagegen nicht
minder sein Recht, auch wechselten Scherz und Ernst, und

an lebhaft=geistreicher Mittheilung über Kunst und Literatur
fehlte es nicht. Vor Allem war es Grillparzer, der mit
Perlen des Geistes und Gemüthes nicht kargte, wie ihm auch
in guter Stunde stets die schlagendsten Witzworte in Be=
reitschaft standen. Wie wir uns der Jahre, die er, der ältere
Mann, mit uns zubrachte, in Freude und Dankbarkeit er=
innern, so wird er auch gewiß seine treuen „Sternianer"
nicht vergessen haben. Ich schmeichle mir, daß ich ihm Einiges
gegolten habe und bis zu seinem Lebensende galt — und mit
welchem Wohlwollen, mit welcher Wärme und Liebe er meine
ersten Jugendversuche aufgenommen, steht für immer in mei=
ner Brust gegraben.

Im Verlaufe dieser Wiener Skizzen wird wohl noch
öfter von Grillparzer die Rede sein — hier nur so viel, daß
er damals als treuer Kumpan mit uns hielt, sich auch von
keiner Kundgebung unserer bisweilen übermüthigen Gesellig=
keit ausschloß. So an den Sonntagen, Winter wie Sommer,
wo gemeinschaftliche Landpartien unternommen, zur schönen
Jahreszeit wohl auch auf ein paar Tage ausgedehnt wurden.
Im festen Schnee bei Nußdorf ward gelegentlich ein Wett=
lauf beschlossen, wobei unser „Sapphokles Istrianus" (sein
ludlamitischer Spitznamen) mitrennen mußte, er mochte wollen
oder nicht! Im Sommer 1831 machte er sogar mit Karajan
und mir eine Fußreise von der Brühl über Heiligenkreuz,
Lilienfeld, Mariazell u. s. w. bis Aussee und Ischl. Von
Weichselboden aus wurde der „Hochschwab" bestiegen, leider
unter Nebel und Regengüssen und sonstigen Beschwerlichkeiten,
wobei der tragische Dichter nicht sparsam in ein: „Sei's!"
oder: „Liebster Jesus!" — (seine Lieblingsstoßseufzer) aus=
brach. —

Ein häufiger Gast im „Stern" war Ferdinand
Raimund, dessen Talent wie Charakter Grillparzer über=
aus hoch hielt. Beide Dichter, auch in den feinen und nervös
durchfurchten Gesichtszügen einander nicht unähnlich, waren
zugleich echte Oesterreicher Naturen, nichts Gemachtes an
ihnen, Alles einfach, wahr, Raimund mehr primitiv, ein
wunderliches Gemisch von Naivem und Sentimentalem in
seinem ganzen Wesen. Sein Humor war im Grunde harm=
los, seine Scherze ab und zu kindlich; der tragische Grill=
parzer, weit schärfer in seiner Satyre, hatte dagegen einen
aufmerksamen Blick für alles Lächerliche und Verkehrte. Das
Sonnleitner'sche Blut floß in ihm. Grillparzer's Onkel
von mütterlicher Seite war ein berühmter Wiener Witzbold;
in dem Tragiker verdichtete sich der Spaß zur geistreichsten
Ironie, die sich noch bis zu seinen letzten Tagen in Tausen=
den von Epigrammen Luft machte.

Eines Abends saß Raimund bis tief in die Nacht
unter uns und gab seine Liebes= und Heirathsgeschichte mit
Louise Gleich zum Besten. Das verehrte Publicum des
Kasperl=Theaters, welches um das Verhältniß der Beiden
wußte, hatte den beliebten Schauspieler und Dichter bei
seinem jedesmaligen Auftreten so lange ausgezischt, bis dieser
sich zuletzt entschloß, mit der Schönen zum Altar zu treten.
Allein die Flitterwochen oder Monate waren bereits vor der
Hochzeit genossen — und so konnte es nicht fehlen, daß der
gemüthliche, verliebte, auch eifersüchtige Sonderling, mit der
herzlosen Kokette verbunden, bald Höllenqualen auszustehen
hatte. Die Details dieser wunderlichen Ehe müssen ver=
schwiegen bleiben — Raimund's Darstellung des ganzen
Verhältnisses, so wie gewisser Zwischenfälle, war geradewegs

hinreißend. Der Komiker gab uns Anekdoten preis, die das Zwergfell erschütterten, dann kamen wieder weiche und zarte Empfindungen dazwischen, eine wirklich erotische Poesie, die uns die Thränen in die Augen lockte, bis ein neuer Theater=Klatsch sie uns wieder abtrocknete. — Auch Raimund's erstes Auftreten im Leopoldstädter=Theater, nach seinem Rücktritt von der Josephstadt, wurde uns abge= schildert. Er spielte für seine Existenz, für seine ganze Zu= kunft, von dem heutigen Erfolg oder Miß=Erfolg hing Alles ab. Er war bereits als „Hamlet, Prinz von Tandelmarkt" angekleidet, die Lampen waren angezündet, das Orchester stimmte — da wurde dem Gastspieler ein Brief mit schwarzem Siegel überbracht, der ihm den plötzlichen Tod einer damals heiß Geliebten meldete.

„Ich fing zu zittern an" — erzählte Raimund — „die Coulissen drehten sich wie im Kreise herum, ich konnte kein Wort hervorbringen. Da, als der Regisseur das Zeichen zum Aufziehen des Vorhangs gab, schluckte ich ein Glas Limonade hinunter. Wie ich dann auftrat, anfangs ver= wirrtes Zeug schwatzte, statt der Knittelverse, das Publicum schon anfing unruhig zu werden, ich endlich doch in Zug kam, applaudirt wurde, hervorgerufen — es war mir Alles wie ein Traum, ist mir's noch! So war nun der miserable Hamlet als erster Komiker engagirt — aber seine arme Ophelia war todt, blieb todt!" — So schloß der gemüth= liche Raimund schmerzlich=lächelnd seine Erzählung.

Der leidenschaftliche Mensch hatte sich auch in früher Jugend, bei einem Theater in Ungarn engagirt, wegen einer Liebesgeschichte gelegentlich in die Raab gestürzt, war halb= todt herausgefischt worden.

Nach und nach hatten sich sämmtliche Wiener Schrift=
steller häufig im „Stern" eingefunden, Saphir ausge=
nommen, gegen welchen Grillparzer sein Veto einlegte,
wobei ich ihm secundirte. — Graf Johann Mailáth
legte seine merkwürdigen Gedächtnißproben ab, der unglück=
liche Michael Enk aus Mölk, den das traurige Kloster=
leben und die Quengeleien seiner Mitmönche nicht wenig
herunter stimmten und schließlich in den Tod jagten, ver=
säumte es nicht, sich von Zeit zu Zeit in dem Freundeskreise
aufzufrischen, auch Anastasius Grün erfreute uns bis=
weilen aus Thurn am Hart mit seinem Zuspruch. Nur
unser melancholischer Freund Lenau konnte kein rechtes Be=
hagen unter uns finden, und nach ein paar tollen Abenden,
an denen kein „zusammenhängendes Gespräch" aufkommen
wollte, wie er's liebte, hatte er sich für immer zurück ge=
zogen. — Von Literaten sprachen sonst noch zu: Brann
von Braunthal, L. A. Frankl, Castelli, Baron
Schlechta, Draexler=Manfred, Gustav Frank,
Franz von Schober, Marsano, Kaltenbaek und
Andere.

Holtei kam in der Mitte der dreißiger Jahre nach
Wien. Mit seiner zweiten liebenswürdigen Frau, einer ge=
bornen Holzbecher, brachte er „Lorbeerbaum und Bettel=
stab", die „Drillinge", die „Wiener in Paris" und andere
seiner Sachen mit größtem Erfolge auf die Josephstädter=
Bühne. Für die Geselligkeit war der Selbst=Biograph der
„Vierzig Jahre" und der Verfasser der „Vagabunden" ein
wahrer Schatz. Er hatte Tausende von Abenteuern erlebt,
war unendlich mittheilsam und erzählte noch weit besser als
er schrieb. In seiner Nähe stockte kein Gespräch und wenn

auch im Grunde ein elegischer Ton durch das Wesen des
Schlesiers ging, so war er doch dabei jederzeit zu Scherzen
und Possen aufgelegt, wie auch auf Landpartien und sonst
die tollsten Streiche anzugeben immer bereit. Er wurde
in den vierziger Jahren der Gründer des sogenannten
„Soupiritums“, eines Ablegers der „Ludlam“, die sich
bis zum heutigen Tage als „Gnomenhöhle“ fortpflanzt.
Daß Holtei uns gelegentlich mit einem norddeutschen Wein=
punsch bewirthete, wobei er die gesammte österreichische
Literatur unter den Tisch trank, mag nebenbei erwähnt
werden. —

Von der Wiener Gemüthlichkeit war sonst viel die
Rede! Nun, zu meiner grünen Zeit waren noch Spuren
davon aufzufinden. So hatte man uns längst ein wackeres
Bürger= und Ehepaar angepriesen, Besitzer eines Gasthauses
in der Herrengasse, dem ständischen Gebäude gegenüber; die
guten Leute, versicherte man uns, würden sich's zur Ehre
schätzen, wenn wir einmal bei ihnen einsprechen wollten. So
wurden Grillparzer, ich und noch einige Poeten ab und
zu dem fixen „Stern“ untreu und wir begaben uns in das schis=
matische Wirthshaus des Herrn Adelgeist. Man hatte uns
die braven Wirthsleute nicht ohne Grund angerühmt! Wirth
und Wirthin, stattliche Erscheinungen, hielten auf Ordnung,
gute und rasche Bedienung, waren immer selbst bei der Hand,
legten dabei ein höchst freundliches und zutrauliches Wesen
an den Tag, ohne sich an= und aufzudrängen, es waren echte
Bürgersleute vom alten guten Wiener Schlag. Daß sie aber
für Schriftsteller und Künstler eine besondere Achtung hegten,
ihnen übermäßigen Respect erwiesen, das war jedenfalls eine
Wiener Ausnahme. Wir wurden wie eine Art höherer Wesen

behandelt, man konnte es dem Wirthe ansehen, wie schwer
es ihm fiel, von uns Geld annehmen zu müssen. Die einzige
Tochter der braven Leute, ein hübsches und blühendes Mäd=
chen von siebzehn Jahren, bediente uns bei Tisch, in einem
besonderen Zimmer, gemeinschaftlich mit Vater und Mutter.
Den gewöhnlichen Gästen war die artige Kellnerin unnah=
bar. Wir waren bei Adelgeist's kaum warm geworden, als
der Wirth mit höchst bescheidenen Manieren sich die Ehre
ausbat, uns nächster Tage in seiner Privat=Wohnung mit
einem kleinen Souper bewirthen zu dürfen. Herablassend
wie Poeten sind, nahmen wir die Einladung an, die sich ein
paarmal wiederholte. Die Hausleute waren über die Dichter
entzückt, die wie die homerischen Helden aßen und tranken.
Bei einem dieser Gelage, wobei der Champagner bis gegen
drei Uhr Morgens nicht sparsam floß, fingen wir Alle in
übermüthiger Laune zu tanzen an. Mir fiel die Haustochter
zu, Grillparzer ergriff die stattliche Wirthin, die Lyriker und
Dramatiker walzten miteinander, und ein übrig Gebliebener
— der ernsthafte Witthauer, wenn ich nicht irre — hopste
mit dem Hauspudel herum.

Im Ganzen hatte unser Hauswirth an uns Allen
bisher schwerlich so viel verdient, als er bei diesem einzigen
Festmahle d'rauf gehen ließ — und zwar mir zu Ehren,
denn es war am Abend nach der ersten Aufführung der
„Bekenntnisse" (am 8. Februar 1834). Marie Adelgeist
beschenkte mich überdies mit einer hübschen Handarbeit und
erbat sich dafür ein paar Verse in ihr Stammbuch. —

Unter diesen zeitweisen Schwänken und Tollheiten
fehlte es auch nicht an ernsten Abenden und bedeutenden
Mittheilungen, die häufig bis tief in die Nacht hinein währten.

und zu denen ausgezeichnete fremde Besucher nicht selten ihr
Scherflein beitrugen. So hatte Hofrath Martius aus
München im Frühjahr 1834 bei uns zugesprochen, und uns
an mehreren Abenden nicht nur über die Abenteuer seiner
Brasilianer=Reise mit Spix auf das Trefflichste unterhalten,
sondern uns auch sein System der ursprünglichen und secun=
dären Vegetation in großen Umrissen so klar und lebendig
auseinander gesetzt, wie man sich dessen nicht von einem jeden
deutschen Gelehrten zu versehen hat.

Aber auch die neueste und modernste Literatur sollte
ihr Besuchs=Contingent beitragen! Es war, denke ich, noch
v o r Martius' Erscheinen, daß ein paar junge Leute uns im
„Stern" aufsuchten, ein blonder und ein schwarzer Jüng=
ling, der Verfasser des „M a h a  G u r u" und der Heraus=
geber des „jungen Europa", zwei seit Kurzem aufge=
tauchte Weltenstürmer und Schriftsteller, dem sogenannten
„jungen Deutschland" angehörig — K a r l  G u t k o w und
H e i n r i c h  L a u b e.

Die beiden revolutionären Genie's verweilten nur kurze
Zeit in der Metropole des Polizeistaates par excellence,
kamen auch meines Erinnerns kein zweites Mal in unsere
literarische „Herberge der Gerechtigkeit". Einige Jahre dar=
auf, zur Zeit, da W o l f g a n g  M e n z e l als Denunciant
gegen das junge Deutschland auftrat, wurden Gutzkow und
Laube mit W i e n b a r g und H e i n e in Einen Topf ge=
worfen, der Bann über sie ausgesprochen. Ein österreichi=
sches Regierungs=Circular verbot ihre sämmtlichen, gegen=
wärtigen und zukünftigen Werke. Und wieder nach einer
Reihe von Jahren finden wir den quondam Weltenstürmer
H e i n r i c h  L a u b e als artistischen Director des k. k. Hof=

Burgtheaters! Doch hatte man ihm seine Jugendstreiche
nicht völlig verziehen und eine zähe Hofpartei, die ihre Zeit
abzuwarten versteht, wußte es dahin zu bringen, ihm seinen
Posten zu verleiden. So zog das junge, inzwischen alt ge=
wordene Europa wieder nach Leipzig zurück, von wannen es
ausgegangen war.

Unser „Stern" aber hatte inzwischen seinen Höhe=
punkt erreicht, von da an geht's in jedem geselligen Kreise
abwärts, bis der Glanz völlig verlischt. Der gute Rai=
mund, der treffliche Enk hatten ein trauriges Ende ge=
funden, der urgesellige Holtei war für längere Zeit aus
Wien geschieden, und Grillparzer, der seit Jahren treu
zu uns und mit uns gehalten, zog sich plötzlich zurück. Der
Mißerfolg seines Lustspiels: „Weh' dem, der lügt" hatte
ihn verstimmt, und so verbittert, daß er jede Geselligkeit,
jeben vertraulichern Umgang scheute und mied. So verlor
er sich aus unserm Kreise und man hat nicht immer den
Muth, ihn in seiner Klause aufzusuchen. Adler und große
Genie's horsten gern einsam. —

Ein inniges Zusammenhalten von Schriftstellern und
Künstlern, wie das eben geschilderte aus der alten naiven
Wiener Zeit, ist heut zu Tage bei dem Journal= und Partei=
getriebe kaum denkbar. An Parteien fehlte es zwar auch da=
mals nicht, doch war es nur Einer vergönnt, sich zu
rühren — die honneten Leute mußten schweigen, wenn das
„System" in seinen beiden Leib=Journalen, der „Wiener=
Zeitung" und dem „Oesterreichischen Beobachter" von Zeit
zu Zeit versichern ließ, wie Alles in der Welt, besonders in
der österreichischen, so ganz vortrefflich stünde! Bäuerle

mit seiner „Theater=Zeitung" durfte als Neben=Lobhudler
fungiren.

> „'s gibt nur Ein' Kaiserstadt,
> 's gibt nur Ein Wien!"

war die Parole des Tages. Das dicke Wien mit seinem
Strauß=, Lanner= und Sperl=Dusel und dem Scholz= und
Nestroy=Cultus bekümmerte sich auch blutwenig um öffent=
liche Dinge. Erst mit den Juli=Tagen kam die Peripetie.
Das Glück der „Augsburger=Allgemeinen" datirt von daher.
Die österreichische Regierung benützte das Volks=Vertrauen
zu der, gelegentlich liberal schillernden Zeitung, und ließ
durch ihre Seiden die öffentliche Meinung in dem Journal
des Herrn von Cotta gehörig bearbeiten. Auch Saphir ist
nicht zu vergessen, der mit seinem „Humorist" gleichfalls in
das Regierungshorn stieß und ab und zu Allarm=Signale
gegen uns liberale Schriftsteller erschallen ließ. Da aber der
Werke meiner Freunde Auersperg und Lenau in keinem
Wiener Journale erwähnt werden durfte (es war nicht ein=
mal erlaubt, ihre Pseudonymen A. Grün und N. Lenau
in österreichischer Druckerschwärze erscheinen zu lassen), so
ließ man die Schreibehunde auf mich los, zur Strafe, weil
ich mit den verpönten Schriftstellern zusammen hielt. Ich
war also eine Art „Prügelknabe" für meine literarischen
Genossen, und Bäuerle und Saphir gewissermaßen die
offiziösen Vollstrecker der mir zudecretirten Schläge. —

Ich kenne Niemanden, der sich von seinen Jünglings=
jahren bis in das volle Mannesalter so vollkommen selber
gleich geblieben wäre, als Anton Alexander Graf Auer=
sperg. Eine kräftige Natur, gesund an Leib und Seele,
als geborner Krainer auch mit der nöthigen Ausdauer und

Zähigkeit ausgerüstet, trieb er seine Studien mit Ernst und
Fleiß und opferte der Muse anfangs nur schüchtern und
insgeheim, gleich dem Verfasser der „Griseldis." Einzelne
Gedichte, die „Blätter der Liebe" und Anderes, tauchten
als verschämte Erstlinge auf; „Der letzte Ritter" hatte
seinem Verfasser bereits einen hübschen Namen verschafft.
Als die „Spaziergänge eines Wiener Poeten" erschienen, die Vorstrahlen der in Oesterreich hereinbrechenden
Freiheitssonne, da rieth man auf Diesen und Jenen. Der
junge Dichter, verschlossen, sogar etwas schroff, wenig gesellig, nur unter Freunden aufthauend, ging zwischen den
Hin- und Herrathenden still und schweigsam herum, und als
zuletzt das Incognito nicht länger aufrechtzuhalten war,
nahm er die Ruhmeskränze, die ihm jetzt und später reichlich
zufielen, bescheiden hin, beinahe verlegen, und ließ sich durch
nichts aus seinem männlichen Geleise bringen.  Nur die
Verfolgungen von Seite der Polizei machten ihn ärgerlich
und verleideten ihm Wien, für das er sonst immer eine Vorliebe gehegt.  Eine zeitlang dachte er sogar an Auswan-
derung.  Inzwischen ging er auf Reisen, nach Frankreich,
Italien, England und zog sich schließlich auf sein Thurn
am Hart zurück, wo er seine Aecker, aber auch die „Rosen"
pflegte, die in allen seinen Gedichten eine so große Rolle
spielen.  Drei- oder viermal im Jahre kam er übrigens
immer nach Wien, wo er gewissenhaft niemals versäumte,
jeden der Freunde besonders aufzusuchen.  Wir waren mündlich und schriftlich stets im Zusammenhange geblieben, auch
nach seiner Verheiratung mit Marie Comtesse Attems.
     Nach Jahren, bei einem Besuche in Thurn am Hart,
überzeugte ich mich von den glücklichen häuslichen Verhält-

nissen meines Freundes, sowie von dem Ernst und der Tüchtigkeit des Poeten, womit er sein Gut verwaltete, sein Eigen
überhaupt als tüchtiger Haushalter zusammenhielt, vor-
mundschaftliche und andere Geschäfts-Angelegenheiten be-
sorgte. Dabei schlummerte seine Muse nicht, und der Name
Anastasius Grün wurde immer gefeierter — die Vater-
freude aber, den Namen Auersperg in einem frischen und
lebhaften Jungen fortzusetzen, wurde dem Dichter erst spät
zu Theil.

Bei der Bewegung des Jahres 1848, welche uns
Andere wohl über uns selbst und gelegentlich über alle
Schranken hinaushob, bewies der Graf, Gutsbesitzer und
Dichter denselben Mannesmuth und Freisinn wie bisher
nicht mehr, nicht minder — aber auch dasselbe Pflichtgefühl.
Er verließ Gattin, Haus, Hof und Herd, um zuerst im
Frankfurter Parlamente die Stelle im linken Centrum ein-
zunehmen und im liberalen und großdeutschen Sinne zu
stimmen, wie es seiner Natur gemäß war. Die Bezeichnung
„alt-liberal" wurde wohl auch zu Zeiten als Schimpfwort angewendet — eigentlich bedeutet es aber doch das
einzig Vernünftige und Mögliche, obwohl auch eine radicale
und äußerste Partei als Stachel und zur Ausgleichung des
Ganzen ihre praktische Seite haben dürfte. Radicalcuren
sind sogar ab und zu nothwendig. Die Zeiten Schwarzenberg's und Bach's, der Reaction und des Concordats
fanden den Grafen Auersperg als Gegner wie uns Alle.

Ich wiederhole es: mein Freund ist vom Anfang
seiner Laufbahn bis zum heutigen Tage sich selber gleich
geblieben — das Beste, was er thun konnte! Ich werde
des Mannes im Verlaufe dieser Memoiren noch öfter zu

erwähnen haben, auch bei Schilderung der Märztage und einer Art Don-Quixote-Zuges, den ich nach Hofe unternahm und bei welchem mir der Freund als fidus Achates zur Seite stand. —

N. Lenau und A. Grün, die poetischen Dioskuren Oesterreichs, waren durch geraume Zeit die gefeiertsten Dichternamen in ganz Deutschland, und Lenau's melancholische Lyraklänge fanden auch an den Ufern der Themse ihren Widerhall. Beide Dichter, ein jeder in seiner Weise, kämpften zugleich für die geistige Freiheit — natürlich, daß sich das „österreichische System" darüber erboste. Niembsch war jedoch in der angenehmen Lage, den Quängeleien der Wiener Polizei seine magyarische Nationalität als unnahbaren Schild entgegenhalten zu können. Die beiden schnell berühmt gewordenen Dichter waren sich zugleich traute Freunde und Genossen. Obwohl mich Naturell und Neigung mehr zu dem lebenskräftigen Dichter des „letzten Ritters" zogen, dem selbst ein gewisser Humor nicht fehlte, so hatte doch auch der ernste und grübelnde Schöpfer des „Savonarola" meinen Antheil in nicht geringem Maße geweckt. Jugend und geistiges, wenn auch nicht geradewegs verwandtes Streben sind rasche Bindungsmittel, und so hielten wir Drei bald fest zu einander.

Mit Niembsch war ein eigener Verkehr. Er war durchaus nicht ungesellig, und zeitweise auch zu Scherz und Possen aufgelegt, wie wir anderen Sterblichen; aber mitten in der Fröhlichkeit, im Gasthause oder sonst, verstummte er plötzlich, stierte in die Luft oder in's Trinkglas, in sich versenkt — oder er fuhr auf, wendete sich an mich oder sonst

einen Freund: „Bruder, wollen wir nicht lieber ein zusammenhängendes Gespräch führen?" Bisweilen gingen wir
auf seine Wünsche ein, und Literatur wie Politik wurden
wohl bis in die tiefe Nacht hinein durchgesprochen; waren
wir aber nicht in der Stimmung, lachten wir über seine
Anforderung und fuhren fort, Witze zu machen, so ließ er es
geschehen und konnte herzlich mitlachen. Unter seine näheren
Freunde gehörte auch Dessaner, dessen melancholische
Lieder ihn besonders anzogen, wie der dichterische Alexander
Graf v. Würtemberg. In Dessauer, auch meinem alten
Freunde, fand Lenan zugleich eine Natur, die ihm zusagen
mußte, das ihm ähnliche, innige und sinnige Element; Beide
waren zum Grübeln geneigt, schwärmten philosophisch und
musikalisch mit einander — nur daß der Compositeur den
häufig wilden und brausenden Poeten durch das Zarte,
Weiche, beinahe Weibliche, das in seinem Wesen liegt, nicht
selten glücklich zu beschwichtigen verstand. Alexander v.
Würtemberg war einer der feurigsten Verehrer Lenau's,
ihm zugleich in manchem pathologischen Zuge verwandt.
Man kann sagen, daß die beiden Dichter schon in der
Jugend den Keim des Todes in sich trugen. Alexander litt
an einem dumpfen, fast unaufhörlichen Kopfschmerz. Bei
Tische klagte er mir eines Tages, daß ihn sein Leiden heute
besonders quäle. Er habe nun einmal das „Wespennest" im
Haupte! Ich hielt das für eine Redefigur, wurde aber allen
Ernstes belehrt, daß sich unfigürliche und wirkliche Wespen
in dem Kopfe des schwäbischen Grafen angesiedelt, so gut wie
die Poltergeister im Hause des gemüthlichen Justinus Ker-
ner frei ein- und ausgehen mochten. Ich nahm die Auf-
klärung über die Wespen schweigend hin, ohne mir einen

Witz darüber zu gestatten, da auch Lenau an das Wespennest seines Freundes unbedenklich zu glauben schien.

Beiden Männern wohnte eine besondere Zartheit des
Gemüthes inne. Ich erinnere mich, daß sie, als ich in einem
literarischen Kreise mein Lustspiel: „Der Vater" vorlas,
der munteren und leichten Arbeit zwar im Ganzen ihren
Beifall nicht versagten, allein gewisse sittliche Bedenken
äußerten über die Figur einer koketten Putzmacherin, welche
von dem Herrn Papa den Auftrag erhält, seinen Neuling
von Söhnchen gewissermaßen zur Liebe vorzubereiten. Wie
würden die strengen Moralisten erst in Schrecken gerathen
sein über die dramatischen Erzeugnisse unserer Tage, so des
Monsieur Dumas fils und eines Victorien Sardou! — Ein
anderes meiner Lustspiele: „Industrie und Herz", fand
mehr Gnade vor den Augen meines rigorosen Freundes; er
erbat sich sogar das Manuscript, um es in einer ihm besonders nahestehenden Familie vorzulesen.

Niembsch liebte ernstes Gespräch, und was er selber
zur Unterhaltung beitrug, war nie ohne Bedeutung, sowohl
dem Inhalte als dem Ausdrucke nach. Seine Lieblings-
Lectüre war übrigens mehr eine philosophisch=theologische,
als die historische oder poetische. Ich zweifle beinahe, ob er
Shakspeare und Goethe genau und in allen ihren Werken
kannte. Zu „Savonarola" machte er wohl ziemlich ausführliche historische Studien, aber auch theologische, die ihn
überwältigten, so daß ihm die geschichtlichen Gestalten in ein
gewisses mystisches Dunkel gehüllt, wie im Hohlspiegel, vor's
Auge traten. Er wurde ernstlich böse, als ich ihn vor der
gefährlichen Mystik und insbesondere vor dem Umgang mit
einem schwedischen Theologen warnte, mit welchem er sich in

die Irrgänge der Scholastik zu vertiefen liebte. „Das ver=
stehst du nicht" — brauste er auf — „dafür bist Du zu
leichtsinnig!" — „Und Du, lieber Freund, etwas zu schwer=
fällig, um das helle Leben der Medicäer naturgetreu zu
schildern. Du hast nur deine Symbole im Kopfe, Dir fehlt
der eigentliche historische Blick und Sinn, wie er zum Bei=
spiel unserem Freunde Auersperg innewohnt."

Lenau sah mich groß an. „Du magst vielleicht Recht
haben, Bruder", sagte er nach einigem Nachdenken, „aber
ein jeder Vogel singt nach seinem Schnabel." —

Unter seine Lieblingsschriftsteller gehörte Franz von
Baader, dessen Ausspruch: „beim Teufel seien Licht und
Wärme getrennt, er sei kaltes Licht und finstere Wärme" —
er nicht oft genug citiren konnte. —

Als Einer der literarischen deutschen Stimmführer
in den dreißiger Jahren Wien besuchen kam und wir ihm,
mehr als nöthig, die Honneurs machten, äußerte sich Lenau
verdrießlich: „Was soll uns das literarische Mastschwein?
Bald kommt ein anderes, das vielleicht noch mehr gelehrten
Speck ansetzt! Die Deutschen müssen immer so einen Popanz
als Flügelmann haben, schon von Gottschedt's Zeiten her,
bis ein neuer Leithammel kommt, der den alten verdrängt."
— Freund Lenau hatte richtig prophezeit. Dem grob=
schrotigen Wesen Menzel's machte das noch weit gröbere
„junge Deutschland" ein rasches Ende. Der kritische Zucht=
meister aus Stuttgart hatte aber nicht übel Lust bekommen,
den Aufenthalt in dem nüchternen und etwas langweiligen
Schwabenland mit der genußreicheren Existenz in dem fetten
Phäakien zu vertauschen. Man behauptete auch damals, der

Mann habe in dieser Absicht insgeheim bei Metternich angeklopft. Der Fürst Staatskanzler, der sich um einheimische Schriftsteller nicht im Geringsten bekümmerte, hatte es in seiner Gewohnheit, zureisende deutsche Literaten von einigem Namen freundlich zu empfangen, auch ihren freisinnigen Aeußerungen ein geneigtes Ohr zu leihen, obwohl er ihnen dabei insgeheim an den Zahn zu fühlen verstand. War ihr Liberalismus echtfärbig, so erfolgte eine Schluß=Einladung zum Diner und damit war der Brutus abgefertigt. Dagegen hat es das österreichische System niemals verschmäht, „aus= gerauchte" Liberale von Zeit zu Zeit in seinen Dienst zu ziehen, wie man ja auch ehemalige Spitzbuben als Polizei= Spitzeln zu verwenden pflegte. So bekam der übel berüchtigte Groß=Hoffinger die Bewilligung, in Wien seinen schmäh= lichen „Adler" zu gründen. Die hofräthlichen Wiener=An= stellungen von Gentz und Adam Müller bis auf Jarke, Hurter, Bernard Meyer u. s. w. liefern übrigens den Beweis, daß auch bedeutendere Männer, freilich von mehr Talent als Charakter, nicht immer stark genug sind, den österreichischen Syrenen=Lockungen aus dem Universal=Kame= ral=Zahlamte zu widerstehen; daß man aber in der Folge sogar einen untergeordneten Börsenspeculanten zum Hofrath gemacht, das konnte nur unter dem Sistirungs= Ministerium geschehen — das System Franz=Metter= nich hielt zu sehr auf Anstand, um sich zu einer solchen Brutalität hinreißen zu lassen. —

Menzel erhielt keinen Antrag, in österreichische Staats= dienste zu treten. Vielleicht war die Gesinnung des künftigen „Franzosenfressers" damals noch nicht lauter und geläutert genug dafür! —

Lenau's Lebensweise war in keiner Hinsicht zu loben.
Er lag halbe Tage im Bette, rauchte die stärksten Cigarren
ohne Unterbrechung, trank schwarzen Kaffee dazu, was ihm,
da er auch niemals freiwillig Bewegung machte, nach und
nach die Eßlust gänzlich benahm.  Goethe's Ausspruch in
der „Pandora":

— „aller Fleiß, der männlich schätzenswertheste,
Ist morgendlich —"

hatte unserem Freunde wohl niemals vorgeschwebt, der es
nur liebte, bei nervenanspannender Nachtwache seine Phantasie walten zu lassen, in welcher die Zigeuner und ausge-
balgten Geier die Stelle der Rosen von A. Grün vertraten;
auch wurden die gewuchtig klingenden Verse nicht immer mit
Leichtigkeit auf dem poetischen Amboß geschmiedet. Nichts ist
gefährlicher als ein allzu glänzender Erfolg, und Achim v.
Arnim's Bemerkung: „Das eigene Werk und die eigene
Kunst gibt Ueberdruß; jenes, wenn es fertig und zu steigen-
der Erfindung verpflichtet, diese, wenn wir über sie sprechen sollen" — ließ sich vollkommen auf Lenau anwenden.
Er wollte sich mit jedem neuen Werke überbieten — das ließ
ihn nicht zu Ruhe und Rast kommen; er duldete keinen Einspruch gegen irgend eine seiner Schöpfungen, vertheidigte
seine poetischen Kinder, auch die minder gerathenen, wie die
Löwin ihr Junges, und so mußte ihn auch die Art und
Weise, in welcher sich Menzel und Gutzkow über seinen
„Faust" aussprachen, in gelinde Verzweiflung bringen. Daß
die Frauen den Sänger des „Weltschmerzes" besonders
begünstigten, ist wohl begreiflich; auch war es eine Frau,
deren Verehrung für ihn grenzenlos war, in deren geistiger
Hingabe wie in ihrem Wesen, ihrer ganzen Persönlichkeit er

seine höchste Befriedigung gefunden hatte. Die ganze Familie
dieser Dame war zugleich gewohnt, den Dichter als den
eigentlichen Mittelpunkt ihres geselligen und gemüthlichen
Seins zu betrachten und danach zu behandeln, ihm auch alle
äußere Behaglichkeit und Bequemlichkeit zu verschaffen, jede
seiner Launen nicht nur zu befriedigen, sondern sie zu er=
rathen und ihnen zuvorzukommen, was dem Gefeierten nicht
eben unangenehm war. Auch in Stuttgart, wohin er sich
häufig begab, erwartete ihn ein ähnliches, poetenbegeistertes
Haus, das er wie sein eigenes ansehen durfte. Bei solcher
Verzärtelung von Seite seiner Verehrer und Verehrerinnen,
die jedes rauhe Lüftchen von ihm abzuwehren sich bemühten,
möchte es kein Wunder nehmen, wenn er sich einer Art
Quietismus ergab und der Anbetung, die man ihm ange=
deihen ließ, kein unübersteigliches Hinderniß in den Weg
legte. Der Umgang mit den Freunden wurde demungeachtet
fortwährend unterhalten, nur ließ sich der contemplative und
etwas bequeme Poet äußerst selten dazu bewegen, an unseren
großen Fußtouren theilzunehmen, die wir leidenschaftlich be=
trieben. Ein einzigesmal konnten wir ihn zu einem derlei
Ausfluge bewegen, welcher glücklicherweise im Wagen be=
gann und woran auch A. Grün theilnahm. Wir fuhren
nach Mauerbach nnd wollten von da aus den Tulbinger
Kogel besteigen. Im Gasthause wurde ein Mittagsmal be=
stellt — dann flugs auf die Beine! Wir waren kaum ein
paar hundert Schritte gewandert, als mein guter Niembsch
innehielt. „Da ist ein prächtiger Baum" — sagte er —
„wie wär's, wenn wir im Schatten ein wenig ausruhten?"
— Es geschah nach seinem Willen, und der Freund hatte
nicht übel Lust, ein „zusammenhängendes Gespräch" ein=

zuleiten, allein meine Ungeduld trieb vorwärts. Die Andern
sprangen auf — nur Einer blieb liegen. „Bruder" —
flehte er mich wie wehmüthig an — „laß mich da — ich
erwarte euch!" — Alle Einwendungen waren vergebens;
er blieb liegen. Und als wir nach mehreren Stunden wieder=
kamen, lag er noch auf demselben Flecke, still vor sich hahin=
brütend. Es wohnte ein Stück der melancholischen Puszta=
Einsamkeit in dieser Poetenseele! —

Niembsch wurde zuweilen von Heiratsgedanken über=
schlichen, und er war vielleicht nahe daran, die geistreiche
Caroline Unger heim zu führen, was zu Beider Wohl
unterblieb. Ich glaube überhaupt nicht, daß der grübelnde
Dichter zur Ehe geeignet war, und wenn er an Heirat dachte,
so leitete ihn vielleicht eine Art Instinct, sich von den Fesseln
jenes metaphysischen Verhältnisses zu befreien, welches mehr
auf ihm lastete, als ihm wol selber deutlich war. Plötzlich,
im Hochsommer 1844, hieß es, er sei Bräutigam.

Ich erschrack über die Nachricht, noch mehr über den
Freund, als er nach Wien kam und eine gewisse kindliche
oder soll ich sagen kindische Bräutigamsseligkeit zur Schau
trug. Die Wogen des Liberalismus schlugen damals bereits
hoch auf in Oesterreich; wir dachten an nichts als an die
ständische Opposition, die sich mächtig zu rühren begann,
schmiedeten Artikel in die „Grenzboten", träumten von Preß=
freiheit, ich hatte überdies bereits einen „Deutschen Krieger"
in petto — und nun kommt uns Einer, der an alledem
keinen Antheil nimmt, uns dagegen sein künftiges häusliches
Glück ausmalt, die Zimmer=Einrichtung beschreibt bis auf
die Möbel und Fenstervorhänge, der von den Reizen und dem
poetischen Gemüthe seiner Braut schwärmt — kurz, eine

Geßner'sche Idylle mitten in der Epopöe, die sich uns bereits
aufzurollen schien! Wir ließen den Schwärmer laufen. Er
reiste ab — und bald kam die Kunde der tragischen Kata=
strophe in Stuttgart!

Das Jahr darauf, nach meiner Rückkehr von London
und Paris, kam ich über Stuttgart und besuchte den Schau=
spieler Moriz, der mich nach Winnenden begleitete. Der
Vorsteher der Anstalt, Doctor und Hofrath Zeller, empfing
mich mit der Bemerkung, es sei schade, daß ich nicht einen
Tag früher gekommen — gestern habe sich der Kranke vor=
trefflich befunden, heute sei er etwas unruhig. Er habe
übrigens von meinem Besuche gehört und freue sich darauf.
Wir wurden sonach in seine Zelle geführt. Wir treten ein.
Niembsch ruft mich an: „Ah, Bauernfeld!" und umarmt
mich. — Er ist stärker geworden, seine Haltung kräftiger,
die Gesichtsfarbe gesünder, das Auge feurig, aber wilder,
unheimlicher als sonst; der lange Bart, die weite flatternde
Blouse geben ihm das Ansehen, als wäre er in einer Art
Costüme — er ist schön wie Tasso. — Wir waren in Be=
gleitung des Arztes gekommen und fanden den Wärter bei dem
Kranken; dieser machte die Honneurs seines Zimmers und
rückte Stühle zurecht. Im Gespräch verwirrte er sich bald,
sprang von einem Gegenstande auf den andern, lachte auch
viel, was immer seine Gewohnheit war, unterbrach sich selber
mitten in einem Satze, auch lateinische Floskeln von natura
naturans und natura naturata und dergleichen wurden
ohne eigentlichen Zusammenhang dazwischen vorgebracht. —
Er führte mich ans Fenster. „Siehst du den schönen Thurm?"
sagte er. „Da drinnen hausen Geister" — setzte er geheim=
nißvoll hinzu. „Ja Geister — Gespenster — spectra!" —

Hierauf wieder ein lautes Lachen. Ich gab ihm eine Cigarre, er rauchte, schien etwas ruhiger geworden, und so gingen wir in den Garten. Ich wandelte eine zeitlang Arm in Arm mit ihm, sprach von unbedeutenden Dingen, suchte ihn bei der Stange zu halten. Da er sich des Neuner'schen Kaffeehauses, sowie unseres Gasthofes „zur Stadt Frankfurt" mit Vergnügen zu erinnern schien, so lenkte ich das Gespräch nach und nach auf Personen, die ihm werth waren, wie A. Grün und Dessauer; er äußerte einigen Antheil, der aber bald wieder verschwand und sich mit Unsinnsbildern untermischte. Er sang oder summte dazwischen, mit tiefer Baßstimme, immer lauter, unheimlicher; dann pflückte er Blumen, gab sie abwechselnd mir und Moriz. Dem Letzteren überreichte er auch ein Blatt und einen dürren Zweig mit den Worten: „Diese Bekanntschaft danke ich Ihnen." Er brach unreife Aepfel ab, wovon er mir einen schenkte; er biß auch in die saure Frucht, und als ich ihn abhalten wollte, meinte Hofrath Zeller, das schade ihm nicht, wirke sogar günstig bei seiner Constitution — er esse übrigens viel und mit Appetit.

Im Gespräche wurde auch jener Frau erwähnt, für welche Lenau eine so große Verehrung hegte. Er selbst nannte ihren Namen zuerst und sagte zu mir halb lachend: „Ich weiß, du hast was gegen sie — auch gegen mich — aber ein reines Verhältniß, Bruder, ein reines Verhältniß! Sie ist ausgezeichnet, sag' ich dir, ausgezeichnet! Und so gebildet, so gut — (laut lachend) und sie spricht vortrefflich Französisch."
— Darauf, zu Moriz gewendet, der ihm als Schauspieler vorgestellt worden: „Ich werde auf dem Stuttgarter Theater den Berrina spielen — die Stuttgarter werden sich wundern!"
— Hierauf wieder eine laute Lache. Auch einige ungarische

Erinnerungen mischten sich bei, sowie Ideen von Kampf und
Schlacht. Wir kamen zu einer Schaukel, der Doctor schau-
kelte ihn. Er sang — seine Miene bekam einen immer wilde-
ren Ausdruck, sein Singen wurde ein Brüllen — es war
beinahe schauerlich, trotz des sonoren und kräftigen Organs.
Der Doctor hieß ihn aus der Schaukel steigen, es thue ihm
nicht gut. Der Kranke gehorchte ohne Widerspruch. Kein
Zweifel, mein Besuch hatte ihn aufgeregt — ich flüsterte das
dem Hofrathe Zeller zu, welcher meine Meinung theilte. Wir
blieben hinter den Bäumen zurück; der Patient, der wieder
laut zu singen begonnen, wurde von dem Assistenten in seine
Zelle zurückgeführt.

Was ich selber gesehen und erfahren, so wie was mir
Aerzte und Wärter der Anstalt, die ich befragte, an Details
mitgetheilt, ließ mich wenig Hoffnung für unsern Kranken
schöpfen. Dr. Zeller war anderer Ansicht. Der Ausgang sei freilich immer ungewiß, meinte er, aber er hoffe den
Dichter zu heilen. In ruhiger Zeit äußere dieser die scharf-
sinnigsten Gedanken, spreche auch milde über Personen, nur
äußerst strenge über Literatur und mit höchster Präcision, wobei es an den erhabensten Ideen nicht fehle. Erst unlängst
habe er sich geäußert: „sein Zustand sei ihm zum Heile geworden, denn er habe nun einen persönlichen Gott gewonnen". Er bat auch seinen Arzt, „er möchte die Geduld
nicht verlieren, er werde gewiß genesen. Das Meer sei oft
unruhig, und wenn der tiefste, sonst stille Grund aufgewühlt
worden, dann halte es schwer, diesen wieder ins Gleichgewicht
zu bringen!"

Dr. Zeller meinte ferner: wenn der Kranke Blumen,
Blätter und dergleichen schenke, so müsse man das bei einer

so poetischen Natur nicht wie das Behaben eines gewöhnlichen Narren annehmen. Lenau denke sich das Schönste und Er= habenste dabei.

(Kommt das bei anderen Patienten seiner Art nicht vielleicht gleichfalls vor? Das Gleichgewicht der Seele in der Anschauung, im Denken und Empfinden ist nun einmal gestört — und worin besteht die Geisteskrankheit, als darin, daß man die Dinge sowie die Ideen anders ansieht, als sie sind, und in einem anderen Nexus, als dem der Vernunft und Logik, der für gesunde Menschen gilt?)

Wir äußerten gegen den Hofrath, daß sein Beruf, wenn auch theilweise lohnend, sich doch im Ganzen als ein höchst schwieriger, ja peinvoller herausstellen müsse. Der wackere Mann — seit zwölf Jahren leitete er die Anstalt — verhehlte uns nicht, daß es ihm, wenn er sich auf ein paar Tage aus der Mitte seiner Kranken entferne, immer Ueber= windung koste, sich wieder hineinzufinden. In meinem Tage= buch vom Jahre 1845 finde ich folgende Stelle über den Arzt und seinen Patienten: „Dr. Zeller ist ein edler und geist= reicher Mann; aus Allem geht aber hervor, daß er seinen Kranken zu günstig beurtheilt. Ich kann fast nur glauben, daß dieser Zustand in Blödsinn ausgehen werde." —

Daß mich die Stunde mit dem kranken Freunde mächtig ergriffen hatte, mag man sich wohl denken! Ich hielt aber an mich und suchte meiner Empfindungen Herr zu werden, da ich als eine Art Beobachter gekommen war und in Wien über meine Autopsie zu berichten hatte. Moriz dagegen, ein ge= müthlicher und weicher Mensch, war von der tragischen Zu= sammenkunft mit Lenau, den er nur aus seinen Werken kannte, so ergriffen, daß er immer stumm und unter hervor=

quellenden Thränen hinter uns herschlich, und noch auf dem Rückwege, in Waiblingen, wo wir zu Mittag aßen, den entsetzlichen Eindruck nicht loswerden konnte. Indem ich mir nun alle Mühe geben mußte, den bedenklich aufgeregten Freund zu beschwichtigen, hatte ich mich innerlich abermals selber zu bekämpfen, und erst in Stuttgart im einsamen Zimmer gelangte ich dazu, die eigentliche Trauer um den so gut wie Verlorenen nachzufühlen.

Nach meiner Rückkehr legte ich den Verwandten und Freunden des Kranken in Wien von meinem Besuche in Winnenden gewissenhafte Rechenschaft ab; aber erst viel später, nachdem sich Lenau's Zustand bedeutend verschlimmert hatte, im Mai 1847, ward er nach Oberdöbling zu seinem Freunde Dr. Görgen gebracht. Anfangs schien es sich mit ihm zu bessern; die gewohnte Umgebung von Freunden und Angehörigen that ihm wohl, er spielte bisweilen Violine, sprach ab und zu ein Wort, das wie verständig klang — obwohl es auch an wunderlichen Aussprüchen nicht fehlte. So betrachtete er eine Büste lange Zeit und fragte endlich: „Wer ist das?" — Das sei Plato, hieß es.

„Aha! Plato!" murmelte er — „der die dumme Liebe erfunden hat!"

Bald verschlimmerte sich sein Zustand, und meine Ahnung von 1845 sollte sich leider bewahrheiten. Das Thierische gewann immer mehr Oberhand über den Geist. Als ich den Freund mit A. Grün das letztemal besuchte, kannte er uns nicht mehr, sprach auch kaum in articulirten Lauten. Erst beim Fortgehen rief er uns nach — Auersperg behauptete, er habe meinen Namen genannt. Wir kehrten zurück, konnten aber nichts weiter aus ihm herausbringen.

Die Hülle des Dichters wurde am 22. August 1850 zur Erde gebracht. — Der Eine der Dioskuren, der sich das Motto gewählt:

„Der Mensch muß sterben, darum eilen,"

hat seit lange vollendet.

Trauern wir darüber! Aber freuen wir uns, daß sein Genosse, welcher die Freiheit nicht nur im Dichtermunde, son= dern auch in seinem Mannesherzen trägt und pflegt, noch immer kräftig und frisch=thätig unter uns wandelt wie da= mals, als ihm die Göttin ihren Strahl zum erstenmal „durch's Herz gegossen"!

# VIII.

(Ein Bauerntheater in Tirol. — Vom Burgtheater und vom
Theater überhaupt.)

> Der Grund aller theatralischen Kunst,
> wie einer jeden andern ist das Wahre, das
> Naturgemäße.                    Goethe.

———

> Wir haben Schauspieler,   aber keine
> Schauspielkunst.
>       Hamburgische Dramaturgie.

———

Der Antheil, welcher in neuester Zeit den Ammer-
gauer Passionsspielen zugewendet wird, mag als ein erfreu-
liches Zeichen gelten, daß es noch ein Theaterpublicum gibt,
welches, mit der „schönen Helena" und der „Großherzogin
von Gerolstein" nicht völlig zufrieden gestellt, sich auch da
der Bühne nicht verschließt, wo ihm Besseres und Würdigeres,
ja gewissermaßen Ideelles geboten wird.   Die Pracht und
der Glanz, womit jene Bauernspiele auftreten, die blendenden
Costüme und die Massenchöre mögen wohl dazu beitragen,
die Menge anzuziehen; auch ist die Sache beiläufig „Mode"
geworden.   Die Wirkung der sorgfältig einstudirten Vorstellungen ist demungeachtet keine blos äußerliche; ein Theil

der Zuseher, und nicht der geringere, fühlt sich wahrhaft erbaut durch die dramatische Leidensgeschichte, deren Genuß er
sich überdies durch Opfer von Geld und Bequemlichkeit er-
kaufen mußte. Man erfährt nun, daß diese naturwüchsigen
dramatischen Festvorstellungen, die bisher nur nach Dezennien
zählten, in Zukunft alljährlich wiederkehren sollen. Es
wäre schade, wenn ihnen dadurch das Feierliche benommen,
wenn der poetische Schmelz abgestreift würde, so daß sie zuletzt zu Alltagskomödien herabsänken, in Verbindung mit
einer Geldspeculation. Auch ist zu besorgen, daß sich Unbe-
rufene hinzu drängen, um Aehnliches zu eigenem Vortheil zu
versuchen. War doch bereits im Sommer 1871 in Döbling
bei Wien ein Passionsspiel — „ohne Worte" — angekündigt.
Die religiöse Pantomime wirkte nicht besonders erbaulich.
Für die künftige Weltausstellung war sogar projectirt worden, die Original-Ammergauer Künstler nach dem frivolen
Wien zu citiren. Ich will hoffen, daß die Sache nicht zu
Stande kommt. Alles hat seinen Ort und seine Zeit. Das
Naive, Seltene und halb Versteckte, im Halbdunkel gut auf-
gehoben, soll man nicht an das überhelle Licht der brennenden
Alltagssonne ziehen.

Diese Ammergauer-Frage hat übrigens eine Jugenderinnerung in mir wachgerufen, deren Mittheilung sich vielleicht rechtfertigen läßt, da sie mit der Theaterfrage überhaupt in einiger Verbindung steht.

Im Hochsommer des Jahres 1826 ward mir nämlich
auf einer Gebirgsreise die günstige Gelegenheit zu Theil, in
Tyrol einer der berühmten alten Bauernkomödien beiwohnen
zu können. In der Nähe von Lienz, bei Thurn, dem alten
Schlosse Wallenstein gegenüber, war im Freien eine Art höl-

zernes Amphitheater aufgerichtet.    Die Bühne, mit Reisig,
Bändern und Fahnen ausgeschmückt, hatte drei Vorhänge
neben einander, außerdem ein Thürmchen mit vergittertem
Fenster, ein Gefängniß vorstellend,  denn es handelte sich um
nichts Geringeres als die „heilige Genovefa" zur dramatischen
Anschauung  zu bringen.   Eine ungeheuere Menschenmasse
war bereits im Thale zusammengeströmt und drängte nach
den stufenweis erhöhten Sitzen, während ein „Ordner" mit
Federhut und einem uralten Degen, der tosenden Menge die
Plätze anwies, die nicht Zahlenden zu verjagen bemüht war.
Diese kletterten inzwischen auf nahestehende hohe Bäume, oder
flüchteten auf benachbarte Scheunen- und Häuserdächer, um
vielleicht doch etwas von der Herrlichkeit gratis zu erhaschen
— allein der Ordnungsmann war unermüdlich und zankte
sich noch während der Vorstellung mit den Leuten auf den
Dächern herum. — Der Anblick des Amphitheaters war
hinreißend, bezaubernd! Die Tausende von Menschen, die sich
übereinander aufthürmten, anfangs munter schwatzend, später,
als die Herrlichkeit anging, athemlos verstummend, — die
frischen, fröhlichen Gesichter, die prächtigen Bursche, die
Mädchen, die Kinder, Alle im Sonntagsputz, die weißhaarigen,
noch tüchtigen Greise, die stattlichen Matronen, die Familien-
auch Liebesgruppen, die sich gegenseitig kannten, einander
begrüßten, zuwinkten, auch zuriefen, sich beim Namen nannten
— das Alles gab das traulich-liebenswürdigste Bild echt
menschlichen Seins und Zusammenseins.

Für's Erste hielten die Schauspieler ihren Einzug im
Costüme, den „Bajazzo" mit der langen Tabackspfeife an
der Spitze.   Die Musik war an die Eine Seite der Bühne
gestellt.   Nun hebt sich der mittlere Vorhang: ein gehar-

nischter Prologus tritt auf, mahnt in gereimten Versen zur
Aufmerksamkeit auf die höchst interessante und lehrreiche Ge=
schichte, bittet zugleich um Nachsicht. Die Courtine fällt
wieder, der Vorhang zur rechten Seite des Schauspielers
geht in die Höhe: wir sind in Brabant. Die schöne Geno=
vefa (sie ist wirklich schön, dabei prächtig gekleidet) sitzt
züchtig mit ihrer Mutter; der Vater kommt mit Graf Sieg=
fried, der um das Fräulein geworben; sie halten Hochzeit,
der Bischof segnet sie ein — inzwischen hebt sich wieder der
mittlere Vorhang und so ziehen sie gleich über die Bühne in
Siegfried's Burg. — Nach kurzer Häuslichkeit ein Trom=
petenstoß — die Vasallen erscheinen, Siegfried muß in den
Krieg. — Er übergiebt seine Gemahlin dem bösen Golo zu
Schirm und Aufsicht, Genovefa schenkt dem geliebten Ge=
mahl ein „Vergißmeinnicht" zum Angedenken. Mit Sieg=
fried's Abzug endet der erste Act. — Golo hat seine Sache
am besten gemacht; er ist ein halber Schulmeister und leitet
das Ganze. Da Genovefa nicht lesen kann, so war er ge=
nöthigt, ihr die Rolle durch wiederholtes Vorlesen einzulernen;
aber keiner von den Schauspielern blieb stecken, der Souffleur
war nur zur Verbindung des Ganzen da. Ein Zöfchen be=
sonders hübsch! — Die Fabel geht nun ihren Gang; Golo
bringt in Genovefa, was er besonders gut und natürlich
macht; da sie ihm widersteht, wirft er sie in den Kerker —
der Vorhang fällt — es scheint, daß die Wehen beginnen. —
Die Mörder lassen die Gräfin im Walde am Leben — der
Säugling, den sie in den Armen hält, ist gar zu wunderschön!
— Inzwischen ist der Graf heimgekehrt, Golo sitzt mit ihm
an der Tafel, verleumdet seine tugendhafte Herrin, wird aber
von der hübschen Zofe verrathen und zum großen Jubel des

Publicums jetzt selber in den Kerker geworfen. — Genovefa,
sehr im Negligé, aber nicht zu ihrem Nachtheil, blos in einem
ziemlich langen Hembe, in wirklich bloßen Füßen, mit auf=
gelösten Haaren, erscheint nun im Walde, von der Hirschkuh
begleitet, die sich zum Glück gehörig passiv verhält.  Der
Mutter zur Seite ist auch das Kind inzwischen bereits so
weit ausgewachsen, daß es gleichfalls in Versen spricht, dabei
splitternackt, nur mit einer wirklichen Schafhaut zur Noth
bedeckt. — Der Graf ist in seiner Betrübniß auf die Jagd
gegangen und stößt nun auf die todtgeglaubte, tugendhaft ge=
bliebene Genovefa.  Rührende Erkennungsscene — lautes
Schluchzen und Schnäuzen im ganzen Amphitheater. — Die
wiedervereinigten Gatten ziehen nun zu den Eltern nach
Brabant — alle drei Vorhänge heben sich, und sämmtliche
Personen sitzen oder stehen in passenden Gruppen, der „Ba=
jazzo" ladet zur nächsten Vorstellung ein und das Kind spricht
die Schlußverse zu allgemeinster Erbauung.

Das Stück gefiel mir außerordentlich!  Es war über
hundert Jahre alt und in Knittelversen geschrieben, in natür=
lich=naivem Stil.  So sagt einer der Vasallen tröstend zu
Genovefa:

„Liebe Madam, thut nit so weinen,
Wenn's regnet, wird auch die Sonn' wieder scheinen."

Es war vortrefflich gespielt worden.  Von diesem und
jenem Schauspieler konnte man kaum glauben,  daß es ein
Bauer sei, und ich habe von manchem berühmten „Mimen"
die Verse nicht so natürlich, selbst mit so richtig=rhythmischem
Gefühl vortragen hören  wie  hier von Leuten, die sonst den
Acker pflügten, kein Spielhonorar bezogen, keinen Rollenneid
kannten,  keine Recensionen lasen und über keinen artistischen

Director loszuziehen hatten. — Golo, dessen Bekanntschaft ich nach der Vorstellung gemacht, hatte als Regisseur fungirt, auch das Stück eingerichtet, einiges hie und da abgeändert, die Schlußverse hinzugedichtet. Auch hier hatte man sich über die Censur zu beklagen. Es war mir aufgefallen, daß der Bajazzo, der immer in den Zwischenacten erschien, nichts als ein paar unbedeutende Worte sagte oder sich wohl gar damit begnügte, die Zunge der Länge nach herauszu= strecken, freilich zu großem Entzücken des kindlichen Publi= cums! Der verständige Golo klärte mich darüber auf. Das Kreisamt hatte die witzigen, aber etwas derben Zwischenreden des Hanswursten als dem Ernste und dem Pathos des heiligen Gegenstandes abträglich und unwürdig befunden, und sie kurzweg mit dem Rothstift vertilgt. Aber auch eine Haupt= person der Tragi=Komödie mußte völlig wegbleiben, zu großem Bedauern des Regisseurs. Der ursprüngliche bäuerliche Dichter hatte nämlich, nach der Auffassung seiner Zeit, zugleich nicht ohne künstlerische Absicht, das Böse in der Natur des Golo vor den Angen des Zuschauers hervortreten und reifen lassen, indem er ihm den veritabeln „Gott=sei=bei=uns" als Ver= führer beigesellte, der ihm die Reize der schönen Gräfin her= vorhob, ihn Schritt für Schritt zum Verbrechen führte. Nun hatte aber die Censur den Teufel gestrichen, wodurch nach der nicht ungerechtfertigten Ansicht meines ländlichen Ari= starchen eine unausfüllbare Lücke in das Ganze kam. Das Stück machte demungeachtet seine ungeheure Wirkung und zwar gerade durch die Verbindung des ästhetischen mit dem religiösen Elemente; man konnte sich bei dieser Vorstellung, die mit ebenso viel Interesse als Andacht aufgenommen wurde, in die Zeit der alten Mysterien oder Moralitäten zurück ver=

setzt glauben. Das Theater hatte hier seine eigentliche Bestimmung erfüllt: es bot seine Räume zu einer wahrhaft festlichen Vorstellung, die das Gemüth erhob, nicht blos zur
Unterhaltung oder Zerstreuung diente — und so war mir
von diesem Tage, von dem Drama selbst wie von den Dar-
stellern, dem Publicum und dem Schauplatz ein mächtiger
Eindruck zurückgeblieben, den kein Hoftheater mit seinen bla-
sirten Logen, seinem schwatzenden Parterre und der stumpfen
Gallerie bei aller Kunstfertigkeit der Schauspieler jemals zu
verwischen, geschweige zu überbieten im Stande war.

Das hinderte nun freilich den warmen Antheil nicht,
den ich mit meinen Freunden und Genossen an dem Burgtheater nahm; ja das dramatische Tyroler-Volksfest gab
meinem Enthusiasmus für die Kunst nur noch neue Nahrung,
wobei sich jedoch gewisse ideelle Wünsche nicht völlig abweisen
ließen. Was konnte mit den theatralischen Kräften, die unser
Wien damals in sich schloß, nicht alles Schönes und Herr-
liches ausgerichtet werden, mußte man sich sagen, wenn die
Bühne wirklich und wahrhaftig als ein künstlerisches
Volks-Institut aufgefaßt würde, während in der reellen
Wirklichkeit Polizei und Censur nur eifrig bemüht waren,
die goldenen Worte der großen Dichter zu schwächen und
abzudämpfen, wenn man ihnen nicht gar das Wort gänzlich
versagte. Kurz, das Theater, gleich den Kunstreiter- und
Seiltänzergesellschaften, sollte zu nichts weiter dienen als zu
einer mäßigen und gefahrlosen Unterhaltung für das große
Publicum, welches auch mit dieser polizeilichen Anschauung
ziemlich einverstanden schien. Das Jahr 1848 hat nun zwar
mit seinen politischen Blitzen auch die dumpfe Theateratmo-
sphäre des Burgtheaters was weniges gereinigt — allein was

hilft's? Es fehlt der Nachwuchs, der neue Trieb von Dichtern und Schauspielern. Beinahe alle unsere dramatischen Größen sind gestorben oder im Absterben! —

In den Zwanziger Jahren, etwa bis zum Jahre 1840, prangte das Burgtheater in seinem vollsten Glanze. Ich brauche nur Namen aus der frühesten Periode zu nennen wie Rose, Koberwein, Koch, Korn, Krüger, Coste=noble, Anschütz, Wilhelmi. Auch Heurteur und die Komiker Baumann und Wothe dürfen nicht vergessen werden. Unter den Damen glänzte als erster Stern die große Sophie Schröder, ihr stand zunächst die höchst bedeutende Sophie Müller, die wir leider frühzeitig verloren. An=tonie Adamberger und Julie Löwe excellirten im feinen und höheren Lustspiel, Wilhelmine Korn (die erste „Me=litta") später Auguste Anschütz, geb. Butenop, im naiven Fach. Meister Fichtner kam bereits im Jahre 1824 als Anfänger hinzu, fand seine künftige Gattin Betti Kober=wein als aufkeimendes Talent. Sie wuchsen rasch mit ein=ander und an einander empor. — Dem schönen Kreise traten in der Folge noch bei: Löwe, La Roche, Herzfeld, The=rese Peche, Caroline Müller, Julie Rettich, Ma=thilde Wildauer. Mit Louise Neumann, 1839, schließt sich die eigentliche Glanzperiode ab und einzelne Größen traten seitdem nur mehr sporadisch auf, wie Dawison, Marie Seebach, Friederike Goßmann, leider keine Firsterne, sondern nur Kometen, in ihren Gastrollen=Ellipsen und Hyperbeln im Theater = Weltenraum ruhelos umher=schweifend. — Doch fehlte es auch nach ihnen und bis zum heutigen Tage nicht an bedeutendem Zuwachs, welcher die Tradition von dem besten Zusammenspiel auf der ersten

Dramaturgen. In der Auswahl der Stücke, in der
menstellung des Repertoirs, in der richtigen Verwen
darstellenden Kräfte wird der tüchtige Mann sich
Josef Schreyvogel war das. Als Dramaturg (
Titel „Hofsecretair") waltete er seines Amtes voi
1814 bis 1832 mit allem Feuereifer für die Kunst.
ein ernster Mann von gediegenem Charakter, von
Urtheil und Geschmack, in Geschäftssachen die Red
selber, verläßlich, unparteiisch, jeder Intrigue fern
Hauptaugenmerk blieb natürlich das Repertoir, w
mit Umsicht zusammenstellte, nicht ohne schwere Kän
der Censur, auch mit dem obersten Kämmerer. Wei
bisweilen zu schroff auftrat, suchte der gutmüthige ur
wollende Theaterhofrath v. Mosel nach Kräften
mitteln, zu versöhnen.

Das Burgtheater brachte damals die Wei
Lessing, Goethe, Schiller, mehreres von Klei
von Shakespeare, so viel sich durchsetzen ließ. A
classische Theater der Franzosen war noch ziemlich fl

gehörten unter die Stützen des Repertoirs. Den Rest bil=
deten ältere, längst bewährte Stücke, endlich die Neuigkeiten
von Müllner, Houwald und Raupach, von Clauren,
Töpfer, Holbein und Anderen. Auch die Einheimischen
trugen ihr Scherflein bei: Deinhardstein und Frau von
Weißenthurn, die Veteranin des Burgtheaters, seit 1789
bis gegen Ende der zwanziger Jahre seinem Verbande ange=
hörig. Das moderne französische Theater war hauptsächlich
durch Picard und Scribe vertreten.

Im Jahre 1816 ward die Poesie in Wien leibhaftig
in's Leben gerufen. Grillparzer brachte seine „Ahn=
frau", bei welcher Schreyvogel zu Gevatter stand. Es
scheint, daß die Darstellung dieser „Gespenster"= oder „Schick=
sals=Tragödie" im Burgtheater anfangs auf Hindernisse
stieß, darum veranlaßte der Dramaturg ihre Aufführung im
Theater an der Wien mit Heurteur und Sophie Schröder.
Im August 1824 ward das Stück auch dem Burgtheater=
Repertoir einverleibt, aber erst mit der „Sappho" wurde
Grillparzer eigentlich hoftheatergerecht.

Schreyvogel war auch Schriftsteller. Seine Bear=
beitung der „Donna Diana" hört und liest sich wie ein
Originalwerk und kann noch immer als das Muster eines
poetischen Lustspiels gelten. Eben so waren „Das Leben
ein Traum" (im Theater an der Wien) und „Don
Gutierre" vollkommen geeignet, das deutsche Repertoir zu
bereichern; der Dramaturg vergaß aber seine eigenen Schö=
pfungen, als der fruchtbare und bald die deutsche Bühne
beherrschende Raupach erschienen war, für welchen er eine
besondere Vorliebe hegte. Er brachte nach Möglichkeit alle
seine neuen Stücke, bisweilen drei bis vier in einem Jahre.

Freilich daß nicht alle zündeten, aber viele hielten an, wie
„Isidor und Olga", „Corona von Saluzzo", „Die
Schleichhändler", „Der Nibelungenhort", „König
Enzio", vor Allem „Vormund und Mündel", eine
Mustervorstellung durch Korn, Costenoble und Sophie
Müller. „Der Müller und sein Kind" nicht zu ver=
gessen, der sich noch jetzt an jedem Allerseelentag auf vier
oder fünf Wiener Theatern zu Tode hustet, dabei „gar nicht
umzubringen" ist!

Raupach hat jedenfalls seine großen Verdienste um
die deutsche Bühne, und das „Junge Deutschland", welches
ihn mit kritisch=theoretischer Keule erschlug, hat ihn in thea=
tralischer Praxis nichts weniger als übertroffen.

Unter Schreyvogel brachte auch ich meine Erst=
linge: „Leichtsinn aus Liebe" und „Liebespro=
tokoll."

Man sieht, das Burgtheater brachte damals, was mit
Ehren zu bringen war. Man hielt auf Anstand, das Ge=
meine war ausgeschlossen. Auch die einactigen Ephemeren
und die eigentliche Posse. Mit dem an und für sich vortreff=
lichen „Versprechen hinterm Herd" hatte der Tempel
in der Folge seine Keuschheit eingebüßt.

In den Rollenbesetzungen erwies sich der Dra=
maturg eben so einsichtig als gewissenhaft und parteilos. Er
kannte keine Vorliebe, das Talent gab bei ihm den Ausschlag.
Die Proben neuer Stücke leitete er selbst, wobei es ihm vor
Allem zu thun war, ein harmonisches Zusammengreifen im
Sinn und Styl des Autors zu erzielen, ohne sich in kleinliche
Details einzulassen, auf's Höchste, daß er hie und da eine
Nuance anrieth. Bei bedeutenderen Stücken wurde über

Charakter und Darstellungsweise der Hauptrollen mit den
Künstlern Rücksprache gepflogen, die etwa nöthigen historischen,
auch ästhetischen Anmerkungen nicht gespart.' Bei fertigen
Schauspielern überläßt man das Individualisiren am besten
ihrer eigenen Beurtheilung und Ausführung; zu vieles Drein=
reden, Nergeln oder gar ein gewisser Schulmeisterton würde
die Leute, die sich als Künstler fühlen, mit Recht verstimmen.
Dagegen müssen eigentliche Anfänger gehörig geschult werden,
in Sprache, Mimik, Gang, Haltung, in Allem; auch darf
man den Lehrling nicht gleich in ein neues und schwieriges
Fach werfen, dem er nicht gewachsen ist, man läßt ihn seine
Kräfte für's Erste an kleineren Rollen versuchen und üben.
Auf diese Weise verfuhr Schreyvogel mit dem jungen
Fichtner, den er im Jahre 1824 vom Theater an der
Wien übernommen hatte. Er verkehrte viel mit ihm, ließ
ihn das Theater täglich besuchen, machte ihn auf die Spiel=
weise Anderer, zumeist des feinen und eleganten Korn auf=
merksam, in dessen Fußstapfen der Neuling treten sollte —
doch brauchte es geraume Zeit, bevor er ihn mit einer größern
Aufgabe betraute. Fichtner wuchs schnell empor, von Rolle
zu Rolle, aber bereits ein vollendeter Meister, hatte er nie=
mals ein Hehl daraus gemacht, was er theoretisch dem Dra=
maturgen, praktisch dem ältern Collegen zu danken habe.

Auf den höchst bedeutenden Ludwig Löwe längst
aufmerksam geworden, der sich auf der Prager Bühne meist
im Lustspielfach bewegte, lud ihn Schreyvogel auf Gast=
rollen, gewann ihn im Jahre 1820 für immer. Die Begei=
sterungsglut, die in dem großen Talente bisher noch nicht
völlig zum Durchbruch gekommen war, eignete den Künstler
vorzugsweise für feurige Liebhaber und jugendliche Helden,

die dem Burgtheater fehlten.    Der Dramaturg hatte Lud=
wig Löwe's höhere Weihe längst erkannt und ihn so auf dem
richtigen Wege seinem großen Ziele zugeführt.    Bald war
nun ein Rivalisiren zwischen dem feurig brausenden Löwe
und dem älteren eleganten und immer maßvollen Korn.
Das Publicum theilte sich anfangs in zwei Lager, auch das
weibliche, bis man zur Einsicht gelangte, daß zwei Vortreff=
lichkeiten sehr wohl neben einander bestehen können.

Schreyvogel brachte uns auch Sophie Schröder
bereits im Jahre 1815. Seine ferneren Engagements waren:
Wothe, Kettel, Costenoble, Heinrich und Auguste
Anschütz, Heurteur, Wilhelmi, Rüger, Sophie
Müller, Therese Peche, Caroline Müller, Herz=
feld. Diese Künstler wurden dem Burgtheater nach und
nach gewonnen vom Jahre 1816 bis 1829. Sie boten mit
den bereits vorhandenen Talenten ein Zusammenspiel, beson=
ders im Lustspiel, dergleichen man schwerlich je wieder sehen
wird.    Die „Wiener Schule“ war damals berühmt. Wenn
der strenge Hamburger Dramaturg seiner Zeit über die moderne Schauspielkunst vielleicht gerechte Zweifel hegte, so war
doch späterhin durch Goethe in Weimar eine eigentliche
Kunstwirkung erzielt worden. Dasselbe mag für Wien gelten,
wo alle Schauspielerkräfte eifrig zusammen strebten, um im
schönen Einklang ein harmonisches Ganzes zur Erscheinung
zu bringen.

Auch durch interessante Gäste wurde das Burgtheater
von Zeit zu Zeit aufgefrischt. Bereits im Frühjahr 1824
bekamen wir jungen Leute Gelegenheit, den berühmten
Eßlair im Theater an der Wien in seinen Hauptrollen zu
bewundern; allein erst bei seinen späteren Gastdarstellungen

im Burgtheater ward es Einem völlig klar, daß man im
Grunde nur einen großartigen Manieristen vor sich habe.
Von der Natur mit einer prächtigen Gestalt und einem
kräftigen, klingenden (obgleich etwas monotonen) Organ
ausgestattet, mußte sich der Mann dieser Vorzüge gewandt
und kunstreich zu bedienen, ohne damit in das eigentliche
Reich des ideellen Künstlerthums einzudringen. Ein gewisser
schlichter und natürlicher Ton, welchen er auch im höheren
Schauspiele, wie im „Wilhelm Tell", jezuweilen mit
großer Wirkung anschlug, mochte wohl für den Schweizer
Bauer taugen, und der Effect ließ auch in der Eingangs=
und Apfelschuß=Scene nicht auf sich warten; dagegen war der
berühmte große Monolog dürr, trocken, farblos, ohne eigent=
liche poetische Würde. Im Ganzen mußte man sich sagen:
dem Dichter hat es nun einmal beliebt, seinen etwas passiven
Bauernhelden wie das ganze Bauernstück durch Form und
Behandlung in eine gewisse höhere Sphäre zu rücken; es sind
Landmänner im großen Styl, keine gewöhnlichen deutschen
oder niederländischen Bauern — der Schauspieler muß
daher bemüht sein, dieser dichterischen Intention zu folgen,
anstatt sie durch gar zu naturalistisches Bestreben weniger zu
erläutern als zu zerstören, sie in den Bereich der völligen
Prosa zu ziehen und so gewissermaßen in Widerspruch mit
sich selber zu bringen. — Eßlair's Macbeth hatte einige
wahrhaft große und erschütternde Momente — aber auch
nur Momente! Der alte und gebrechliche König Lear war
entschieden Eßlair's schwächste Leistung im Tragödienfach.
Wie anders Held Anschütz, in der That jeder Zoll ein
König! Eßlair spielte freilich die Rolle nach der prosaischen
Schröder'schen Bearbeitung, in welcher der Hauptnach=

druck auf die kindische Greisenschwäche gelegt wird, welche
übrigens der Künstler, mehr als gerade nöthig war, zur
Erscheinung brachte, und in einer Weise, daß die Monotonie
gar nicht ausbleiben konnte. In bürgerlichen Rollen,
wie der alte Dallner in der „Dienstpflicht", Ober-
förster in den „Jägern", als Essighändler u. s. w.
war Eßlair ausgezeichnet — sein Meinau stellte sich
mehr als eine theatralische Curiosität heraus.

Der Heros deutscher, oder besser: reinmenschlicher
Schauspielkunst überhaupt, der große und unvergleichliche
Ludwig Devrient, gab im Winter 1829/30 einen Gast-
rollen-Cyklus im Burgtheater.

In ihm vereinigte sich die Kunst mit der schönsten
Natürlichkeit. Er brachte zwar keine naturalistische Photo-
graphie, wenn er einen Menschen schuf (wie etwa später der
afrikanische Ira Aldridge im „Othello"), sondern er
zeichnete kunstvoll nach der Natur und gab ein Bild, in
Wahrheit, aber auch in Poesie getaucht. Eine der Hauptkünste
des Schauspielers, eigentlich seine Capitalkunst, besteht
darin, seine Persönlichkeit insoweit aufzugeben, daß sie in
der darzustellenden Individualität möglichst verschwinde.
Niemand kann freilich aus seiner Haut heraus, aus seiner
Gestalt, oder selbst aus seinem Organ — ebensowenig wie
der Schriftsteller, auch der dramatische, aus seinem Styl,
aus seinem Wesen überhaupt. Schiller bleibt immer
Schiller, der Idealist, selbst wenn er den derb-realen
Musikus Miller sprechen läßt. Das gilt umsomehr für den
Schauspieler, der ja mit seiner Persönlichkeit einsteht, in
jeder seiner Rollen immer er selbst bleibt, seine Person nur
ummodelt, sich insoweit verstellt, um die darzustellende Figur,

dem Charakter gemäß, den ihr der Dichter verleihen wollte,
in's Leben zu rufen. Nur der feinste Tact, der gebildetste
Geschmack wird die Grenzlinie festzuhalten wissen, über
welchen hinaus die Darstellung des Wirklichen, welche man
von dem Schauspieler fordert, vielleicht in Caricatur über=
gehen würde — der zaghafte Künstler aber, welcher jener
Grenze sich niemals zu nähern wagt, liefert eine matte,
lebenlose Gestalt. Vor beiden Extremen war Ludwig
Devrient schon von Haus aus durch sein Genie beschützt.
Er spielte jederzeit individuell, niemals schematisch oder nach
der Schablone in hergebrachter Theaterweise; er wußte
schönes Maß zu halten, trat aber auch scharf und charak=
teristisch auf, ohne je zu übertreiben. Die Kunst, eine Maske
zu wählen und der angenommenen Gestalt in Haltung und
Ton gleich zu bleiben, war bei ihm im höchsten Grade aus=
gebildet. Bisweilen wurde die Täuschung so groß, daß man
wirklich einen anderen Menschen vor sich zu haben glaubte
als den, der uns vor Kurzem verließ. So, wenn er an einem
und demselben Abende den armen Poeten und Schneider
Fips zum Besten gab.

Die beiden Juden, der bürgerliche Shewa wie der
tragische Shylock, schlugen gehörig ein. Bei Shylock
wurden, mit discretem Anklang an den jüdischen Jargon,
gewisse Gutturallaute hörbar, wie eines jüdischen Tigers,
die mir noch im Ohre klingen.

Als Ossip griff der große Menschendarsteller nicht
durch. Man war die Rolle von Anschütz gewohnt, der die
Töne der weichen Rührung in seiner Gewalt hatte, wie kein
Zweiter vor ihm oder nach ihm. Dazu kam das mächtige
Organ, die imposante Gestalt, selbst das malerische, etwas

kokette Costüm. — Devrient brachte einen hageren Russen
mit schwarzem Haar und Bart, ging im dunklen langen
Kittel. Er declamirte gar nicht, sprach leise mit heiserer
Stimme, beugte sich in Sklaven= und Slavendemuth vor
seinem Herrn. Wenn Anschütz von seiner Drinia sprach und
ihr wie sein jammervolles Schicksal beklagte, so blieb kein
Auge trocken und er war immer des lebhaften Beifalls ge=
wiß. Devrient hingegen hob die Stelle wenig heraus,
kaum daß sich ein paar halbunterdrückte Seufzer vernehmen
ließen. So ging der erste Act spurlos vorüber, ohne Sang
und Klang. Man konnte irre an dem großen Künstler
werden.

Das Stück geht nun seinen weiteren Verlauf. Der
demüthige Sklave bemächtigt sich mälig der Leidenschaft des
Prinzen und wird so der Herr seines Herrn, drängt ihn zur
Gewaltthat, rächt sich auf diese Weise für alles Unheil, das
man ihm und den Seinen angethan. Devrient gab ein
vollendetes Seelengemälde — die jammervolle Geschichte der
Leibeigenschaft entwickelte sich vor unseren Augen an der
Person des Sclaven, an der Stumpfheit, Rohheit, Bosheit,
Rachsucht, wie an der zertretenen Liebe; er erinnert sich der
längst erstorbenen besseren Empfindung, allein sie bricht nur
selten, ein einzelner Sonnenstrahl durch die dunklen Wolken
seines verwilderten Gemüthes, und Haß, Zorn und Rache
behalten die Oberhand. Devrient machte durch seine wahr=
heitsgetreue Darstellung wenig Effect bei dem großen
Publicum, kaum daß ein paar Hände sich rührten. Aber
warum hatte er auch einen Sclavenkittel angezogen und eine
„Declamations=Rolle“ gespielt, der er nicht gewachsen war,
wie die Leute meinten! —

Der Mann spielte auch Nebenrollen. Er besaß eine eigene Gabe, oft mit einem an sich unbedeutenden Worte zu zünden, natürlich wo es paßte und ohne sich vorzudrängen. So als Apotheker in „Hermann und Dorothea", in der Scene, wo vom Heirathen die Rede ist. Wenn der alte Junggeselle mit einer ganz besonderen Betonung und mit listig=lüsternem Augenzwinkern sagte: „Will's nicht ver= schwören!" so schlug das Wort elektrisch durchs ganze Haus.

Als Rechenmeister Grübler (in „Jurist und Bauer" von Rautenstrauch) fiel ihm die Aufgabe zu, einen stillen, aber mächtigen Rausch zu verbergen, den sich der Pedant zu seinem eigenen Schrecken angetrunken hatte. Wie er nun das Uebel vor seiner Umgebung zu verbergen, womöglich bei sich selber zu bekämpfen suchte, mit Worten und Geberden in Widerspruch gerieth, zuletzt ängstlich nach der Klinke tappend, mit dem Rücken voran glücklich zur Thüre hinauskam, ist mir heute noch ein Räthsel, obwohl ich ihn mit eigenen Augen hinausschlüpfen sah. So huscht ein seligtrunkener Schullehrergeist!

Unter die Rollen, in denen Devrient wenig Aufsehen machte, gehörte auch der Schwätzer und Prahler Paroles in Shakspeare's „Ende gut, Alles gut". Das Stück selbst (natürlich der Zensur wegen ungeheuer verballhornt) sagte dem Wiener Publicum wenig zu, und den Schauspieler ließ sein Gedächtniß über Gebühr im Stich — doch prahlte er prächtig und mächtig und ganz im Geiste des Dichters. Eine kleine Costüm=Nuance, welche Devrient angewendet, mag für einen künftigen Darsteller des Paroles erwähnt werden. Der Prahlhans erscheint im ersten Acte, wo er sich Gönner zu erschmeicheln wußte, in prächtigen seidenen

Kleidern, nimmt auch in solcher Gestalt an dem Kriegszuge
Theil, wo er sich feige benimmt und alle Schmach erfährt.
Nach seiner Rückkehr und völlig. heruntergekommen und auf
dem Trockenen, erscheint er nun in demselben Prunk=
gewande, nur daß es völlig beschmutzt ist und in Fetzen an
ihm hängt, was ihn aber nicht hindert, so keck und stutzerhaft
aufzutreten wie vorher, wie immer. — Als Posert im
„Spieler" feierte der Künstler einen großen Triumph.
Man kann diesen siechen, einäugigen und verlumpten, durch
die Nachtwachen am grünen Tische völlig erschöpften aben=
teuernden Gauner mit dem schleppenden Gange und der
heiser=krächzenden Stimme, diesen ausgehöhlten Croupier
ohne alles Herz und Gefühl nicht naturgetreuer und ab=
schreckender hinstellen. Man lebte mit dem liederlichen Tuch,
glaubte den Menschen von Spaa oder Wiesbaden her
persönlich und von Grund aus zu kennen. Im letzten Acte
überraschte der Künstler dennoch! Er wird zum General
berufen, um Bank zu halten, erscheint in einer verschossenen
Uniform, in engen, lichten Beinkleidern, der verkrüppelten
Gestalt nicht eben zum Vortheil. War er bisher dem jungen
Baron gegenüber trotzig und herrisch aufgetreten, hatte er
die Baronin mit wenig Rücksicht behandelt, so schlich er nun
leise herein, lispelte kaum, benahm sich demüthig gegen
Kammerdiener und Bediente, kroch wie ein Wurm vor dem
General, die schlimme Katastrophe vorahnend — und als
das Unheil näher rückte, da zitterte er am ganzen Leibe, man
fühlte seine Seele mitzittern, als er in der Herzens= und
Todesangst sich ein Glas Wasser ausbat.

Viele Schauspieler haben dem großen Ludwig diese
und andere Rollen nachgespielt, wie z. B. der treffliche

Wilhelmi, zu seiner Zeit der beste komische Alte des deutschen Theaters. Auch im ernsten Schauspiele war er verwendbar, dagegen kam er in der Tragödie und im höheren Charakterfach wohl kaum über das Gewöhnliche hinaus. Auch sein Posert war übrigens nicht ohne Verdienst, und er trotzte, that ängstlich, schlich und zitterte à la Devrient — jedoch duo dum faciunt idem, non est idem.

>„Man fühlt die Absicht und
>    man wird verstimmt!" —

Das Gruseln, den Schauer, welchen Devrient hervorrief, war kein Anderer nach ihm zu erwecken im Stande. Nur unser La Roche, ein Charakteristiker von Geist und Kraft, kommt dem großen Künstler in dieser und ähnlichen Rollen am nächsten.

Ganz Wien war in gespanntester Erwartung auf den Falstaff, welchem ein ungeheurer Ruf, als der Capitalleistung des Meisters, vorausging. Sein Vorgänger Anschütz besaß weder den urwüchsigen Humor, noch die Beweglichkeit, die Frische, das laisser aller, um für den liederlichen Ritter völlig auszureichen — allein dramatischer Verstand und Studium ersetzten zum großen Theil, was Mutter Natur an eigentlicher Laune versagt hatte, und ein paar Scenen gelangen überaus, so die Stelle, wo der nichtsnutzige Wüstling den salbungsvollen König Heurteur parodirt.

Devrient hatte jedenfalls einen schweren Stand mit seiner Rolle, und diesmal einen schwereren, als das Publicum wußte oder ahnte. Der längst kränkliche und erschöpfte Mann, der Genosse Hoffmann's von den Zech-

gelagen bei Lutter und Wagner, war leider gezwungen,
die gesunkenen Lebensgeister unmittelbar vor jeder Vorstellung
durch ein paar Gläser oder auch eine Flasche Bordeaux
emporzustacheln; er spielte überhaupt mit Anstrengung, ein
Zittern an Händen und Füßen überfiel ihn, und nach einer
aufregenden Scene brach er wohl hinter den Coulissen zu=
sammen. Da er seinen Zustand genau kannte und beur=
theilte, so hatte er sich auch geweigert, uns seinen König
Lear vorzuführen, zu welchem er sich die Kraft nicht mehr
zutraute. Am Falstaff=Abend fühlte er sich nun besonders
schwach und hinfällig, war kaum im Stande, die Bauch=
maske zu ertragen, die sich nicht leicht genug fügbar
erwiesen hatte. Aber zum Absagen war es zu spät —
also vogue la galère!

Gerade heraus — die Darstellung war matt und
farblos, der Humor blitzte nur in Momenten auf, die
längeren Reden litten durch Gedächtnißlücken; so stockte das
Ganze, kam nicht in rechten Fluß. Nur der Monolog über
die „Ehre" war ein kleines Meisterstück und ließ ahnen, wie
der Mann, als er noch bei Kraft war, die Rolle aufgefaßt
und dargestellt haben mochte.

Die Gastrollen (wenn ich nicht irre, vierzig) im Burg=
theater waren vorüber, als „Die Räuber" im Theater an
der Wien angekündigt wurden, zum Benefice der Made=
moiselle Friederike Herbst, Devrient's Pflegetochter,
der zuliebe er noch einmal auftreten, den Franz Moor
spielen wollte, gleichfalls eine seiner berühmtesten Rollen.
Ich hatte es leider versäumt, mir zur rechter Zeit einen
Sperrsitz zu verschaffen, und so früh ich auch ins Theater
eilte, so war doch das Haus bereits überfüllt — ich hätte

uf dem Parterre an der Thür ober auf der Galerie hinter
len Bänken stehen müssen. Das verdroß mich und unmuthig
ing ich davon. Ich mußte das bitter bereuen! Devrient
ollte den Wienern noch zu guterletzt zeigen, was er eigent-
ch zu leisten im Stande sei. An jenem Abende, wie im
ollbesitz aller seiner Kräfte, wandelte er den ziemlich cari-
rten Bösewicht des Dichters zu einer so wahren und wirk-
chen lebendigen Gestalt um, erschloß alle Tiefen der
Renschenbrust und malte besonders im letzten Acte die
Seelen- und Todesangst in so großartig erschütternder
Beise, daß ein Jeder, der das Glück hatte, der Vorstellung
eizuwohnen, mich versicherte, einen Eindruck empfangen zu
aben, der unauslöschlich bleibe und nachwirkend für ein
anzes Leben. Es war vorüber! Und wie man auch in den
Künstler drang, welche glänzenden Anerbietungen man ihm
rachte, er ließ sich zu meiner Verzweiflung nicht bewegen,
ie Darstellung zu wiederholen.

Als Verfasser eines bereits im Jahre 1828 durch-
efallenen Stückes („Der Brautwerber") hatte ich das Recht,
uch hinter den Coulissen zu erscheinen. Ich schlich bisweilen
uf die Bühne, um den großen Schauspieler wenigstens in
er Nähe zu sehen. Ihn anzusprechen oder mich ihm vor-
ellen zu lassen, hielt mich eine alberne Schüchternheit ab,
ie ich hinterher gleichfalls bereue. Ferdinand Raimund,
in enthusiastischer Bewunderer Devrient's, erzählte mir
ber viel von ihm. Beide Künstler, naive und kindliche
Gemüther, hatten sich einander bald enge angeschlossen,
varen unzertrennlich, kneipten auch gehörig mit einander.
Raimund gab dem scheidenden Freunde noch mehrere Posten
veit das Geleite.

Ludwig Devrient, gleich seinem Freunde Ferdinand Raimund, verzehrte sein Leben rasch, in ewig
aufreibender Leidenschaft. In wem das heilige Feuer brennt,
den verbrennt es auch nicht selten. —

Der dritte höchst bedeutende Gast der alten Zeit war
Seydelmann.

Man könnte ihn als Gegensatz zu Devrient auf-
fassen, denn so wie dieser voll Phantasie, Wärme und Glut,
aus innerem Drang, in „schönem Wahnsinn", gleich dem
Dichter, fast unbewußt, seine lebenswahren Gestalten schuf,
so setzte Seydelmann, bei vorherrschendem Verstand und
Studium ein aufmerksamer Menschenbeobachter, seine
Figuren gleichsam mosaikartig zusammen, hie und da einen
Charakterzug auflesend, den er aufs beste verwendete, ihn
glatt einfügte und so ein Ganzes zusammencalculirte, welchem
man zuletzt Antheil und Beifall nicht versagen konnte. Unser
Lewinsky erinnert etwa an die Art und Weise Seydelmann's. Als dieser im Jahre 1831 aus Stuttgart nach
Wien kam, war ihm bereits ein bedeutender Ruf voraus-
gegangen — doch wollte seine Manier anfangs nicht recht
„zünden". Das Burgtheater hatte seine alten Gewohnheiten
und Traditionen, auch seine alte Schule, und die alten Herren,
Eckart-Koch an der Spitze, schrien Zeter, als der Gast
und Neuling den Grafen im „Puls" nicht im herge-
brachten habit habillé, Degen und Puderkopf spielte, sondern völlig modern auftrat, im blauen Frack und mit seinem
natürlichen gekrausten Haar, zwanglos, ungenirt, dabei
liebenswürdig in Ton und Benehmen. Das Publicum ließ
sich die Neuerung gefallen. Ludwig XI. und andere seiner
hochtragischen Charakter-Rollen, die später den Namen

Seydelmann in Berlin so berühmt machten, durfte er bei uns, der Censur wegen, nicht bringen — so blieb nur Mephistopheles übrig. Das ist eigentlich keine Rolle, kein Charakter, sondern eine Phantasie, die sich ein Jeder nach seiner Individualität zuschneiden mag. Das taugte aber just in den Kram des Mosaik-Künstlers. Da ließ sich grübeln und klauben und glätten nach Herzenslust! Wer Teufel weiß, wie der Teufel ausgesehen? Wie er sich gekleidet, wie er gesprochen, „sich geräuspert und gespuckt!"

Seydelmann machte kurzen Proceß, er spielte sich mit gutem Humor selber, gab sich zum Besten, seine eigene Person, alles Spitze, Kantige, Eckige, Skeptische, Halb-dämonische, auch die saillies, das Witzige, kurz, wie es in seiner Natur lag. Der Teufel Seydelmann gefiel. Nicht minder sein Carlos in „Clavigo." Wahrhaft Furore machte er aber mit seinem „Vatel." Der geistreiche und mehr aus der Tiefe schöpfende Schauspieler stellte mit seiner schimmernden und grandiosen Darstellungsweise den armen naiven Wothe, den mehrjährigen Besitzer dieser dankbaren Glanzrolle, für lange, wenn nicht für immer, in Schatten.

Man bot Seydelmann ein lebenslängliches Engagement an; dem umsichtigen und wohlcalculirenden, dabei freigesinnten Manne sagte aber der Wiener Boden nicht zu; auch mochte er, wie später Döring, gegen die alten intriguirenden Regisseure ein nicht unbilliges Bedenken hegen. Er selbst war Regisseur in Stuttgart und in ziemlich unabhängiger Stellung. Ich verkehrte viel mit Seydelmann, mit dem sich auch leicht und bequem leben ließ; sein Verstand sagte mir zu, sein scharfes Urtheil, seine Kenntniß von Menschen und Dingen waren wohl geeignet, einem

12*

jüngeren Manne auch zu imponiren. Wir kamen später in
Briefwechsel mit einander. Er schrieb wie gestochen und setzte
mir gelegentlich in seinen klaren und schönen Schriftzügen
auseinander, wie ich meine gar zu leichte Wiener=Art auf=
geben, nicht immer nur Korn und Caroline Müller vor
Augen haben, sondern meine Figuren mehr aus der Tiefe
schöpfen müsse. Man konnte ihm nicht unrecht geben. Leider
sind diese Mahnbriefe in Verlust gerathen! —

Seydelmann erhielt später einen Ruf nach Berlin,
kränkelte aber fortwährend, ward hypochondrisch, wozu er
von jeher Anlage hatte, und starb im Jahre 1843 im
achtundvierzigsten Lebensjahre. Wer erinnert sich noch
seiner? Er war ein unruhiger Geist, ein theatralischer
Komet, immer auf der Wanderung! Nur in Berlin schlug
er tiefere Wurzel. Dem Norddeutschen sagt das Spintisiren
noch am meisten zu.

Goethe ruft dem geschiedenen großen Freunde nach:

„Er wendete die Blüthe höchsten Strebens,
Das Leben selbst, an dieses Bild des Lebens.“

Das Wort ließe sich auch auf den bedeutenden
Menschendarsteller anwenden. Nur hat der Dichter vor
diesem den Vortheil voraus, daß das Bild des Lebens,
welches er geschaffen, auch nach ihm übrig bleibt und die
spätesten Enkel entzückt. Dagegen vergeht und verweht die
lebenswarme Schöpfung des Schauspielers mit ihm selbst
und läßt bei den Mitlebenden kaum eine dankbar=wehmüthige
Erinnerung zurück, wie hier auf diesen Blättern! —

Wenn Devrient einzig war, so wurden doch unsere einheimischen Größen durch ihn nichts weniger als verdunkelt. Der Meister selbst mußte bekennen, daß sich auf dem Wiener Boden eine Anzahl von Talenten zusammen gefunden und sich zu einer dramatischen Harmonie ausgebildet hatte, wie sie nirgendwo in Deutschland anzutreffen waren. Die „Braut von Messina", die man dem Gaste vorgeführt, mit Korn, Löwe, Koch, Anschütz, Fichtner, Sophie Schröder und Sophie Müller war eine Mustervorstellung in der Tragödie, dergleichen man nicht wieder zu genießen bekommt. — Um Devrient's „Falstaff" zu ermöglichen, hatte der junge Fichtner, die künftige Stütze des Lustspiels, die Rolle des Prinzen Heinrich schnell übernehmen müssen und sich mit allen Ehren aus der Affaire gezogen. Er spielte in der Folge auch „Romeo", „Don Carlos", „Ferdinand" (in „Kabale und Liebe"), „Mortimer", „Melchthal", wie er noch im reifen Mannesalter den jungen Helden der „Karlsschüler" übernommen hatte. Wenn er im seriösen Liebhaberfache, auch in der Tragödie, Vorzügliches geleistet, so war es doch eigentlich Thalia, welche ihm den unverwelklichen Lorbeer darreichte. Seine Natürlichkeit, Einfachheit, sein schönes Maß halten sind allbekannt, wie sein Humor, der aus dem Herzen kam. Das Gemüth war bei jeder seiner Schöpfungen. An Genie und Kraft mag ihn dieser und jener Künstler übertroffen haben — an Liebenswürdigkeit keiner. Ich setze hinzu: Und an Gewissenhaftigkeit! — Wir wuchsen theatralisch mit einander auf. Fichtner spielte anfangs die zweiten, dann die ersten Liebhaber in meinen Lustspielen, die ich zum Theil ihm verdanke, jedenfalls ihr Wurzeln auf den Brettern.

Leichtsinn und die Fahrläffigkeit des Vicedirectors gar zu auf=
fällig. Man fah fich anderwärts um und glaubte in der
Perfon des alten Theaterpracticus Holbein den rechten
Mann gefunden zu haben, um das Inftitut, welches nahe
daran war, aus Rand und Band zu gehen, wieder in Ord=
nung und regelrechten Gang zu bringen.

Franz von Holbein war bereits ein Sechziger und
darüber, als er von feinem Gönner, dem Grafen Kolowrat,
im Jahre 1842 zur Leitung des Hofburgtheaters berufen
wurde. In einer Hinficht war die. Wahl diefes fchlauen
Theater = Ulyffes keine gar zu üble! Regierungsrath Hol=
bein war die Ordnung felber und brachte den Gefchäftsgang
fo wie die ökonomifche Verwaltung bald wieder in das alte
Geleife. Auch die aufgehäuften Manufcripten=Rückftände
wurden (eine Zeit lang mit Friedrich Halm's und meiner
Beihülfe) gewiffenhaft „erledigt". Nur leider, daß Hol=
bein feinen Ordnungsfanatismus auch auf die Kunft über=
trug! Er führte eine Unzahl von fchriftlichen Schemen und
Schematismen ein, von alten und neuen Repertoir = Aus=
weifen, von Tagesberichten der Regiffeure und dergleichen.
Alles und Jedes wurde fchriftlich und „actenmäßig" behan=
delt; die Rollen erfchienen als „Fascikeln", zur Regiftratur
der „gaye science" eingereiht. Der Mann arbeitete im
Schweiße feines Angefichts vom frühen Morgen bis zum
Abend als ehrlicher Oberbeamter des „Theatergefälls". Wenn
fich der Dramaturg als Chef eines Theaterbureau's benimmt,
fo werden fich auch die Schaufpieler bald nur als Beamte
empfinden, die zu den Proben wie in's Amt gehen, über
jeden „freien Abend" jubeln, den Ferien=Monat kaum er=
warten können. So kam es auch. Die älteren Mitglieder

fingen bereits zu berechnen an, wann ihre Zeit um sein und
es ihnen vergönnt sein würbe, ihren Ruhegehalt cum otio
et dignitate zu genießen. Kurz, der pedantische und schwer=
fällige Holbein verstand es eben so wenig als der Leichtfuß
Deinhardstein, der Kunst auf die Beine zu helfen. Das
Institut war trotz der noch vorhandenen, nur schlecht benutzten
künstlerischen Kräfte augenscheinlich immer mehr und mehr
in Verfall gerathen, was sich sowohl im Repertoir bei der
Wahl der Stücke und ihrer Besetzung, wie bei den häufig
schleppenden Vorstellungen kund gab. Unter dem Ordnungs=
mann erlahmte sogar der frühere esprit de corps.

Eine große Maßregel, für die ihm Vieles verziehen
sein mag, wußte Holbein demungeachtet durchzusetzen: die
Einführung der Tantième statt der bisher üblichen, mehr
als mäßigen Honorare. Bereits vor Jahren hatte ich gemein=
schaftlich mit Friedrich Halm einen Schritt in dieser
Richtung bei einem der Herren obersten Kämmerer versucht.
Die Excellenz (ein früherer „Obersthofküchenmeister“) hatte
uns Anfangs geduldig angehört, auch unsern Vorschlag, das
Loos der dramatischen Schriftsteller zu verbessern, im Prin=
cip gebilligt, nur erschrak der Mann über die neue Form
der Sache. Die Hoftheaterkasse, eine kaiserliche Kasse,
soll für den Theaterdichter Bilanz und Auszüge machen, ein
oberster Hoftheaterdirector gleichsam als eine Art
Cassier fungiren! Das ging der Excellenz nicht ein und
wir brannten vollständig ab. Was uns damals mißlungen
war, wußte Holbein im Jahre 1844 in Verbindung mit dem
Berliner=Hoftheater auch für Wien durchzusetzen.

Die Tantième galt anfangs „provisorisch“, wie bei=
nahe alles in Oesterreich; sie war durch kein Gesetz geregelt,

wie das in Frankreich der Fall ist, der dramatische Schrift=
steller hing von der Willkür der Intendanz (Direction) ab,
oder war auf deren guten Willen angewiesen. Mit der endlich
am 1. October 1872 erlassenen gesetzlichen Anordnung ist im
Wesentlichen nicht eben viel gebessert worden. —

Im Jahre 1848 zeigte sich begreiflicher Weise wenig
Theaterlust. Die freiheitliche Strömung hatte sich zwar sogar
in die ehrwürdig = schmutzigen Räume des Hofburgtheaters
ergossen und selbst der vorsichtige und überaus ängstliche
Regierungsrath Holbein säumte nicht, die vor dem März
höchst verpönten Stücke von Gutzkow und Laube zu brin=
gen, allein weder „Uriel Acosta“ noch „Struensee“
oder „Die Karlsschüler“ waren im Stande, mehr als
einen vorübergehenden Antheil bei dem freiheitstrunkenen
Publicum hervorzurufen. Verbrüderungsfeste, Fahnenweihe
und stürmische Wahlversammlungen boten bald ein Spectakel
dar, welches weit mehr Anklang fand, als die keuschen Spiele
Melpomene’s und Thalia’s. Nur die Vorstadtbühnen, denen
es vergönnt war, derb und keck mitten in die Zeitereignisse zu
greifen, durften sich ab und zu eines vollen Hauses erfreuen.
So hatte auch der sarkastische Nestroy mit seiner „Revo=
lution in Krähwinkel“ für jene Tage einen glücklichen
Griff gethan. Die Wiener jubelten ihm zu, ohne zu ge=
wahren, daß sich die Posse über sie selbst lustig gemacht.

Die Logen des Burgtheaters waren längst geräumt
oder in Abwesenheit der „Herrschaften“ nur von deren Kammer=
dienern und Kammerjungfern besetzt, Parterre und Galerien
boten täglich mehr und mehr gähnende Lücken dar, in den
Schreckenstagen hatten sich die „schwarzgelben“ Hofschau=
spieler selber in alle Welt zerstreut. Im Jahre 1849 kehrte mit

der alten Ordnung beiläufig auch die alte Theatercensur zurück, doch hatte man längst das Bedürfniß gefühlt, dem schwachen Regimente Holbein's ein Ende zu machen. Inzwischen war eine Art Interregnum eingetreten.

Heinrich Laube saß im Frankfurter Parlamente und stimmte in österreichischem Sinne, als die Theater=Unterhand= lungen mit ihm in Zug kamen, durch Vermittlung des Grafen Moritz Dietrichstein und nicht ohne Einfluß unserer Louise Neumann.

Als Laube zu Neujahr 1850 sein Amt als „arti= stischer Director" antrat, fand er die Meister Anschütz, Löwe, Fichtner, La Roche und Wilhelmi beinahe noch alle in voller, ungebrochener Kraft; Talente wie Josef Wagner, Lukas, Beckmann, standen ihnen zur Seite, auch der Komiker Wothe ist zu nennen, und der bedeutende Dawison war eben hinzugetreten. Von den Damen hatten Therese Peche und Betty Fichtner allerdings bereits ihren Zenith erreicht, dagegen wirkten Julie Rettich und Christine Hebbel noch voll und frisch, nicht minder Louise Neumann und Mathilde Wildauer. In ihrem neuen Fache der komischen Alten erwies sich Amalie Hai= tinger ihres frühern Rufes und Ruhmes vollkommen wür= dig, und Auguste Bredewie Therese Grafenberg und Auguste Koberwein gehörten zu den „utilités", wie sie nicht jede Bühne aufweisen kann. Auch angehende und hoff= nungsvolle Talente, wie der junge Devrient, fehlten nicht. Mit solcher Garde läßt sich schon etwas ausrichten! Dazu kamen unter Laube gleich anfangs noch der tüchtige Luß= berger und Meixner, der freilich die von Leipzig her ge= wohnten „Liebhaber" bald aufgeben mußte, um sich (durch aus nicht zu seinem Nachtheil) auf das Derbkomische und scharf Charakteristische zu verlegen.

Laube besaß Energie, Fleiß und Ausdauer, auch Routine, vor Allem aber eine ungeheure Theaterlust. Nur Eines kann ich meinem literarischen Genossen (er möge mir verzeihen!) nicht zuerkennen — das zarte, ungreifbare und undefinirbare Ding: Geschmack genannt, „le talent de la grace", wie es Victor Hugo bezeichnet. — Laube hatte den Leipziger Geschmack — den wollte er den Wienern ein= impfen. Das zeigte sich bald im Repertoir sowie in den Rollen= besetzungen, wo bisweilen die wunderlichsten Erscheinungen zu Tage kamen, da Freund Laube überdies nicht ungern experimentirte. So erinnere ich mich z. B., daß er Ficht= ner's frühere Rolle in den „Bekenntnissen", den jungen Assessor „Bitter", dem von ihm begünstigten Meixner zugetheilt hatte. Zum Glück kam ich zu rechter Zeit dahinter, veranlaßte eine passendere Besetzung dieser Liebhaberrolle. — Lewinski wurde in der Folge von Laube entdeckt und sogleich zu allem Möglichen verwendet. In „Götz von Berli= chingen" spielte der junge Mensch den „Bruder Martin" und bald darauf den Knappen oder Knaben „Georg", eine Rolle, die seit Erschaffung der theatralischen Welt sich immer nur in den Händen einer weiblichen Darstellerin befunden hatte. Der Darsteller des „Franz Moor" nahm sich auch wunderlich genug als kindlicher Jüngling aus und war nahe daran, ausgelacht zu werden. Er spielte die Rolle kein zweites Mal.

Fräulein Kratz hatte der artistische Director als „Goß= mann=Doublette" engagirt, da er mit dem bisweilen etwas grillenhaften Grillen=Original in Zwiespalt gerathen war.

r die neue „Grille" wollte nicht recht einschlagen und
.lich sahen wir sie zu unserem höchsten Erstaunen auf dem
aterzettel als „Lady Percy" prangen.

Flectere si nequeo superos, Acheronta movebo!

Laube glaubte mit einem Mal ein tragisches Talent
)er ci-devant Darstellerin der „Verwandelten Katze" ent=
: zu haben. — Aeltere Wiener Theater=Habitués werden
der Scene in „Heinrich IV." erinnern. Ludwig Löwe
den „Heißsporn Percy" unvergleichlich. Die große
phie Müller machte mit den Versen:

„Ich breche Dir den kleinen Finger, Heinrich,
    Willst du mir nicht die ganze Wahrheit sagen" —

ier das ganze Haus rebellisch.

Nnn, nicht jede Schauspielerin kann oder soll eine
tller, eine Goßmann, ein Genie sein — aber man
und darf ein mäßiges, auch brauchbares Talent nicht zu
len verwenden, bei denen vorzugsweise irgend ein genialer
z zur Erscheinung und zum Ausdruck zu gelangen hat.
lie Rettich mußte ihrer Zeit die Lady Percy spielen,
würdige Nachfolgerin der Müller, später etwa Frau
.billon, durchaus nicht das Grillen=Kätzchen.

Besetzte Laube die Rollen nicht immer richtig, so kann
n ihn auch von dem Vorwurf nicht völlig frei sprechen,
er die älteren Meister=Künstler zu frühzeitig bei Seite
hoben — zu Gunsten des jungen Nachwuchses, vielleicht
h zum Schaden der Kunstjünger! Denn woran sollen sich
e bilden, wenn nicht an ihren Vorgängern? Was alte und
e Schule! Es giebt nur gute und schlechte oder mittel=

mäßige Schauspieler und den besten kann der gute immer
etwas abgucken.

Fichtner hat, wie früher erzählt worden, nicht wenig
an Korn gelernt, und Sonnenthal konnte noch immer
an Fichtner und Löwe lernen, wie Lewinsky an An=
schütz und La Roche. — Wenn Laube in seiner Geschichte
des Burgtheaters nicht undeutlich merken läßt, daß er eine
bereits „lecke" Gesellschaft vorgefunden, so erinnere ich da=
gegen nur an alle oben citirte Künstlernamen. Dieser und
Jener fing zu altern an, das ist richtig, und man mußte daran
denken, drohende Lücken auszufüllen — doch Männer wie
Anschütz und Löwe hatten ein Recht, sich zu beklagen,
wenn man bereits vor zwanzig Jahren anfing, sie zu vernach=
lässigen, anstatt ihre Mustervorstellungen so lange auf dem
Repertoir zu erhalten, als nur immer anging.

Hatte Laube die älteren Schauspielergrößen allzusehr
in Schatten gestellt, so machte er dagegen ein Unrecht seiner
Vorgänger gegen den ersten dramatischen Dichter Oesterreichs
wie des jetzigen Deutschland wieder gut. Er brachte sämmt=
liche Dramen Grillparzer's in bester Besetzung wieder
auf's Repertoir, mit Ausnahme von „Weh dem, der lügt",
gegen welches wunderliche Lustspiel der Dichter selbst Ein=
wendungen erhoben hatte. — Auch Shakespeare war bald
mehr gang und gäbe als bisher, und sich selbst und Gutzkow
vergaß Laube nicht, wie er auch meinen Lustspielen Gnade
widerfahren ließ. — Ab und zu erfaßte ihn die Passion,
eine Masse einactiger Kleinigkeiten zu bringen, à la Ascher,
dessen Bühne sich nach und nach fast in Atome auflöste.
Zuletzt wurde das Burgtheater von dem französischen Social=
Schauspiel überwuchert. Was aber zu thun? Die deutsche

Dramatik hat in den letzten zwanzig Jahren wenig Bleibendes und Dauerndes erzeugt; die Franzosen sind immer fruchtbar und rührig, und diese pikanten, wenn auch scabrösen Sachen werden von Charlotte Wolter und Sonnenthal so trefflich dargestellt, daß man ihre Berechtigung auf dem ersten deutschen Theater kaum zu bestreiten vermag. Mit den beiden zuletztgenannten bedeutenden Schauspielerkräften hatte Laube den Künstlerkreis des Burgtheaters zumeist bereichert.

Die Bühne ist ein Saturn, der seine Kinder rasch verschlingt. Wilhelmi, Anschütz, Julie Rettich, Beckmann, Josef Wagner, Ludwig Löwe sind nicht mehr, Fichtner, Louise Neumann, die anmuthige Marie Boßler, die hoch talentirte Emilie Scholz gehören dem Privatleben an; La Roche und Mama Haitzinger können sich leider nicht verjüngen. Aus Laube's Nachlaß blieben uns Sonnenthal mit Charlotte Wolter und Lewinski, die Gabillon's, die Hartmann's, Fräulein Bognár, meine geistreich-unstete Freundin Auguste Baudius, ferner Meixner, Franz, Baumeister und Förster, Krastel und Schöne.

Seitdem kein neuer Zuwachs! Nur das Ehepaar Mitterwurzer und Fräulein Janisch sind mit Antheil zu nennen.

Es scheint, Laube hatte das Möglichste gethan, das Theater erhalten, so gut es anging. Sein häufiges Experimentiren, sein Parteinehmen für die sogenannte „junge Schule", so wie sein barsches Wesen wurden ihm zum Vorwurf gemacht, doch sind seine Vorzüge überwiegend, seine Schwächen längst vergessen. Sein Eifer bei den Proben, sein Einwirken auf die jüngeren Schauspieler,

der Geist, den er ausströmte wie einflößte, das Alles wird
gegenwärtig auch von seinen bisherigen Gegnern anerkannt
und gepriesen. Auch die dramatischen Schriftsteller hatten
sich im Ganzen nicht über ihn zu beklagen. Die Arbeitskraft,
die ihm innewohnt, machte es ihm möglich, die eingelaufenen
Manuscripte nicht nur rasch und obenhin zu durchfliegen —
er ging auch gründlich in die Sache ein, schlug Aenderungen
vor, feilte und änderte nach Umständen selbst, correspondirte
darüber ausführlich mit den Autoren. So schrieb er mir
häufig über meine neuen Sachen, hatte aber, da ihm meine
Wuth des „Umarbeitens" bekannt war, meist mehr Mühe,
mich von Abändern abzuhalten, als mich dazu anzueifern.

Alles in Allem genommen, hatte man an Laube
einen tüchtigen und energischen Theaterlenker gefunden,
als welcher er sich auch im Laufe der Jahre bewährte.

Warum hatte man ihn also plötzlich bei Seite ge=
schoben? Ich weiß es nicht. Niemand weiß es. Das sind
Hofgeheimnisse.

Wenn der sensitive Schreyvogel bald nach seiner
Pensionirung zusammenbrach und starb, so wurde der robuste
und widerstandsfähigere Laube bei ähnlicher Calamität erst
recht lebendig. Kaum war er von dem Schauplatz seines
Wirkens abgetreten, als seine polemischen Artikel in der
„Neuen Freien Presse" erschienen, in denen er zu beweisen
suchte, daß das Burgtheater nach ihm sogleich in Verfall
gerathen sei. Die Wahl der Stücke wurde getadelt, die
Rollenbesetzung, die Scenirung, Alles und Jedes — kurz,
der dramaturgische Ajax schlug mit der Keule d'rein. Das
Merkwürdigste war, daß ihm die Fehler und Schwächen
seiner vormaligen Lieblinge mit einem Mal hell und klar in

die Augen sprangen. Die früher hoch gehaltene Heldin be=
tonte nun plötzlich unrichtig und sprach ein fehlerhaftes
Deutsch; der Held war steif und linkisch, der Liebhaber
monoton, die Lustspielerinnen manierirt und affectirt. Man
merkt es ihnen Allen wie dem schleppenden Zusammenspiel
an, daß die leitende Hand fehlt, der leitende Geist!

Man schrie von Oben Zeter über diese heftigen An=
griffe und strich die Stücke des rücksichtslosen Kritikers
augenblicklich vom Repertoir. — Das war jedenfalls gefehlt.
Das Publicum, unbekümmert um die Zwistigkeiten der
Bühnenlenker, hatte ein Recht auf seine Lieblingsstücke, die
man ihm nun vorenthielt.

Allein —

Quidquid delirant reges, plectuntur Achivi!

Man muß Laube entschuldigen. Die Leidenschaft riß
ihn hin, wie er das schließlich selber eingestand. Sein naiver
Zorn hatte auch seine Berechtigung. Daß man einen Mann
von solchen Verdiensten so ohne Sang und Klang fortge=
schickt, kennzeichnet die Partei. Einem mehrjährigen Hof=
Ofenheizer hätte man nicht so übel mitgespielt. Aber im
Stillen hatten sie's dem liberalen Schriftsteller von jeher
auf der Nadel, und so mußte sein „Statthalter von
Bengalen" und mein Schauspiel „Aus der Gesell=
schaft", welches unter seiner Direction auf dem Hoftheater
erschienen war, zum Vorwand dienen, um den unliebsamen
Mann zu entfernen. —

Man klagt seit Laube's Abgang über den Verfall des
Burgtheaters — aber weder Laube, noch die verschiedenen In=
tendanten und Directoren, die nach ihm folgten und nachfolgen

werben, können da abhelfen! Stillstand ist Rückschritt. Und
der theatralische Stillstand liegt in der Zeit. Wer nimmt noch
Interesse an der Kunst wie zu Goethe's und Schiller's Tagen
und lange nachher! Die Humanitäts=Ideen und Studien so
wie die schöne Literatur sind längst bescheiden in den Hinter=
grund getreten und haben den Geldspeculationen oder den
Nationalitäten=Kämpfen und der politischen Intrigue den
Schauplatz überlassen müssen. Das neue Geniale zeigt sich
aber zumeist nur in der Naturwissenschaft. Kein großer
dramatischer Dichter, kein Schauspieler von höchster Bedeu=
tung ist in den letzten Decennien zur Erscheinung gekommen;
die letzten alten Größen haben sich längst ausgelebt und ohne
neue Stücke und neue Schauspieler giebt es kein neues
Theater. Und — setzen wir hinzu — ohne ein Publicum,
das sich für seine nationale Bühne interessirt und er=
wärmt, wie zur Zeit Shakespeare's und Calderon's, Racine's
und Molière's, und unseres Goethe und Schiller. Wir sind
eben Epigonen! Erhalten wir, was zu erhalten möglich ist.
Die neue Kunst wird einer späteren Generation erblühen.
Es giebt Zuschauer, aber kein Publicum, es giebt Schau=
spieler, aber keine Schauspielkunst. Möge uns das neue
Wiener Stadt=Theater darin eine angenehme Enttäuschung
bereiten! — —

Meine Jugenderinnerung, das Eingangs erwähnte
Bauerntheater, drängt sich mir von Neuem vor die Seele.
Das Festspiel war einfach und natürlich, dabei herzlich,
menschlich, volksthümlich, zugleich von einem künstlerischen
Hauche durchweht. Darum —:

Wollt Ihr nach dem Volke zielen,
Sei's mit Geist und mit Gemüth;
Kunst, sie ist ein blumig Spielen,
Wie's durch alle Herzen blüht;
Willst du dienen den Kamönen,
Und mit frischem Lebenshauch,
So vermähle Dich dem Schönen,
Aber dem Humanen auch!

# IX.

(Ableben des Kaifers Franz. — Das „Syftem." — Wiener-Stim-
mung. — Ein Sturmvogel.)

> Kafpar (schiebt die Regierungsmaschine herbei):
> Die Räder machen ein wenig Geschrei.
> Kaifer:
> Ihr müffet die Räder ein wenig schmieren.
> Kafpar:
> Das nennen wir dann das Regieren.
> Achim v. Arnim.
> (Prolog zu dem Schattenspiel.)

Im Winter 1835 hatte mein romantisches Schauspiel: „Fortunat" ein gewiffes literarisches Auffehen
erregt. Das Stück war von meinem Freunde Holtei bei
Frau v. Pereira, von mir selbst bei Ottilie v. Goethe,
bei Hammer-Purgstall und bei Graf Louis Szeczeny
in größeren Cirkeln vorgelefen, auch von Zedlitz, Raupach, Tieck mündlich und schriftlich gebilligt worden. Nur
Grillparzer, das beffere Streben des Verfaffers aner-
kennend, allein auf die Geschmacksrichtung des Wiener
Publicums hinweifend, wollte der wunderlichen Arbeit, wenn
auch eine ehrenhafte Aufnahme, doch durchaus keinen eigentlichen Theatererfolg versprechen. Wie fehr er Recht hatte
und wie er die Sache noch viel zu rosenroth anschaute,

vies sich leider zu Genügen bei der Aufführung des
tückes im „Josephstädter=Theater."

Der Antheil, welchen die gebildeten Kreise Wien's
ler Komödie schenkten, galt aber weit weniger dem Autor
:b seinem Werke, als dem Umstande, daß der oberste
ämmerer Graf Czernin das Stück eines damals bereits
mlich beliebten dramatischen Schriftstellers zurückgewiesen
tte, mit dem Bemerken: derlei Zauberstücke gehörten in's
opoldstädter=Theater. Der junge und etwas heißblütige
itor war über diese schnöde Aeußerung, so schonend sie
n der damalige „Vice=Director des Hofburgtheaters"
)einhardstein) auch immer beizubringen bemüht war,
:r die Maßen empört und balb entschlossen, eine Audienz
m Kaiser zu nehmen, um, womöglich, die Aufführung
Stückes gegen den Willen des obersten Kämmerers
:chzusetzen.

Diese Verhältnisse waren es, durchaus nicht der
nn, mit welchem die Romantik belegt worden, die
ugier war's, welche die literarische, finanzielle und sogar
hochadelige Gesellschaft Wiens um den Lesetisch ver=
:mmelt hatte. Frau Ottilie pflanzte mir zur Seite eine
:re Dame auf, die mir etwas taub schien. Die zerstreute
usfrau hatte vergessen, mich der Dame vorzustellen —
: Tags darauf erfuhr ich, daß ich den ganzen Abend neben
Verfasserin des „Agathokles" gesessen.

Bei Graf Louis Szeczeny, mit dessen Familie ich
eits früher bekannt worden, hatten sich noch eingefunden:
n berühmter Bruder Stephan, ferner: Fürst Wittgen=
in, Graf Haugwitz, Fürst und Fürstin Lichten=
in, die Herzogin von Sagan=Accerenza, Fürstin

Palffy, Graf Szeczen mit Gemalin u. A. „Lauter
Leute, die von Poesie keine Idee haben!" heißt es in meinem
Tagebuch vom J. 1835. „Graf Haugwitz ist darin der
Aergste" — bemerke ich weiter — „die Herzogin scheint noch
am gemüthlichsten. Merkwürdig ist ein gewisses Etwas oder
— Nichts, was diesen Leuten der finanzielle Adel nicht
nachmachen kann."

Diese scharfe Kritik war, mir selbst gegenüber, nichts
weniger als gerecht, denn die Damen und Herren hatten sich
mir ungemein artig erwiesen und der Curiosität mehr An=
theil gespendet, als ich mir eigentlich erwarten durfte. Mit
Stephan Szeczeny wurde ich ziemlich vertraut, fand aber
an ihm einen so eingefleischten Magyaren, daß ich es nicht
für gerathen hielt, mit meinen eigenen politischen Ansichten
gegen ihn hervorzurücken, wozu mich übrigens der Schwall
seiner Rede ohnehin nicht kommen ließ. Der Graf besaß
Beredsamkeit, vieles Wissen, aber ohne Ordnung, auch ohne
klaren Kopf, die Phantasie überwucherte den Verstand; der
glühendste Patriotismus sollte alles sonst Mangelnde ersetzen,
und so wurde denn auch von ihm und anderen Gleich=
gesinnten die Cultur Ungarns mittelst englischen Comforts,
einer unreifen Akademie der Wissenschaften sammt der Zu=
that jenes berüchtigten „Hony=Vereins" und eines National=
Theaters ohne einheimische dramatische Literatur frischweg
in etwas phantastischer Weise in Angriff genommen, und
anstatt der höchst nöthigen Straßenbauten, Volksschulen und
Justiz = Reform nichts als eine kostbare Kettenbrücke zu
Stande gebracht, über welche der Adel gratis ging, ritt und
fuhr. Doch muß ich es dem Grafen zur Ehre nachsagen,
daß ihm die Comitatswirthschaft mit ihrem schrankenlos=

willkürlichen Gebahren eben kein Juwel der ungarischen
Verfassung dünkte. Herr v. Pulsky, den ich gleichfalls um
diese Zeit kennen gelernt, setzte mir den Durcheinander,
welcher in diesen kleinen Republiken damals herrschte (und
leider annoch herrscht), in humoristischer Weise auseinander.

Am 26. Jänner 1835 stand ich vor Kaiser Franz,
und zwar zum zweitenmal in meinem Leben. Das erstemal
war's am 19. November 1829, dem Jahrestag von
Schubert's Ableben. Ich war damals Kreisamtspraktikant
und kaum noch als Schriftsteller aufgetreten. Mein Chef
und besonderer Gönner, der Kreishauptmann Baron Wald=
stätten (in der Folge Polizei=Director) hatte mich überredet,
um ein sogenanntes „außerordentliches" Adjutum einzu=
kommen, indem er zugleich in einem Berichte an die nieder=
österreichische Regierung sowohl meine Fähigkeiten als
meinen Diensteifer auf das Ungeheuerste herausstrich. Es sei
aber auch noch erforderlich, ein Allerhöchst signirtes Gesuch
zu erwirken, hieß es. Ich meldete mich also zur Audienz,
that aber den Schritt ungern und ohne Hoffnung auf Erfolg.

Bei dieser ersten Audienz trug der Kaiser eine Jäger=
Uniform und sah noch ziemlich frisch aus, obwohl er etwas
hager geworden und nur spärliches, beinahe weißes Haar
um seine Schläfe hing. Ich trug mein Anliegen kurz und
bündig vor. Der Kaiser blickte mir erst ziemlich scharf ins
Gesicht, nahm dann eine freundlichere Miene an und sagte
(mir kam vor, als lache es dabei innerlich in ihm): „Ich
kann Ihnen nichts versprechen; ich will mich erkundigen,
wie's ist."

Ein kurzes Kopfnicken — damit war die Audienz
zu Ende.

Wo erkundigte man sich aber damals? Bei der Polizei,
und diese bei den Hausmeistern. Vermuthlich hatte mein
Hausmeister nicht günstig über mich berichtet, oder galt ich
schon damals für einen „unruhigen Kopf", ich weiß nicht
mehr recht. Kurz, das Adjutum bekam nicht ich, sondern
ein ziemlich bornirter und völlig dienstunfähiger junger
Baron. Der gemüthliche Waldstätten, der sich meiner mit
solcher Wärme angenommen hatte, nahm meine Abweisung
beinahe wie eine persönliche Kränkung auf.

Bei der zweiten Audienz im Jänner 1835 fand ich
den Kaiser bedeutend gealtert, das sonst lebhafte Auge matt,
die Stimme kreischender als vor Jahren. Der Monarch
hörte mich ruhig an, als ich von meinem Stücke sprach,
welches sowohl von Seite des Dramaturgen des Hofburg=
theaters, wie auch von den ersten schriftstellerischen Cele=
britäten für mein bestes anerkannt, und von namhaften
Hoftheatern, wie Berlin und Dresden, zur Aufführung
angenommen worden, während nur der Herr oberste Käm=
merer sich weigere — —

„Ja, der Czernin hat zu reden, sonst kein Mensch!"
unterbrach mich der Kaiser.

Ich: „Eure Majestät verzeihen, aber da es Ihr
Theater ist und nur Sie zu befehlen haben, so erbitte ich
mir die Aufführung des Stückes, die für mich eine Ehren=
sache ist, als besondere Begünstigung von Eurer Majestät,
mit Rücksicht auf meine früheren Lustspiele, die dem Hof=
burgtheater einigen Vortheil gebracht, auch einigen Antheil
bei dem Wiener Publicum wie sonst in ganz Deutschland
gefunden."

Kaiser: „Ihre Stück' g'fallen mir auch, sie sind
tig und ich seh' sie gern. Aber wenn der Graf Czernin
in sagt — nur der hat zu reden! Es war g'fehlt von
n Deinhardstein, wenn er Ihnen Hoffnung g'macht hat
aber ich will ihm nix nachsagen, er ist ein guter Mensch."

Ich: „Ich habe mir erlaubt, das Stück im geheimen
binet einzureichen. Wenn Eure Majestät geruhen wollten,
en Blick in das Manuscript zu werfen."

Kaiser: „Dafür ist der Czernin da! Ich kann nit
les entscheiden. Verzeihen's, daß ich's Ihnen sag'; aber
müßt' ich am End' auch noch den Bettelrichter machen!"
er Kaiser schlug eine trockene Lache auf.)

„Der Vorgesetzte hat zu urtheilen. Sie sind selber
Beamter, Sie müssen das wissen! Wenn Sie ein Aus=
der wären, ich müßt' Sie ausmachen." (Warum?)

„Noch einmal: Ihre Stück' g'fallen mir! Schreibens
r wieder was Lustig's und der Czernin wirds g'wiß
nehmen."

Ein freundliches Kopfnicken — und ich war entlassen.

Doch genug vom Theater! Wenige Wochen nach der
dienz war der Kaiser nicht mehr. Eine kurze Krankheit
tte ihn am frühen Morgen des 2. März dahingerafft.

Das Ereigniß wirkte elektrisch. Im Februar 1792
tte Franz von Lothringen die Regierung angetreten, die
n nach vollen dreiundvierzig Jahren plötzlich zu Ende ging.
er Habsburg=Lothringer (oder nach Hormayr „Lothringer=
audemont") Franz II. wandelte sich im Jahre 1804 zum
ranz I., zum Erbkaiser von Oesterreich um, blieb
bstdem noch König von Ungarn und Böhmen, verzichtete
: Jahre 1806 auf die deutsche Kaiser — Schattenwürde.

Wenn Oesterreich durch den Preßburger=Frieden 1000 Quadratmeilen, durch den Frieden von Schönbrunn 2000 Qu.=M. seines Besitzes verlor, wenn seine Finanzen gründlich zerrüttet waren, seine staatliche Existenz beinahe in Frage gestellt, so machten der sogenannte „deutsche Be= freiungskrieg", der Pariser=Frieden und der Wiener Congreß allen seinen Leiden ein vorläufiges Ende. Von nun an gab es aber eigentlich kein Deutschland mehr, nur ein Oester= reich und Preußen, welche beide Großstaaten die Eifer= sucht, die sie im Stillen gegen einander hegten, schlau verbergend, jederzeit brüderlich vereinigt waren, um als abwechselnde Präsidenten des „deutschen Bundes" das Princip der „Legitimität" aufrecht zu erhalten und den deutschen Geist, oder auch den italienischen, spanischen, griechischen mit Hilfe der beliebten „Congresse" zu bändigen und zu unterdrücken. Doch ließ man in Preußen die Bil= dung und einen gewissen Fortschritt gelten, von denen sich das träge Oesterreich mit einer wahren Scheu abwendete. Das Mene Tekel der Juli=Revolution ließ unseren alten Schlendrian unberührt, erst nach den Märztagen dämmerte es in gewissen Kreisen und man begann zu ahnen, daß etwas faul sei im Staate, doch brauchte es volle zwanzig Jahre, die Verluste von Provinzen und die Verschuldung unserer Enkel auf Jahrzehnte hinaus, bevor man sich zu einer Radicalcur entschließen konnte. —

Oesterreich ist deutschen Ursprungs. Seine frühere Aufgabe war, die Barbaren zu bekämpfen, seine spätere: sie zu cultiviren. Dieses letztere wurde leider versäumt. Es hilft nichts, sich zum Kaiser von Oesterreich zu machen, *man muß es auch sein.* Ein Gesammt=Oesterreich hatte

sich aber unter Kaiser Franz nun dem Namen nach con=
stituirt. Was wird in Zukunft geschehen? fragte man sich
damals, wie nachher. Wie wird sich das zusammen ge=
würfelte, durch den Willen eines Einzelnen wie über Nacht
hervorgerufene Reich mit seinen disparaten Nationalitäten
in Zeiten politischer Bewegung, gegen Feinde von Außen,
zugleich widerstrebenden Kronländern gegenüber, zu be=
haupten und zu erhalten im Stande sein? Wo ist der Kitt,
der die polyglotten Provinzen mit einander verbindet? Was
fragt der Ungar um den Czechen, dieser um den Italiener,
alle mit einander um den Deutschen, der ihnen als ihr
gemeinsamer Feind gilt, obwohl sie sich auch alle unter=
einander hassen! Was war also Oesterreich bisher? Eine
politische Fiction, weiter nichts! Wer hatte Lust, sich
Oesterreicher zu nennen? Ein Magyar, ein Böhme, ein
Wälscher gewiß nicht! Und Wien fühlte sich zuletzt als eine
deutsche Stadt, hielt an der Tradition seines Ursprungs fest.
Das damals improvisirte Erbkaiserthum aber fußte auf
stillschweigenden Compromissen nach innen und außen, auf
patriarchalischen Gefühlen der Unterthanen, nicht der
Völkerschaften, schließlich auf dem guten Willen der
übrigen Großmächte, die es, als eine anerkannte „Nothwen=
digkeit", nicht fallen lassen würden. Ein Staat soll aber
nicht so zur Noth und nur durch die Gnade der anderen
bestehen, er muß die Nothwendigkeit seiner Existenz in sich
selber haben. Deutsch=Oesterreich hatte sie auch, wenn es,
in Verbindung mit dem deutschen Mutterlande,
gleichen Schrittes mit ihm vorging in geistiger und freiheit=
licher Entwicklung, wenn es die Bildung, die es in sich
aufgenommen, auch auf die anderen, minder vorgeschrittenen

Provinzen übertrug. In dieser Richtung mußte das neue
Erbkaiserthum im Jahre 1804 vorgehen, oder nach dem
Pariser=Frieden, nach den Juli=Tagen, oder später noch, als
kluge, einsichtige Männer den Rath ertheilten, das österreichische
Studienwesen zu heben, die Presse zu befreien, auch den
fruchtbaren Boden des verschlammten und verschlemmten
Ungarn durch Massen deutscher Colonisten zu cultiviren,
in Verbindung von ehrlichen Justizbeamten und tüchtigen
Schullehrern. —

Wer es aber wagen wollte, dem neuen Erbkaiser derlei
Vorschläge zu machen, der mochte nur gleich in Vorhinein
mit sich in's Reine kommen, ob er der Festung Munkacs
oder dem Brünner Spielberge als künftigen Aufenthaltsorte
den Vorzug gebe. In Oesterreich herrschte zur Restaurations=
zeit und lange nachher ein Despotismus sonder Gleichen,
der zwar trotz der beständigen Geldverlegenheiten das
materielle Wohl der Unterthanen theilweise förderte, auch
eine gewisse bürgerliche Gerechtigkeitsliebe gern zur Schau
trug, doch jeder freieren geistigen Regung, allen Bildungs=
elementen sich geradewegs feindselig entgegen stellte. Die
verschiedenen Völkerstämme der Monarchie, von Natur nicht
ohne Anlagen und Rührigkeit, wurden auseinander und in
Schach gehalten nach der beliebten Erb=Maxime: „divide
et impera!“ Vor allem war man aber bemüht, sie von jeder
Verbindung mit dem gefürchteten „deutschen Auslande“ durch
Zoll= und Censurschranken vollkommen abzuschneiden und
sie auf diese Weise zu Stillstand, geistigem Tode und polizei=
lichem Gehorsam zu verurtheilen. Dieses „System“ hat zu
den März= und Octobertagen, zum ungarischen Kriege
*und zur russischen Hilfe*, zum Concordat, zum Verluste der

Lombardei und Venedigs, bis zu Sadowa und beinahe zum
gänzlichen Zerfallen des Staatskörpers geführt. — Was
war nun aber eigentlich dieses so lange gepriesene öster=
reichische System? Es war ein rein negatives: die
Furcht vor dem Geiste, die Negation des Geistes,
der absolute Stillstand, die Versumpfung, die Verdummung.
Der Kaiser war das verkörperte conservative System, auch
war's ein eigentlicher Selbstherrscher, nichts geschah ohne,
geschweige gegen seinen Willen. Dabei griff das Regierungs=
Räderwerk wie eine wohlgeordnete Maschine fest in einander.
Es war aber bloße Mechanik, ohne Geist, ohne Seele.

Wie man über Erziehungswesen und geistigen Auf=
schwung dachte, kann das Eine Wort des Kaisers bezeugen:
„Ich brauche keine Gelehrten, nur gute Beamte!"
Nun, die hatte er auch, besonders an den damals noch ge=
treuen Böhmen, diesen Stützen der ledernen Bureaucratie,
vom Grafen Kolowrat angefangen bis zum letzten Prakti=
kanten aus Czaslau oder Leitomischel. Servilismus und
Kriecherei nach Oben, Brutalität nach Unten war das
Schlagwort dieser kleinen Satrapen, durch welche das Volk
in seinem Stumpfsinn erhalten wurde, während ein leicht=
sinniger und unthätiger Adel gedankenlos seine Vorrechte
genoß. Kurz, Wien war und blieb das Capua der Geister,
das gesammte Oesterreich ein stagnirender Völkersumpf
mitten im rührigen Europa. Daß die Geistlichkeit nicht
wenig dazu beitrug, diese verrotteten Zustände zu erhalten,
ist wohl begreiflich, doch durfte sich der Clerus nie einer
solchen Macht erfreuen, wie ihm in unseren Tagen einge=
räumt worden, denn der katholische und für seine Person
fromme Kaiser, wie er überhaupt kein Freund der Freiheit

war, duldete auch keine freie Kirche in seinem unfreien
Staate, hielt sein placetum regium unwandelbar aufrecht,
und hätte sich nie mit einem Concordat befreunden können.

Als Träger des österreichischen Systems gilt für
gewöhnlich der Staatskanzler Fürst Metternich, allein
gewissermaßen mit Unrecht, denn er handelte nur als „treuer
Diener seines Herrn", dessen persönlicher Politik er sich
anbequemte, und die er vorzugsweise nach Außen zu reprä=
sentiren bemüht war, während er andere Kräfte und Mächte
im Inneren des Reiches, natürlich in demselben „conser=
vativen" Sinne, aber sonst nach Gutdünken schalten und
walten ließ. Man muthete dem geistreichen und versatilen
Fürsten wohl auch zu, daß er eben so gern, ja vielleicht noch
lieber in liberalem Sinne regieren würde, und bei dem
plötzlichen Thronwechsel glaubte man sogar den Moment
bereits gekommen, wo diese neue Wendung der österreichischen
Politik eintreten dürfte. Allein schon am 2. März (am
Todestag des Kaisers) erschien eine außerordentliche Beilage
der Wiener Zeitung, welche vollkommen geeignet war, alle
derlei sanguinischen Hoffnungen zunichte zu machen. In
Allerhöchsten Handschreiben an den Fürsten Metternich
und an den Grafen Kolowrat, sowie an den ersten Oberst=
hofmeister und an den Hofkriegsraths=Präsidenten versichert
Kaiser Ferdinand, daß er den ihm angestammten Thron
besteige, um im Sinne und Geiste seines verewigten
Vaters weiter zu regieren, sowie er auch alle Würdenträger
und deren Organe im In= und Auslande in ihren Aemtern
bestätigt und sie zugleich auffordert, ihre Pflichten wie bisher
„nach den bestehenden Vorschriften" zu erfüllen. Das klang
durchaus nicht als stünden Reformen vor der Thür, das

)ieß beiläufig: Es bleibt beim Alten! Und so war es auch.
Das aufgeregte Wiener Publicum ließ sich aber seine Er=
vartungen vorläufig nicht nehmen und die Residenzstadt
vogte am 2. März wie in der Nacht von 2. auf den 3.
gleich einem stürmischen Meere. Alle Wirths= und Kaffee=
)äuser waren überfüllt, auch auf den Straßen traten
Gruppen zusammen und ein lebhafter Gedankenaustausch
;ab sich allenthalben kund. Daß diese Gedanken nicht gänzlich
unbelauscht blieben, konnten meine Freunde und ich erfahren,
)enn als wir ziemlich spät nach Mitternacht durch eine
stille Seitengasse schritten, unser etwa ein halbes Dutzend,
in einer allerdings etwas geräuschvollen Discussion begriffen,
da stürzten plötzlich, wie aus dem Erdboden emportauchend,
drei oder vier „Naderer" auf uns zu, angeblich, um unserem
vermutheten Streite ein Ende zu machen. Sie entfernten sich
zwar allsogleich, als wir sie lachend versicherten, daß wir
vollkommen einig, die besten Cameraden seien und ihrer
bons offices in keiner Weise bedürften. Verhaftungen wurden
übrigens in dieser Nacht in beträchtlicher Menge vorge=
nommen. Als das Testament des Kaisers Franz bekannt
wurde, worin er seinen Völkern seine „Liebe" vermacht, und
als man die Ueberzeugung gewonnen hatte, daß sonst wirklich
Alles beim Alten blieb, von den geträumten Reformen sich
auch keine Spur zeigen wollte, da ergoß sich der Wiener
Witz in tausend mehr oder minder bitteren Epigrammen,
auch laute Tadelsworte ließen sich vernehmen; — im Hand=
umdrehen hatte die Lobhudelei, Schmeichelei und Heuchelei,
seit Jahrzehnten an der Tagesordnung, in ihr directes
Gegentheil umgeschlagen. Auch die Provinzen fingen an,
schwierig zu werden; die Ungarn murrten, die Italiener

conspirirten, die böhmischen Stände regten sich, sogar die
niederösterreichischen fingen an, ein Lebenszeichen von sich
zu geben, und da die Zügel der Regierung von den Händen
dreier Greise immer schlaffer gehalten wurden, so verlor auch
die Beamtenwelt nicht nur ihre frühere Sicherheit, sondern
zeigte sich nach und nach geneigt, in die Klagen der Unter=
thanen mit einzustimmen. Die Behörden wurden immer
lässiger, sahen bei Censur= und anderen Uebertretungen durch
die Finger, halfen verbotene Bücher und Journale, wie
später die „Grenzboten", wohl selber einschmuggeln, und
untergruben so die letzten Polizeistützen, welche das alte und
morsche Gebäude noch nothdürftig zusammenhielten. Das
„System" und die „Opposition" standen sich einander bald
schroff gegenüber — aber von den drei alten Herren, welche
zuletzt das System einzig und allein repräsentirten, hatte der
Eine gelegentlich selber angefangen, gegen die anderen Beiden
im Stillen Opposition zu machen.

Doch ich greife vor! Die ersten Jahre nach des
Kaisers Ableben gingen die Dinge wieder ihren gewöhnlichen
Lauf, von Außen schien Alles ruhiger geworden, der ein=
gedämmte Volksstrom floß wie früher in seinem Bette, kaum
daß ein Ueberschwellen zu besorgen stand, so bedenklich es
auch in der Tiefe brauste und rauschte. Man lebte übrigens
eine Art Doppelleben. Der alte Wiener Vergnügungssinn
hielt nach wie vor an seinem Strauß und Nestroy fest,
nur daß man auch anfing, die materiellen=Interessen, als
Vorläufer der geistigen, zu bedenken. So war der Gewerbe=
verein gegründet, den greisen Machthabern die Concession
der ersten Eisenbahn durch Rothschild abgeschmeichelt
worden. Für die Industrie war nun etwas geschehen,

worauf man die Hände wieder in den Schoß legte und den lieben Gott und das schlechte System walten ließ. —

Doch kehren wir in die alte Zeit zurück! —

Mir und anderen Gleichgesinnten lastete der Geistes= druck wie ein Alp auf der Brust. Eduard Duller, Schuselka, Kuranda und Andere hatten sich freiwillig expatriirt, sich eine literarische Stellung in Deutschland zu gründen, und dort in patriotischem, nicht patriarchalischem Sinn für Oesterreich zu wirken gesucht, besonders Kuranda in den „Grenzboten." Ich selbst fühlte schon in früher Jugend den Drang, mich von dem österreichischen Censur= joche zu befreien, eine doch etwas freiere Luft in Deutschland einzuathmen — Schreyvogel und Grillparzer hatten mich zurückgehalten. Nun war ich längst kein Jüngling mehr, und der Zwang erschien mir unerträglicher als je, der Boden brannte mir unter den Füßen, und ich ließ meinem Unmuth nicht nur unter Freunden, sondern auch an öffent= lichen Orten ziemlich freien Lauf. Natürlich, daß das nicht eben die Art und Weise war, um in der Beamtenwelt Carrière zu machen; doch muß ich es meinen nächsten, sowie höheren Vorgesetzten zur Ehre nachsagen, daß sie mir sonst meine wilden Reden nicht nachtrugen, unter vier Augen wohl auch beiläufig meiner Ansicht waren, mich nur zur Vorsicht mahnten.

Einen komischen Auftritt hatte ich mit meinem früheren Kreishauptmann, Baron Waldstätten. Ich besuchte den wackern Mann von Zeit zu Zeit; inzwischen war er aber Polizei=Director geworden, wozu er etwa so viel oder so wenig taugte wie ich, obgleich sein wohlwollender Charakter und seine Humanität auch auf diesem, sonst

anrüchigen Posten gute Früchte trugen. Eines Tages ließ
er mich zu sich ins Präsidial=Bureau einladen. Irgend eine
meiner politischen Aeußerungen im Neuner'schen Kaffeehause
war zu den Ohren des Grafen Sedlnitzki gedrungen, welcher
den Polizei=Director beauftragt hatte, mich darüber zur Rede
zu stellen. Der gute Waldstätten that das in der eigensten
Weise, indem er mir erst über die ihm aufgedrungene amtliche
Stellung vorklagte, für die er gar nicht geschaffen sei; dann
kam er erst per ambages auf die eigentliche Sache, mahnte
mich freundschaftlich zur Vorsicht, da man mich als Schrift=
steller ohnehin scharf im Auge habe, als vermuthlichen ge=
heimen Mitarbeiter an den „Grenzboten" und sonst. Darin
hatte man nicht ganz unrecht! Zwar an den „Grenzboten"
war ich bisher unschuldig, dafür stand ich mit Arnold
Ruge und den hochverpönten „Halle'schen Jahrbüchern" in
einiger Verbindung. Für die letzteren hatte ich unter Anderm
einen ziemlich weitläufigen Artikel geschrieben: „Pia desi=
deria eines österreichischen Schriftstellers." Ruge
fand das Manuscript zu voluminös, um es in seinem
Journal erscheinen zu lassen, er beglückte also Otto Wigand
damit, welcher das Opus, das gegen die österreichische Censur
ankämpfte, eine Art Vorläufer der künftigen Schriftsteller=
Petition, als Broschüre herausgab. Das Ding machte
einiges Aufsehen; daß ich der Verfasser sei, wußte Niemand
außer Ruge, doch hatten meine Freunde und Genossen am
Styl und an gewissen Lieblings=Redewendungen mich bald
als Autor erkannt, als welchen ich mich auch gar nicht ver=
leugnete. Die Censur, wie sie es bereits seit lange gewöhnt
war, drückte alle ihre ehemaligen Argusaugen zu, obwohl es
ein Leichtes gewesen wäre, mir als Beamten (ich hatte es

inzwischen zu der hohen Würde eines Lotto = Directions=
Concipisten gebracht!) den Proceß zu machen. So fuhr ich
denn ungehindert fort, in Rede und Schrift zu frondiren,
und durfte in den verschiedenen geselligen Kreisen, denen ich
angehörte, als eine Art liberaler Vorkämpfer gelten. Mit
dem Kopfe gegen die Wand zu rennen, bleibt immer ein
mißliches Experiment, auch schüttelten kluge Freunde nicht
selten den Kopf über mein Gebahren. So der milde und
umsichtige Ernest Feuchtersleben. In den Vierziger=
Jahren hatte mich Kriehuber lithographirt; ich ließ unter
das Porträt setzen: „Lieber unvorsichtig als unwahr!"
Feuchtersleben erwiderte darauf:

> „Unvorsichtig" sind die Kinder,
> „Muthig" ist des Mannes Wort;
> „Unwahr" ist der Pfad der Feigheit,
> „Schweigen" oft der Wahrheit Hort.
>
> Leicht verirrt der Menschheit Schritt sich;
> Wo den rechten Weg sie fand,
> Führte sie die ernste Wahrheit
> An der Vorsicht weiser Hand.

Der Freund mochte Recht haben, obwohl sich dafür
wie dawider sprechen läßt. Soll Einer gar niemals den
Mund aufthun? Es erleichtert doch das Herz! Und Andere
machen's nach — so wird Propaganda. Auch war ich nicht
der Einzige, der die Dinge schlecht und faul erfand, und sie
bei ihrem Namen nannte. Und darunter befanden sich Be=
deutendere als ich. So erinnere ich mich einer Abendgesell=
schaft — gegen Ende der Vierziger=Jahre — wenn ich nicht
irre, war's bei Schmerling — wo ein Hofrath der

14*

obersten Justiz (Pederzani) es unumwunden aussprach:
„Man könnte dem Fürsten Metternich und dem Grafen Ko=
lowrat, welche in öffentlichen Angelegenheiten gewissermaßen
als „Geschäftsführer ohne Auftrag" handelten, geradezu
als Hochverräthern den Proceß machen." —

Der Liberalismus und die politische Aufregung der
gebildeteren Wiener Gesellschaftskreise gingen längst mit
Hochwasser, als im Spätherbst 1844 Friedrich List bei
uns eintraf. Ein Festmal zu Ehren des deutschen National=
Politikers und Förderers des Eisenbahnwesens wurde sogleich
beschlossen.

Das List=Souper von 160 Gedecken fand am
23. December statt, und alle Spitzen der Finanz, des
Handels und der Bureaucratie, auch einige Literaten nahmen
daran Theil. Daß ich als liberaler Schriftsteller gleichfalls
geladen wurde, versteht sich von selbst. Ich weiß nicht mehr,
welcher hohe Beamte den herkömmlichen ersten Toast auf den
Kaiser zu bringen hatte, doch zog er sich gut aus der Affaire,
indem er Kaiser Josef und dessen Reformen einzuweben, auch
ein bescheidenes Wort über die Verbesserungen, die bei uns
gegenwärtig in Aussicht stünden, einzuflechten wußte. So
war beiläufig der liberale Ton dieses ersten Wiener Meetings
angegeben. Der Gefeierte trat nun als Redner auf, stockte
aber bedeutend und kam durchaus nicht in Fluß. Ich traf
in der Folge häufig mit ihm zusammen und fand ihn als
einen verständigen, wenn auch bereits halb gebrochenen
Mann. Er bereiste Ungarn und legte unseren Machthabern
einen Plan vor, wie dieses reiche, aber versumpfte Land
durch deutsche Ansiedler zu colonisiren und zu cultiviren
wäre. Da predigte er aber tauben Ohren. Die alten Herren

legten vor wie nach die Hände in den Schoß und ließen den lieben Gott walten.

Immer schlagfertig, wie ich war, trug ich gleichfalls meinen Speech bei dem Festmale vor und schloß mit einem Gedicht: „Zollverein", häufig vom Beifall unterbrochen. Darin heißt es zum Schluß:

> „Und wenn die Gedanken erst zollfrei sind,
> Dann laßt uns weiter sprechen!"

Natürlich, daß der Applaus kein Ende nehmen wollte. So naiv waren wir damals.

Die Allgemeine Zeitung brachte einen Artikel über das Meeting, citirte auch einige meiner Verse. Darauf ließ mich mein oberster Chef, der Hofkammer-Präsident Baron Kübeck, am Neujahrstage 1845 zu sich bescheiden, um mir meine Rede, so wie meine Verse vorzuhalten. „Ich hätte durch mein öffentliches Auftreten gegen meine Pflicht und meinen Eid als Beamter gehandelt" — versicherte mich der Präsident — „er warne mich daher väterlich, mir meine Zukunft nicht zu verschließen" u. s. w. Ich ward toll und versicherte den Präsidenten dagegen, daß mir meine Anstellung beim Lotto nichts weniger als am Herzen liege, und daß ich jeden Moment bereit sei, den Beamten für den Schriftsteller aufzugeben. Auch hätte ich längst eine Schrift vorbereitet, um eine Verbesserung unserer Preßzustände und Abhilfe gegen die ebenso unerträgliche als nutzlose Censur zu verlangen. Eine ähnliche Erklärung gab ich auch bei Graf Kolowrat ab, der sich bereit erklärte, die Schrift zu übernehmen, nur mahnte er mich, darin behutsam aufzutreten und *insbesondere die* „Geistlichkeit" möglichst zu schonen.

Mit meinem trefflichen Freunde Stephan End=
licher, dem Polyhiſtor ſondergleichen, zugleich dem liebens=
würdigſten Weltmann, hatte ich inzwiſchen meinen Plan
wiederholt durchgeſprochen. Beide gelangten wir bald zu dem
Reſultate, daß man die Perſonen ſowie die Verhältniſſe
ſchonen müſſe, und nur „Verbeſſerungen im Cenſurweſen"
verlangen dürfe; ein Antrag auf eigentliche Preßfreiheit
wäre ein Schlag ins Waſſer.

. Am 20. Februar 1845 literariſcher Thee bei
Hammer=Purgſtall. Nebſt dem Hausherrn und mir
waren noch gegenwärtig: Graf Anton Auersperg (Ana=
ſtaſius Grün), Hofrath Baumgartner (der künftige
Miniſter), Caſtelli, Endlicher, Ettingshauſen,
Feuchtersleben, L. A. Frankl, Dr. Gobbi, Grill=
parzer, Profeſſor Hye, Hofrath Jenull, Karajan,
Kraft, Kudler, Löwenthal, Münch=Bellinghauſen
(Fr. Halm), Profeſſor Joſef Neumann, Dr. Schmibl
(Redacteur der kritiſchen Blätter), Profeſſor Schrötter,
Dr. Seligmann, Profeſſor Stubenrauch. Im Ganzen
24 Perſonen. Geladen waren, ohne zu kommen: Ferdinand
Wolf, Deinhardſtein, Profeſſor Springer, Hölzl
(vom Bücher=Reviſionsamt), Chmel und Zedlitz. Die
beiden Letzteren bezeichnete Heißſporn Hammer=Purgſtall mit
einem — nicht wiederzugebenden Namen.

Der gleichfalls geladene alte Fürſt Dietrichſtein
hatte von dem Thee abgemahnt und in ſeinem Abſagebrief
Paragraphen aus dem Criminalgeſetzbuche citirt. Der ſchlaue
Ladislaus Pyrker endlich war verhindert und ließ ſich
entſchuldigen.

Ich las nun mein Brouillon vor. Einigen war der
Ton zu scharf. Die Juristen fanden Manches auszusetzen.
Grillparzer und Feuchtersleben äußerten sich ein=
schränkend; Baron Münch (Friedrich Halm) war der
Meinung, ich sollte das Promemoria allein unterschreiben,
eine Auskunft, welche der Mehrzahl der Anwesenden aus=
nehmend zu behagen schien. Ich ward ungewiß, sah mich
nach Hilfstruppen um. Da trat der immer entschiedene und
kräftige Endlicher auf: die Schrift sei viel zu schwach und
zu zahm, man müsse es geradezu aussprechen, wie es sich
auch nachweisen lasse, daß das Institut der Censur sich über=
lebt habe, nicht länger haltbar sei. Hammer stimmte dem
Vorredner bei, und so ward mancher Schwankende ge=
wonnen. Es wurde ein Comité zur Ueberarbeitung des
Brouillons und zur Redaction des neuen Aufsatzes ernannt:
Endlicher, Jenull, Stubenrauch, Hye und ich. In
der Form eines Promemoria an Graf Kolowrat sollten
Alle unterschreiben; Keiner wagte ein entschiedenes
„Nein.“

Am 11. März las ich den neu redigirten Aufsatz
in einer zweiten Zusammenkunft unter großem Beifall,
und sämmtliche (diesmal 33) Gegenwärtige unter=
schrieben ohne Weigerung — sogar Ladislaus Pyrker,
trotz seines Gesichtsschmerzes.

In den nächsten Tagen setzten noch andere Professoren
und namhafte Schriftsteller (wie Zedlitz) ihre Namen bei,
auch die Dii minorum gentium drängte sich hinzu. Die
Schrift, eine Art Protestation der Wissenschaft und Kunst
gegen die faulen Preßzustände, wurde von mir dem Grafen
Kolowrat übergeben, der sein Bestes zu thun versprach.

Auch mit Hofrath Pipitz conferirte ich darüber. Er meinte: In Literatur und Kunst würde man gewiß eine freiere Bewegung gestatten, auch in der Wissenschaft — nur nicht in der theologischen!

Nach dem Rath des Grafen Kolowrat begab sich das engere Comité, bestehend aus Jenull, Endlicher und mir, auch zu den Erzherzogen Ludwig und Franz Karl.

Endlicher nahm sich am wenigsten ein Blatt vor den Mund und erklärte den Herren: Bei den jetzigen Verhältnissen müsse man sich schämen, ein Oesterreicher zu sein. Der alte Jenull erstarrte fast vor Schrecken über die kühne Aeußerung seines Collegen. Erzherzog Ludwig steckte das Kinn noch tiefer in die steife, weiße Cravate, ließ aber das kecke Wort fallen. Im Ganzen waren wir gut aufgenommen worden.

Als wir uns bei Metternich melden ließen, wurde uns aufs Artigste bedeutet, Seine Durchlaucht bedauerten sehr, Sie seien aber in diesem Augenblicke mit Geschäften überladen und ersuchten die Herren, in ein paar Tagen wieder vorsprechen zu wollen. Mir war diese Verzögerung höchst unangenehm, da mir der Boden längst unter den Sohlen brannte und ich zur Auffrischung eine Reise nach Paris und London vorhatte, die ich bereits Tags darauf anzutreten gedachte. Ich äußerte das gegen Endlicher, wollte auch die Reise aufschieben, um die Gelegenheit, den Fürsten kennen zu lernen, nicht zu verlieren.

„Reisen Sie nur morgen!" erwiderte der Freund, der seine Leute kannte. „Auf diesem Wege werden Sie den Fürsten nie und nimmer kennen lernen!" — „Wie so? Warum nicht?" — „Weil er uns gar nicht empfangen wird."

Und so kam es auch. Nach München, wo ich mich einige Tage aufhielt, schrieb mir Endlicher: er habe den Fürsten gesprochen und dieser habe ihm erklärt, daß er jeden der Herren einzeln mit Vergnügen empfangen wolle — was aber in Oesterreich ein Comité bedeuten solle, wisse er nicht. Ueber unsere demonstrative Eingabe äußerte er sich, es sei eine der betrübendsten Erfahrungen, die er während seiner langen Leitung des Staatswesens gemacht.

Im Princip hatte Fürst Metternich recht. Unsere Petition ohne Petitionsrecht war der erste „Sturmvogel", welcher die nahende Revolution ankündigte. Der Leiter des absolutistisch regierten Staates bewies sich auch in diesem Falle als Staatsmann, und zwar weit mehr als die öster= reichisch=gemüthlichen Erzherzoge, die uns Frondeurs in corpore annahmen und uns noch gute Worte gaben, anstatt uns arretiren zu lassen, was nur dem „System" adäquat und folglich consequent gewesen wäre. Aber die bewegende Kraft war aus der Maschine gewichen, die längst ohne Dampf arbeitete, und nach der lex inertiae nur noch eine Weile schläfrig weiter schlich.

Unsere Petition hatte aber schließlich zu nichts ge= führt, als zur Errichtung eines „obersten Censur=Colle= giums", welches nie ins Leben trat, und zu einer höchst albernen Broschüre (im J. 1847) des Hofraths Clemens Hügel, welcher auf nichts Geringeres antrug, als — eine Art Bücherstempel einzuführen!!

Ich ließ eine anonyme Gegenbroschüre in Leipzig drucken, worin ich den Herrn Hofrath ad absurdum führte, in welchem sich dieser matte Nachtreter und Nachbeter des Fürsten Staatskanzlers eigentlich sein ganzes Lebenlang befunden hatte.

Das Schriftchen erlebte in kurzer Zeit zwei Auflagen, wurde aber von den Märztagen verschlungen.

# X.

L'Allemagne est faite, pour y voyager.
Montesquieu.

Man will nicht bedenken, daß der
Constitutionalismus überall nichts
Anderes ist, als der Uebergang zum
Republicanismus.

Deutsche Jahrbücher
vom Jahre 1842.

Im Sommer 1834 war ich zum ersten Male in's „Ausland" gekommen, nämlich nach Deutschland. Als Oesterreicher und Wiener hatte ich mich zumeist darauf gefreut, in Bayern „constitutionellen Boden" betreten zu dürfen. Leider fand ich in München den Landtag bereits geschlossen, und es schien, als hätte er nie getagt, so wenig war die Rede von öffentlichen Dingen. Dagegen wurden die Alt=Bayern nicht müde, über den König los zu ziehen, über seine Verschwendung und seine Kunstbauten, sowie über die neue Malerschule, die so viel Geld koste. Eigentlich war aber König Ludwig ein guter Wirth, der sehr wohl hauszuhalten wußte und mit geringen Mitteln viel auszurichten verstand; auch kam sein Kunstsinn der Stadt zu Gute. Pinakothek und Glyptothek waren Nothwendigkeiten

um die Fremden nach dem langweiligen München zu ziehen;
die neuesten Lockvögel sind die Opern von Richard Wagner,
eine Art Branntwein statt des einst berühmten Bieres,
welches dermalen in Oesterreich vielleicht besser gebraut wird.
— Die Münchner von damals hielten sich auch darüber auf,
daß der König auf Grundlage des Concordats eine Menge
früher aufgehobener Klöster wieder hergestellt, neue erbaut,
und vor Zeiten davon gejagte geistliche Orden zurückberufen
hatte. Die Censurmaßregeln vom Jahre 1831 und die
Verfolgung aller Freigesinnten nach dem Hambacher=Feste
im Jahre 1832, hatte man dem kunstfreundlichen Ludwig
gleichfalls nicht vergessen können! Die Häupter der liberalen
Partei waren damals zu Gefängniß und Zuchthaus, und zu
jener abscheulichen und menschheitschänderischen „Abbitte
vor dem Bildniß des Königs" verurtheilt worden, wie
später auch der unpolitische Sapphir. Das meiste Aufsehen
hatte die Verhaftung des Bürgermeisters Behr in Würzburg
erregt, der als freimüthiger Mann und feuriger Redner in
ganz Bayern hoch in Ansehen stand. Als ich nach München
kam, war der Proceß über ihn noch in der Schwebe — erst
im Jahre 1836 wurde der Mann (wegen verfänglicher
Reden, im Jahre 1832 gehalten!) zu „unbestimmter"
Festungsstrafe und zu jener götzendienerischen Schmachabbitte
verurtheilt. Ueberhaupt witterte man damals nichts als
Demagogie! Ein Student wurde religirt wegen „Ver=
dachtes der Hinneigung zu burschenschaftlichen
Tendenzen!" Ich selber hatte das in einem bayerischen
Blatte gelesen und den unfreiwilligen Polizeiwitz später in
„Großjährig" angebracht. — Die Münchener schierten sich
im Grunde wenig um alle diese Dinge, zeigten großes

Respect vor den Gensdarmen und ließen sich den ganzen Tag
von den hin und her marschirenden Soldaten die Ohren voll
trommeln. Dasselbe Vergnügen genossen wir auch in Wien
— und so wollte mir der gar so gewaltige Unterschied zwi=
schen absoluter und constitutioneller Monarchie damals noch
nicht recht deutlich werden! —

Bei so geringer politischer Ausbeute erübrigte nichts,
als sich ausschließlich an Kunst und Wissenschaft zu halten.
Hauptzweck meiner Münchener Reise war übrigens das
Zusammensein mit meinem lieben Jugendfreunde Moriz
Schwind. Ihn als Cicerone zur Seite, besah ich alle
Merkwürdigkeiten. Das neue München hatte noch lange
nicht gehörige Toilette gemacht; die bereits angelegte Lud=
wigsstraße war ohne wogendes Menschengedränge, das man
freilich auch heutzutage noch vermißt, und so sorgte man
einstweilen für Wohnungen der künftigen Menschen. Allent=
halben wurde gebaut und gezimmert, gemeißelt und gemalt,
und mitten in dem Wust und neben den schmutzigen Baracken
der Altstadt erhoben sich Kunstbauten, griechische und byzan=
tinische Tempel, auch Paläste im Renaissancestil — Glypto=
thek, Pinakothek, die Ludwigskirche, die Allerheiligen=Kapelle,
das Odeon, das Leuchtenberg'sche und Max=Palais, die
neue Bibliothek, das Kriegsministerium. In diese und
andere Bauten theilten sich zwei Nebenbuhler: der deutsch=
gesinnte Gärtner, welcher, jede antike Reminiscenz ver=
meidend, den alten vaterländischen Rundbogenstil wieder
aufnahm; der andere Meister war Klenze, dem romantischen
und gothischen (deutschen) Baustile abgeneigt, mit ent=
schiedener Vorliebe für antike, besonders griechische Bauform.
Beide Männer waren Bauräthe, beide reisten nach Griechen=

land, und ein Jeder verharrte natürlich dort wie hier auf
seiner Ansicht. Immerhin! Da doch auf diesem Wege
Tüchtiges, wenn auch bisweilen Disparates zu Stande kam.

Mit Schmerzen gedachte ich in meinem Reisetagebuch
unseres alten, damals noch so engen und winkeligen Wien.
Der „große" Napoleon hatte uns im Jahre 1809 einen
Theil unserer Festungsmauern zusammen geschossen — wir
aber hatten diesen Kanonenwink unbenützt gelassen, das
unütze Zeugs gläubig wieder aufgebaut. Wann werden wir's
freiwillig abtragen, Licht und Luft über die dumpfe Stadt
ausgießen? Auch geistige! Umsonst! Das „System", das
österreichische Fatum, und der zahme Schutzgott des mäch=
tigen Reiches: der „Schlendrian" gestattet keine Verbes=
serung, keine „Neuerung." —

> Neubauten gilt's geschmackvoll zu betreiben!
> Die Menschen wandeln, die Häuser bleiben.

In München baute ein kunstverständiger König, mit
Künstlern zur Seite. Selbst ist der Mann! So überraschte
er die Künstler in ihren Ateliers, überfiel die Bauleute auf
ihren Werkstätten, spornte an, zankte gelegentlich, feilschte
auch um jeden überflüssigen Groschen.

Wenn in unserem Oesterreich damals irgend ein
Neubau Allerhöchsten Ortes befohlen worden, so bekam das
Hofbauamt, das Landesbauamt, das Wasserbauamt die Sache
in die Hand; diese Behörden, die wenig oder nichts davon
verstanden, übertrugen die Arbeit natürlich dem befugten
Landes=Ingenieur, der das Bauen leider nur in Oesterreich
studirt hatte! Eine Buchhaltung, die er gar nicht studirt hat,
controlirt seine Voranschläge, und ein hochadeliger Protector

überwacht und leitet den Kunstbau, dessen Pläne, die man
dem Herrn Grafen unterbreitet, er anfangs für die Blätter
eines chinesischen Zusammenlegespiels gehalten hatte, bis ihn
der Hofmeister des jungen Gräfleins aufklärt, es gebe ein
Ding in der Welt, welches man „architektonische Umrisse"
zu nennen pflege. Schließlich schlägt sich noch die ästheti=
sirende Frau Gräfin in's Mittel, welche die Ausführung des
Baues ihrem protégé, einem Schüler der Akademie, zu=
zuwenden weiß. Da nun das projectirte Ding weder
griechisch noch römisch, noch deutsch, noch byzantinisch, son=
dern in gar keinem Stil entworfen ist, so schadet es nicht,
daß auf den Rath der Dame auch noch einige französische
Schnörkel und englisch = normannische Verzierungen ange=
bracht werden. So schleppt sich das Bauobject durch
versuchende Anfänger und tappende Schüler, durch dilet=
tirende Liebhaber, durch Behörden und wieder Behörden,
und wenn es endlich fertig dasteht und, dem Himmel sei
Dank, nicht gleich wieder über den Haufen fällt, so hat die
Wachstube oder die kleine Kapelle Unsummen gekostet, und
König Ludwig hätte um einen weit geringeren Betrag
vielleicht eine Basilika in's Leben gerufen. —

Mit Freund Schwind trieb ich mich bei allen
Künstlern herum, lernte Kaulbach und Schwanthaler
kennen, hatte all die tausend neuen Schönheiten in mich auf=
zunehmen; inzwischen saß mein gelehrter Reisebegleiter
Kaltenbaek, der österreichische Specialist, mitten unter
den 600,000 Bänden und 10,000 Manuscripten der
königlichen Bibliothek, schwelgte unter den Schätzen, zeichnete
emsig Notizen auf für seine Sammlung der „Austriaca",
und für das „Archiv", welches er späterhin nach Hormayr

herausgab, wobei Ernst Feuchtersleben und ich den bisweilen etwas lässigen Redacteur nach Kräften mit Beiträgen unterstützten.

Der treffliche Schmeller war so freundlich, mich auf einige Curiosa aufmerksam zu machen. So bewunderte ich eine Bibel mit Porträts von Luther, Melanchthon und Friedrich von Sachsen, von Luthers Freunde Lucas Cranach gemalt. Die höchst merkwürdige Musikalien-sammlung enthält unter anderen Curiositäten auch eine sogenannte Oper von Kaiser Ferdinand III. —

Meinerseits wurde natürlich auch das „Handwerk" begrüßt. Der Hoftheater-Intendant, Hofrath Küstner, versah die Reisenden täglich mit Logen und Sperrsitzen, und zu den Diners und Soupers des gastfreien Mannes wurden mit uns auch die ersten Schauspielkräfte, wie die Dahns und Andere, geladen. Die Münchener Bühne besaß tüchtige Künstler, doch war ich durch unser „Burgtheater" verwöhnt. Die Spielweise, hier und dort, zumeist auf dem Felde des Modernen, war verschieden; so galt es, sich in die neue Weise zu gewöhnen. Kein Zweifel, zwischen dem Theater-Publicum irgend einer Stadt und deren Localschauspielern besteht ein inniges Wechselverhältniß. Der Mann gehört uns, er wächst mit uns zusammen, man überschätzt vielleicht seine Vorzüge, übersieht seine Fehler, leugnet sie wohl gar schlechterdings. Jede Bühne hat ihre Lieblinge. So behauptet zuletzt der Habitué eines Provinztheaters, man besitze dort die beste „Lorle" oder „Grille", ja sogar den famosesten „Hamlet" und „Romeo." —

Die Universität wies bereits bedeutende Sommer-lücken auf. So hospitirte ich nur ein paar Mal bei Hofrath

Thiersch, mit welchem ich schon früher in Wien bekannt ge=
worden und der in seiner geistreichen Weise über Tacitus las.

Schelling war leider abwesend, was ich sehr
bedauerte. Ich war bisher noch niemals mit einem Philo=
sophen „vom Fach" in nähere Berührung gekommen. Auch
jetzt mußt' ich mich damit begnügen, mir in einem der
Münchener Bierkeller die Stelle weisen zu lassen, wo der
Schöpfer der Identitätslehre zu sitzen pflegte, nachdem er
sich Stuhl und Bierkrug selber herbei geholt, auch den Be=
trag für die Leibesnahrung in Vorhinein entrichtet hatte, wie
es alt= und neubayrische Sitte erheischt.

Ueber Schelling raunte man sich übrigens damals
bereits wunderliche Dinge in's Ohr. „Er hat eine neue
Religion erfunden" versicherte mich ein Münchener Bürger
ganz ernsthaft. — So weit verstieg sich der Begründer der
Naturphilosophie nun wohl nicht! Daß er aber seine eigent=
lich negative Lehre durch eine neue positive Philosophie
ergänzen, einen „Dogmatismus höherer Art", wie er's
nannte, zu schaffen im Sinne hatte, das war vollkommen
richtig. Und zwar sollte das Factnm der Offenbarung
als solches erklärt, die übersinnlichen Thatsachen
des Christenthums sollten begreiflich gemacht werden!
— Der Widerspruch (contradictio in adjecto), der schon
in der Aufgabe liegt, springt in die Augen. Wer erklärt ein
Mysterium? Wer will ein Wunder begreiflich machen? Auch
war die Erklärung, wie sich bald herausstellte, wirklich noch
unbegreiflicher, als dasjenige, was dazu dienen sollte, sie
begreiflich zu machen. Aber auch schon das angenommene
Princip: das rein Negative durch ein Positives zu er=
gänzen, stand in directem Widerspruch mit sich selbst. —

Das Alles hinderte jedoch die Neu=Schellingianer nicht, sich
mit den Alt= und Jung=Hegelianern, die nach ihres Meisters
Ableben kampfgieriger geworden als je, Jahre lang auf Tod
und Leben herum zu schlagen. — Später, im Jahre 1841,
kam Schelling als Geheimer=Hofrath nach Berlin und
hielt seine Vorlesungen über die Philosophie der Offen=
barung; der indiscrete Paulus in Heidelberg gab nun die,
von Schelling's Zuhörern nachgeschriebenen Mysterien=Hefte
heraus, sammt einer Kritik der Schrift, von welcher nach
ihrem öffentlichen Erscheinen der Zauber des Geheimniß=
vollen ziemlich abgestreift war — nur das Unbegreifliche
blieb als Residuum zurück! Dieses Unbegreifliche ließ sich
aber nach einer gewissen Seite hin sehr wohl begreifen; die
neue Geheimlehre war nämlich für das Christenthum in
die Schranken getreten wie für den (preußisch=) christlichen
Staat, als dessen Schirm und Schutz seiner Zeit gewisser=
maßen auch Hegel gegolten hatte. Längst aber, eigentlich
schon vor dessen Scheiden, hatte sich das Blatt gewendet.
Die Jung=Hegelianer hatten inzwischen nicht nur den Rene=
gaten Schelling, sondern Staat und Kirche selber ange=
griffen. Die Hegel'sche Begriffslehre ist vieldeutig und
dehnbar, die Methode Alles bei diesem philosophischen
Schachspiel, bei dieser dialektischen (sit venia verbo)
Taschenspielerei. Die geschicktesten Escamoteurs traten nach
einander auf. — Als gewaltiger Vorkämpfer einer neuen
Richtung erwies sich der klarverständige und scharfsinnige
David Strauß, dessen Kritik eigentlich mit der Hegel'schen
Philosophie nur wenig gemein hatte. Das „Leben Jesu",
bereits im Jahre 1835 erschienen, hatte in der philoso=
phischen wie theologischen Welt das ungeheuerste Aufsehen

erregt, wie später das gleichnamige und verwandte Werk
Renan's in der ganzen Welt, da es leichter geschrieben ist,
wenn auch mit minder kritischem Geiste, dagegen faßlicher,
auch von gemüthlicher, selbst poetisch abschildernder Seite
anziehend. Jedermann kennt das Buch von Strauß und
weiß, daß die Evangelien darin als Mythen aufgefaßt, die
Wunder als natürliche Erscheinungen erklärt werden; die
Hauptsache ist, daß der historische (dogmatische) Christus
negirt, ein ideeller Gottmensch (beiläufig wie bei Hegel)
an dessen Stelle gesetzt wird. Von dem Gottmenschen ist
der Weg nicht weit zum Menschengotte, zu der Lehre
Ludwig Feuerbach's: der menschliche Geist, in Vernunft,
Gefühl, Wollen, ist Gott selbst, die außer sich gesetzte
Gottheit nichts als ein Phantasiengebilde! Bruno Bauer
drückt das noch weit schärfer aus, indem er die Offenbarung
ohne weitere Umstände als das Werk des „lügenhaften theo=
logischen Bewußtseins" darzustellen sucht. — Dadurch hatte
man der Kirche offenen Krieg erklärt; die Halle'schen
(später „deutschen") Jahrbücher setzten den religiösen Kampf
fort, zogen ihn aber zugleich in das Gebiet der Politik und
erließen zu Neujahr 1843 jenen bekannten berüchtigten
Fehdebrief gegen den bestehenden Staat, indem sie gerade=
wegs zur Republik aufforderten, was zuletzt freilich die
völlige Unterdrückung des Journals veranlaßte — allein
seine Sendung war beiläufig vollbracht.

So hatte nun die deutsche Philosophie seit Kant in
der That ihren Kreislauf vollendet, alle Phasen der Specu=
lation durchgemacht, um schließlich bei einer praktischen
Seite anzulangen. Die Metaphysik ist für eine geraume
Zeit, wenn auch nicht für immer, bei Seite gelegt, an ihre

15*

Stelle die Naturwissenschaft getreten. Dem freien
Vernunftstaate wurde aber damals die Bahn gebrochen,
nachdem man die letzten Trümmer des ausgegoltenen theo=
logischen und Polizeistaates wissenschaftlich über den Haufen
geworfen, was man später, im Jahre 1848, auch praktisch,
aber ohne rechten Erfolg, zu versuchen begann. — Jene
philosophischen Kämpfe hatten sich sogar bis nach dem stillen
Oesterreich verpflanzt. Der Remboldianer (Herbartianer)
Franz Exner, seit 1831 Professor der Philosophie in
Prag, griff die Hegelianer mit scharfer Waffe an ("die
Psychologie der Hegel'schen Schule", Leipzig 1842—44,
zwei Hefte), wogegen sich Joseph Unger (dermalen Sprech=
minister) in seinen Jugendjahren als eifriger Anhänger
Hegel's erwiesen hatte, in dessen Dialektik sich ein Frühwerk
Unger's: "Die Ehe in ihrer welthistorischen Entwickelung"
gewandt und bequem bewegt, wenn er gleich gegenwärtig, als
gereifter Mann, in Michelet's reine Enkomiastik nicht
einzustimmen, noch in dem "Sein gleich Nichts" die letzte
Auflösung des Welträthsels zu entdecken vermag. —

Ich habe hier nur referirt und die Spitzen gewisser
Lehren berührt, die in den dreißiger und vierziger Jahren
coursirten und von denen die Gemüther zur Zeit des poli=
tischen Stillstands auf das Lebhafteste angeregt wurden, wie
in unseren Tagen Schopenhauer's und Eduard von
Hartmann's Pessimismus in Gesellschaft und Literatur
immer mächtiger eindringt. Merkwürdig genug, daß die
"Parerga und Paralipomena", elegant in Goldschnitt ge=
bunden, auf den Lesetischchen der Wiener Damen zu finden
sind, ohne daß man dem Philosophen die wenig schmeichel=

: Ausdrucksweise in der Beurtheilung des schönen Ge-
chtes besonders nachzutragen scheint. —

Krieg der zahme bayerische Constitutionalismus himmel-
entfernt von dem freiheitlichen Ideale, und nun gar von
republicanischen der „deutschen Jahrbücher", so fühlte
. sich dagegen in Wien und Oesterreich wie in einem
igen Zuchthause. Und so fragten wir uns damals und
lange nachher:

„Wann wird der Retter kommen diesem Lande?"

Der Münchner Aufenthalt, für den naiven Wiener
:gend, so Gemüth als Geist erfrischend, legte doch dem
urfreunde in der August-Hitze zu schwere Opfer auf.
t Jahren an Gebirgs-Touren gewöhnt, wanderte ich
: Tegernsee und Kreut durch das Achenthal nach Inns-
f. In Ambras lagen kroatische Grenzer seit Jahr und
; und mochten sich wohl nach Weib und Kind zurück
en. Im schönen Rittersaal waren in die Bildnisse der
herzoge und Kaiser Pflöcke geschlagen, woran Militair-
ttel, auch Hemden und Inexpressibles hingen; Commiß-
e lagen vor den Potentaten, wie die Speiseopfer vor den
n Götterbildern. Im Schloßhof standen vor den Fresken
üste für Maler aufgerichtet, welche mit Mühe die
illigung erhalten hatten, die dem Verderben preisge-
nen Bilder zu copiren. Das Ganze gab einen traurigen
lick und ließ einen widrigen Eindruck zurück. Merkwürdig
tg, daß sich eine uralte Herrscher-Familie um Denkmale,
sich auf ihre Ahnen beziehen, nicht im Geringsten be-
mert. Ich weiß nicht, was sich der Herzog von Modena
i dachte, der zu gleicher Zeit mit mir den Wust besah;

jedenfalls daß sich diese barbarische Gleichgiltigkeit gegen
historische Erinnerungen auch dem Volke mittheilen muß, für
dessen Bildung ohnehin so viel wie nichts gethan wurde und
das sich völlig in den Händen der Geistlichkeit befand.
Nirgends wird übrigens mehr auf das Aeußere der Religion
gehalten als im Gebirge! Nicht nur die Tiroler sind bigott,
auch die Kärntner, Steirer und Oberösterreicher. Die Messe
und den Segen hören, Gebete plappern, das geht den ganzen
Tag. Auch an beichten gehen und communiciren fehlt es
nicht. Wie wenig aber dieses religiöse Handwerkstreiben
mit Sitten=Reinheit und Feinheit der Bauerngemeinden,
wie ihrer Seelenhirten, im Zusammenhang steht, hatte ich
Gelegenheit, bereits im Jahre 1826, bei einem längeren
Aufenthalt in Kärnten zu erfahren. Die Landpfarrherren
hatten dort von innen wie nach außen nur wenig Geistliches
an sich. Sie gingen meist in langen Röcken (Kitteln), weiten
leinenen Beinkleidern, bunten Halstüchern, runden Hüten,
halb Landbeamte, halb Bauern, schimpften über das Con=
sistorium, trieben Landwirthschaft, auch Viehhandel. Unter
ihnen dienten arme Capläne, wahre Lastthiere, denen alle
schweren Pflichten ihres Standes, so die Seelsorge im Hoch=
gebirge bei Tag und Nacht aufgebürdet waren, und die kaum
in der Lage waren, sich Einmal im Tage satt zu essen. Und die
Pfarrer selbst! Aus dem Religionsfond besoldet und durch die
Congrua schlecht bedacht, waren sie zumeist auf die Stola=
gebühren und auf den Zehend angewiesen, den sie strenge
einzufordern schlechterdings genöthigt waren, sollten sie sich
selber und ihre armen Capläne nothdürftig erhalten. Das
führte nun häufig zu Reibungen mit den Beichtkindern und
Zehendholden, that, nebst dem etwas lockeren Lebenswandel

der geistlichen Hirten, dem Respect gegen sie Eintrag. An
gelegentlichen Skandalen fehlte es auch durchaus nicht. So
bei dem Frohnleichnamsfeste, welches in Ober=Vellach,
dem Sitze eines Dechanten, besonders glänzend gefeiert
wurde. Sämmtliche Pfarrer der Umgegend hatten sich dazu
eingefunden; der von Flattach aber hatte seine Köchin
im Steirerwagen selbst kutschirend mitgebracht, sie einige
Schritte vor der Dechanei abgesetzt, wo er erst seine geistliche
Toilette machte, später mit seinen Collegen zur Tafel geladen
war. Die Tactlosigkeit des Pfarrers, die hübsche „Nani“,
die noch weit zum canonischen Alter hatte, an einem so
festlichen Tag vor aller Welt herum zu kutschiren, war zu
den Ohren des Oberhirten gelangt, welcher dem leichtsinnigen
Seelsorger weidlich den Text las, wie er's auch verdiente.
— Natürlich daß derlei Vorfälle nicht eben dazu beitrugen,
Sitte und Sittlichkeit unter dem Landvolk besonders zu
erhalten oder zu fördern. So hatte sich damals die Anzahl
der unehelichen Kinder im Möllthal von Jahr zu Jahr in
unverhältnißmäßiger Proportion vermehrt und unter den
Weibern und Mädchen waren wenig Lucretien zu finden,
wozu freilich die Militair=Einquartirungen das Ihrige bei=
trugen. Aber auch das Kegelschieben um Geld, das
Schlemmen und Zechen war unter den wohlhabenderen
Bauern eingerissen, sowie das ankreiden lassen, und die
Weinwirthe besuchten einander wohl um die Wette, tranken
sich gegenseitig ihre Fexungen aus. Schlemmerei und Lüder=
lichkeit gingen dabei mit Kirchengehen und äußerlichem
Gottesdienst wie auch mit dem krassesten Aberglauben Hand
in Hand. Gewisse „wunderliche Heilige“ standen in beson=
derem Ansehen. So in Heiligen=Blut der heilige Price

tius, der nach der Legende in seiner Wabe ein Fläschchen
vom Blute Christi davon getragen. Ich hatte aber den
hölzernen Heiligen damals in einem erbärmlichen Zustande
vorgefunden. Die Weiber schnitten sich nämlich Späne aus
ihm heraus, indem der Besitz eines derlei Segments die
Geburten erleichtern soll. Im Jahre 1826 war dem armen
Prictius besonders hart zugesetzt worden! Nur sein Rumpf
war mehr übrig, ohne Kopf und Hände, auch nur mehr die
halben Füße. Um der Nachfrage zu genügen, war aber
bereits wieder ein neuer hölzerner Wundermann bestellt. —

In dieser und anderer Weise ließ man das schöne
Bergland verkümmern, aus welchem man vor Zeiten die
fleißigen, auch nüchternen Protestanten vertrieben hatte.
Mit ihrem Scheiden gerieth der Bergbau in's Stocken, die
sonst ergiebigen Silberschachten zerfielen, man schürfte nur
mehr zur Noth und ohne Gewinn. Wie man unbekümmert
blieb bei dem schwindenden Wohlstand der einst blühenden
Provinz, so that man auch nichts für die Bildung weder
des Landvolkes noch des Land-Clerus, der kaum eine Stufe
höher stand als seine Pflegebefohlenen. Man begnügte sich,
Steuern einzuheben, Executionen vorzunehmen, Beichtzetteln
einzufordern und das Militär zwecklos hin und her
marschieren zu lassen.

Ward es mir in Kärnthen, wie längst in Wien, schon
damals klar, daß dieses geistlose System des „laisser aller,
laisser faire" nicht von ewiger Dauer sein könne, sich an den
lässigen Gewalthabern früher oder später rächen müsse, so
konnte ich jetzt, sechs Jahre später, in Tirol ähnliche Beobach-
tungen anstellen und dieselben Schlüsse daraus ziehen. Wenn
man vielleicht der Meinung war, auf dem oben angezeigten Wege

scheinheiligen Frömmigkeitswesens gehorsame und zu=
»ene Unterthanen zu erziehen, so befand man sich höchlich
Irrthum! Die Tiroler Bauern waren nichts weniger als
der Regierung einverstanden, und die Bürger eben so
.ig, noch die Beamten, die schon damals nur mit Wider=
en das gepriesene „System" ausführen halfen. Ich kam
:in paar Abenden in einem Gärtchen mit Bürgern und
ioratioren zusammen, die sich kein Blatt vor den Mund
men — .ich habe nicht balb so herzhaft, laut und ohne
eu über die „Wiener Herrn" losziehen hören, wie
als in Innsbruck. Ob das später, in der sogenannten
iitutionellen Aera, anders geworden? Ich zweifle!
ttsch=Tirol liebäugelt seit Jahren immer auffälliger mit
ern, wie Welsch=Tirol mit Italien. Unser neues
iisterium von „honneten Leuten" (ich schreibe im
uar 1872) wird zu thun haben, um das Concordat=
hige Volk zur Vernunft zu bringen. Wenn die Herren
will annehmen, daß es ihnen damit Ernst·ist) nur auch
t und — Gelegenheit dazu finden. —

Der Curiosität halber wurde die „Martinswand"
iegen. Entweder war Kaiser Max ein schlechter Berg=
ier oder die Felsen sind seitdem milder und zugänglicher
orden — kurz, wir kraxelten hin und zurück ohne be=
iere Beschwerde und kein Engel oder Bauernbengel
achte sich unsertwegen zu bemühen. —

Von Innsbruck über Salzburg und das Salzkammer=
nach Wien zurück. —

Im August 1836 unternahm ich eine Reise durch
n Theil von Deutschland mit Freund Auersperg. Der
efferkörner=Maltitz", breit, klein, etwas höckerig,

heftig in Sprache und Gesticulation, machte in Dresden unsern Cicerone.

Er führte uns zu Tiedge — ein vierundachtzigjähriger freundlicher Greis, den das Podagra im Armstuhle festhielt. Seine Freundin Elisa von der Recke hatte den Verfasser der „Urania" jahrelang auf das sorgsamste gepflegt. Sie starb 1833; nun lebte er einsam. Auch der alte Leipziger Schnorr hatte sich eingefunden, der noch mit Seume wohlbekannt gewesen. So verknüpfen sich die Zeiten! Als Repräsentant der Gegenwart besuchte uns der artige Kühne, damals Redacteur der Leipziger Eleganten Zeitung, die später an Laube überging.

In Leipzig wurde Anastasius Grün hoch gefeiert. Er stand damals im Zenith seines Dichterruhmes. Verleger, Literaten und Studenten belagerten ihn schaarenweise, ein Jeder wollte ihn kennen lernen, die Meisten brachten ihre Albums mit, erbaten sich ein paar Erinnerungsverse, gelegentlich auch von mir.

An Goethe's Geburtstag langten wir in Weimar an. Frau v. Goethe hatte nach dem Ableben ihres großen Schwiegervaters mit Mrs. Jameson zum erstenmale Wien besucht, wo sie in der Folge einen bleibenden Aufenthalt nahm.

Ottilie, schon damals kränklich und leidend, trägt ihre Uebel und Gebrechen bis zum heutigen Tage mit einer Engelsgeduld, deren ich kein Beispiel weiß; dabei nimmt sie unter Schmerzen und Entbehrungen jeder Art unausgesetzt den lebhaftesten Antheil an Allem, was geeignet ist, Geist und Gemüth in Bewegung zu setzen. Für das geringste Gute oder Freundliche, das man ihr erweist, in hohem Grade dankbar, in der Freundschaft verläßlich und ausdauernd, hat

sie sich eine gewisse Jugendfrische, Empfänglichkeit und
Begeisterung für alles Schöne und Gute bis in ein Alter zu
bewahren gewußt, welches gewöhnliche Menschen abstumpft,
so ideellen Naturen aber, wie es scheint, nichts anzuhaben
vermag. Die immer liebenswürdige und zugängliche Kranke,
die sich selbst und ihre Zustände vergißt, die, aufmerksam auf
Personen und Verhältnisse, einen Jeden mit Interesse an=
hört, die über ein neues Gedicht in Entzücken gerathen kann,
wie über eine schöne Blume — sie könnte wahrhaftig mit
Voltaire sagen: „La santé seule me manque; mais il
n'y a point de malade plus heureux que moi." Ihre
beiden Söhne, auf die der Name Goethe drückt, haben
Geist und Talent, alle Herzensgüte und leider auch
vieles Kranke von der Mutter, für die sie einen wahren
Cultus hegen.

Ottilie hatte mir in Wien viel von Weimar und
vom „Papa" erzählt, mich auch auf das dringendste einge=
laden, sie in ihrer Heimat zu besuchen. Ihr Schwiegervater
habe von jeher eine Vorliebe für die Wiener gehegt, be=
hauptete sie; Grillparzer und Andere hätten das erfahren,
und ich mit meiner Offenheit, selbst gelegentlichem
Aufbrausen, würde ihm gewiß zugesagt haben. „Papa"
sei höchst unschuldigerweise in üblen Ruf gekommen; er habe
sich nur steif und abstoßend gegen neugierige Fremde be=
nommen, die ihn wie ein Wunderthier betrachten wollten,
und auch Literaten von Profession, die sich ein Capital aus
ihm herauszuschreiben gedachten, waren ihm in der Seele
zuwider — wo ihm aber ein wirklicher Mensch entgegen=
trat, der sich gibt, wie er ist, und nicht mehr scheinen will,
als er ist, da habe der alte Herr stets Aufmerksamkeit, Theil=

nahme, Wohlwollen gezeigt, ja er konnte nach Umständen
wohl auch warm und mittheilsam werden.

Wir betraten also das Goethe'sche Haus. Leider war
Goethe nicht mehr! Und was war Weimar ohne ihn?
Doch nein! Die gute Ottilie war ja hier, die uns wahr=
haft herzlich und überfreudig aufnahm. Wir mußten gleich
zu Tisch bleiben. Ottilie hatte uns zu Ehren sämmtliche
Celebritäten Weimars zusammentrommeln wollen. Ich
fragte vor Allem nach Eckermann, der leider nicht aufzu=
treiben war. Der hypochondrische Mensch ergriff immer die
Flucht, wenn er von Fremden, besonders Schriftstellern,
vernahm; auch Tags darauf war er nicht aufzuspüren, hatte
sich irgendwohin aufs Land verkrochen. Da auch Kanzler
Müller abwesend war, so mußten wir mit Froriep,
Stephan Schütze und dem Cabinets=Secretär Kreuter
vorliebnehmen. Bei Tische stellten sich auch einige Damen
ein, und es entspann sich bald die lebhafteste Unterhaltung.
Am nächsten Vormittag machte man uns die Honneurs in
Weimar.

Der Cancan in einer kleinen Stadt ist groß; gewisse
scandalöse Anekdötchen pflanzen sich da noch nach Jahr=
zehnten fort. Man wies uns unter anderen Dingen auch
die seichte Stelle der Ilm (die ganze Ilm ist seicht), in
deren Nähe die Frau Superintendentin Herder mit dem
Verfasser der „Ideen zur Geschichte der Menschheit" in
Zank gerathen war (was nicht selten geschah), dem Herrn
Hofprediger die Perrücke vom Kopfe riß und sie von der
Brücke in das Flüßchen schleuderte. An ähnlichen Scan=
dalien war übrigens hier kein Mangel, und ich selbst sollte
an geheiligter Stelle eine Aeußerung vernehmen, die mich

geradezu empörte. Man wies uns nämlich Goethe's
Sammlungen und Handzeichnungen, schloß uns sein Arbeits=
zimmer auf, welches in das Gärtchen geht; auch das Schlaf=
und Sterbezimmer des großen Genius durften wir betreten.
Es ist schlicht möblirt, eigentlich schlecht, die Bettstätte von
weichem Holze, eine Matratze darauf, ein Polster, eine
Decke. Ich war bewegt, mir kamen die Thränen — als
plötzlich der satyrische St. Schütze mir ins Ohr flüsterte:
„Eitelkeit von dem Seligen!" — Auch in der Gruft
der Großherzoge, beim Betrachten der Särge Schiller's
und Goethe's fielen ähnliche bedenkliche Bemerkungen. Ich
selbst erinnerte mich an gewisse kleine Geschichtchen — zum
Beispiel, daß der große Goethe, der an der Hoftafel saß,
seinem großen Freunde Schiller am Hausofficier= und
Katzentische (der Dichter des „Tell" sann vielleicht eben
über die hundert Thaler Zulage nach, die man ihm jüngst
verweigert) durch den Hofcamerier einen Teller übermitteln
ließ mit der erläuternden Erklärung: „Serenissimus
senden Ihnen ein Kibitz=Ei!"

Wahrhaftig, der Spötter Kotzebue brauchte nur
Weimar zu portraitiren, um die „deutschen Kleinstädter"
nach dem Leben zu schildern! Merkwürdig genug, daß dieses
sächsische Abdera oder Athen an der Ilm berufen war, die
Heroen der deutschen Literatur zu beherbergen. Die paar
Anekdoten dürften hinreichen, um an die ganze spießbürger=
liche, sociale und Hof=Misère der gelehrten deutschen Muster=
stadt zu erinnern, deren Hofbibliothek mehr Bände enthält,
als das ganze Großherzogthum Unterthanen. Merkwürdig
genug, daß jene großen Männer trotz der kleinen Umgebung
innerlich groß blieben und mitten in der Misère ihre großen

Werke schufen. Für die deutsche Muse gab es keinen Augustus, keine Medicäer, keinen Louis XIV. — sondern nur einen kleinen Kibitz=Eier=Fürsten, der freilich nach Kräften für Literatur und Kunst gethan, allein der deutsche Dichter durfte demungeachtet mit stolzem Bewußtsein von sich sagen und singen: „Selbst erschuf er sich den Werth!"

Wir brachten noch einen angenehmen Thee=Abend bei Ottilien zu, wo freilich die in Weimar unvermeidlichen Engländer nicht fehlten. Eine Einladung nach Hofe stand uns für den nächsten Abend in Aussicht, worüber wir Beide erschraken. Wir machten uns also des Morgens in der Stille davon, und weiter ging's über Erfurt und Gotha nach Eisenach, wo der Wartburg und dem Luther=Zimmer gebührend Reverenz erwiesen wurde. Tags darauf über Gelnhausen, Hanau nach Frankfurt a. M. Ein junger Doctor legens, Danz (als juridischer Schriftsteller längst bekannt und dermalen Ober=Appellations=Gerichtsrath in Jena), schloß sich uns dort an, begleitete uns nach Mainz, machte die Rheinreise mit uns. Auf dem Dampfschiff gesellte sich ein Mann zu uns, einige Jahre älter als wir, nicht groß, ein frisches volles Gesicht, bebrillt, immer lebhaft, beweglich, mittheilsam, ja ein wenig geschwätzig, in jeder Art Literatur zu Hause. Wir tauschten bald unsere Namen aus und erfuhren, daß wir den Verfasser des „Erbrechts in geschichtlicher Entwicklung", den Gegner der histo= rischen Schule und Professor der Rechte in Berlin, den Hegelianer Eduard Gans, vor uns hatten. Mitten im lebhaften Verkehr mußten wir uns leider trennen, da er genöthigt war, in Coblenz auszusteigen, wir aber die Rhein=

fahrt bis Köln fortsetzen wollten, doch gaben wir uns für den Rückweg ein Rendezvous in Bonn.

In Köln saßen eben die Affifen. Für mich, auch für Danz ein willkommener Handel! Wir kamen den ganzen Sommertag und Abend nicht aus dem Gerichtssaale heraus. Es handelte sich um einen Diebstahl, der beiläufig bewiesen war, obwohl unter den verzeihlichsten Verhältnissen, aus Armuth und Verzweiflung begangen. Der Procurator trug, seinem Amte gemäß, auf Verurtheilung an. Der Advocat und Vertheidiger sprach gut, obwohl etwas pathetisch. Der Beschuldigte hatte seit April gesessen — die Jury sprach ihn frei, ohne Zweifel mit Rücksicht auf die Vorhaft wie auf die Familienverhältnisse des armen Teufels. Wie weit schlimmer wär' es ihm in Oesterreich ergangen! Kein Gott hätte ihn vor dem Zuchthause geschützt. Seine Freunde brachten den für unschuldig Erklärten und augenblicklich auf freien Fuß Gesetzten jubelnd nach Hause, und ich fing an, die Vortheile des öffentlichen Verfahrens und der Jury zu begreifen.

Nach ein paar luftigen Tagen in Köln kehrten wir nach Bonn zurück, wo uns Gans bereits mit Sehnsucht erwartete und am nächsten Vormittag zu A. W. Schlegel führte. Trotz der noch warmen Jahreszeit (es war in den ersten Tagen des September) brannte doch in dem netten Empfangzimmer ein leichtes Kaminfeuer. Ein Diener in Livrée meldete uns an. Der Professor, damals beinahe ein Siebziger, trat ein. Er war äußerst sorgfältig gekleidet, hatte etwas Schminke aufgelegt und trug eine höchst elegante Perrücke. Im Gespräch sprang er von einem Gegenstande auf den anderen über, brachte auch gewisse Schlag= und Lieblingsworte vor, auf welche mich Gans im vorhinein

aufmerksam gemacht, wie er auch dem Gelehrten das Hölz-
chen warf, um ihm die gewünschte Phrase zu entlocken; dabei
blinzelte mir der Schalk verstohlen zu, wie befriedigt über
sein gelungenes Stratagem.

Schlegel hatte sich ganz und gar in sein Sanskrit
eingesponnen, ließ die moderne Literatur vollkommen unbeachtet oder that wenigstens dergleichen, doch sagte er dem
Verfasser des „letzten Ritters“, der „Spaziergänge“
und des „Schutt“ ein paar artige Worte. Daß ihm meine
harmlosen Wiener Lustspiele unbekannt geblieben, war kein
Wunder, auch hütete ich mich wohl, merken zu lassen, daß
auch ich, gleich dem hochberühmten Mann, Shakspeare
übersetzt hatte.

Der alte Schlegel war ein viel gewanderter und
erfahrener Weltmann, trug das Wesen eines vornehmen
Gelehrten zur Schau — man merkte die Absicht; auch
etwas Geckenhaftes war beigemischt. Die Unterhaltung hatte
etwas Steifes. Schlegel's Blicke schweiften auch ab und
zu auf den als Tourist ziemlich nachlässig gekleideten
Doctor legens — seine Blouse schien dem Manne im Frack
ein Gräuel. Der allzeit schlagfertige Gans brachte nun
das Gespräch auf Schlegel's und Tieck's Jugendjahre —
da ließ der Alte nach und nach die strenge Maske fallen,
wurde warm, tischte uns die artigsten Anekdötchen auf, lud
uns endlich sogar zum Mittagessen. Leider daß Auersperg
nicht annahm, der mit der Rückreise eilte, wegen eines
Rendezvous mit Tieck. Ich bedauere das versäumte Mittag-
mal mit dem Bruder des Verfassers der „Lucinde“.
August Wilhelm war in Zug gerathen; sein frivoles
Auge ließ errathen, daß wir auf dem besten Wege waren,

die wunderlichsten Aufschlüsse über das Jugendtreiben jener
Gründer der neuen, inzwischen alt gewordenen Romantik zu
erhalten.

Ich gab Freund Anastasius das Geleite bis nach
Coblenz zurück, ließ ihn aber nach Darmstadt vorausreisen
und versprach, bald nachzukommen. Inzwischen streifte ich,
anfangs mit Gans und Danz, später mit Danz allein,
eine Reihe vergnüglicher Tage in den Rheinlanden herum;
wir besuchten Rheinstein, Drachenfels, Bacharach, Bingen,
warfen Blicke in die Seitenthäler der Lahn. Eduard Gans
war ein Lebemann und Feinschmecker; als wir uns trennten,
schrieb er mir die besten Gasthöfe für die Rückreise bis
München auf — ich bewahre den Zettel noch. Wir hatten
gegenseitig Gefallen an einander gefunden, und ich versprach,
ihn gelegentlich in Berlin zu besuchen, allein in den nächsten
zwei Jahren kam ich nicht dazu, trotz seiner bringenden
Briefe, und das Jahr 1839 hatte dem thätigen und genuß=
reichen Dasein des lebensfrischen Mannes leider bereits ein
Ziel gesetzt. Noch während des fröhlichen Verkehrs mit
Gans hatte ich den unglücklichen Ausgang unseres armen
gemüthlichen Raimund durch die Zeitungen erfahren.

Wen hab' ich nicht Alles seitdem begraben müssen?
Wenn man alt wird, verlieren sich die Freunde, alte wie
junge, bis man sich zuletzt selber verliert. —

In Darmstadt endlich angelangt, ward ich von dem
Freunde ausgescholten. „Du hast Tieck versäumt", hieß
es, „der deinetwegen noch einen Tag zugewartet." Es that
mir leid. Ich sollte das Haupt der Romantiker erst im
Jahre 1852 kennen lernen, als Meister Ludwig bereits

neununbsiebzig Jahre zählte, trotzdem noch immer frischen
Geistes war.

In Deutschland zu reisen, war vor der Eisenbahn=
Aera äußerst angenehm. Deutschland hat keine Hauptstadt —
das mag politisch vom Uebel sein — für die Literatur war
es bisher ein Vortheil. In jeder Stadt, in jedem Städtchen
leben ein paar halbverborgene Geister und Talente, die in
ihrer Provinz=Einsamkeit eine höchst originelle Gestalt an=
nehmen. Ich erinnere nur an das Unicum Jean Paul,
der einzig in Deutschland, Wunsiedel und Baireuth möglich
war! Und wer möchte den „Quintus Fixlein" entbehren,
den „Siebenkäs" oder die „Flegeljahre"? Freilich gehen
auch vereinsamte Genies bisweilen zu Grunde, wie Lenz
und Grabbe — jede Blüthe kann nicht zur Frucht werden!

Kurz, in Deutschland zu reisen, war damals ein
Vergnügen, zugleich eine Belehrung. In jedem Orte, den
wir auch nur flüchtig berührten, fanden sich ein paar Männer
der Wissenschaft und Literatur zusammen, und wir begrüßten
in ihnen das Handwerk, hatten oft in wenig Stunden die
bedeutendsten Verbindungen angeknüpft. Es ging ein gemein=
sames Band durch alle deutschen Lande. Man reiste da wie
en famille und war überall bald zu Hause.

Wenn Deutschland in den Dreißiger=Jahren noch
völlig in „Literatur=Seligkeit" aufgelöst war, wie Auers=
perg und ich das im Jahre 1836 erfahren, so hatten sich
die kleinen süddeutschen Kammern inzwischen bereits nach
Kräften zu regen und zu rühren begonnen. Als ich im
Jahre 1845 von einem Ausfluge nach Paris und London in
die deutschen Bundesstaaten zurückkehrte, fand ich die Stim=
mung gewaltig umgeschlagen. Das politische Moment

herrschte vor. So erfuhr ich's in den Rheinlanden, so in Bonn bei einem „Maitrank" mit Simrock, Kinkel und anderen deutschen Professoren, wo gar wuchtige Worte fielen.

Aber auch der deutsche Bürger und Philister war nicht mehr derselbe. Bei einem Souper in Mainz im „Hessischen Hof" sagte mir ein tüchtiger, etwas derber Mann, wohlbehäbig, weinfroh: „Deutschland sollte nur Einem gehören — die vielen Herrlein, das taugt nichts!"

Mich als Wiener erkennend, expectorirte er sich des Weiteren: „Oesterreich haben wir gern, hätten uns ihm auch mit Freuden angeschlossen — aber jetzt müssen wir's mit Preußen halten! Auch ist der österreichische Stock abscheulich. Die Menschen muß man mit der Ehre zusammenhalten, nicht mit dem Prügel!" —

In Mannheim kaum angelangt, kam mir Glaßbrenner in den Wurf. Binnen einer Stunde hatte der einen Rudel Literaten und Schauspieler zusammengetrommelt. Wir kneipten mit ihnen und den liberalen Deputirten, den aus Berlin verwiesenen Itzstein und Hecker. Auch der gemäßigtere Mathy war zugegen. Es wurde bis lange nach Mitternacht ungeheuer politisirt, mitunter auch ins Zeug geschwatzt, von Seite Hecker's mit souveräner Verachtung der Gegenpartei. Einer gebrauchte gelegentlich das Wort: „Pöbel." „Es gibt keinen Pöbel!" — schrie Hecker auf — „es gibt nur das Volk, und das Volk ist der Herr!"

Oesterreichs wurde mit großem Mitleid und mit ebenso großer Unkenntniß gedacht, so daß ich mich meiner Landsleute annehmen mußte.

16*

Hecker, damals ein feuriger junger Mann, ein
kräftiger und prächtiger Kopf, gestand mir im Nachhause=
gehen, daß er der kleinlichen Kämpfe und Nergeleien müde
sei. „Kommt's nicht bald zur Revolution, so wandere ich
aus mit Weib und Kind!" hieß es.

Nun, es kam zur Revolution und er mußte aus=
wandern.

Tags darauf begleitete mich Glaßbrenner nach Heidel=
berg zu Karl Beck, der sich schon damals als „stiller Mann"
erwies. Herwegh hatte ich leider versäumt.

In Stuttgart war ich viel mit dem Schauspieler
Moriz zusammen, in dessen Geleite ich auch, wie früher
erzählt worden, den armen Niembsch in Winenden besuchte.

Bei meiner Abreise von Stuttgart, gerade beim Ein=
steigen in den Eilwagen, wurde mir mein Reisegefährte
genannt: der amerikanische Consul Francis Grund, ein
geborner Wiener, seit zwanzig Jahren in Newyork, damals
ein kräftiger Vierziger, mehr als lebhaft, in allen Künsten
der Democratie zu Hause. Wir unterhielten uns ununter=
brochen die ganze Nacht, zur Verzweiflung unser übrigen
Reisegenossen. In Augsburg mit Grund und den Re=
dacteuren der Allgemeinen Zeitung, Altenhöfer, Mebold
und Wiedemann drei Tage lang in unausgesetztem
Verkehr. Kolb war leider abwesend. Alle diese Männer
besaßen eine Kenntniß der europäischen, auch der amerika=
nischen Zustände und Verhältnisse, wie ich sie manchem
österreichischen Minister wünschen möchte. Ich hörte zu,
wenn sie sprachen, ließ mich unterrichten, lernte an ihnen.
Grund hatte ein Auswanderungs=Project in petto. Die
Deutschen seien nur etwas werth, meinte er, wenn sie in

ausländischen Boden versetzt werden — man müsse das deutsche Gemüth durch etwas Yankeismus pelzen. Er wollte sich auch für eine Revolution in Preußen binnen drei Jahren verbürgen. In Deutschland gährte es aller= dings bereits ungeheuer; man konnte diese Bewegung beiläufig mit der in Frankreich vom Jahre 1786 vergleichen. Auch Friedrich List hatte sich gelegentlich zu uns gesellt. Er fühlte sich schon damals ziemlich gedrückt, bereute, Amerika verlassen zu haben. Als er zu der Thür hinaus war, sagte mir Grund: „Der Mann hatte in seinem ganzen Leben immer nur Eine Idee im Kopfe: daß die Deutschen so viel Colonialwaaren als möglich verzehren und dagegen Manufacturwaaren ausführen müssen. Sonst weiß er nichts. Seine Verdienste um Zollverein und Eisenbahnen will ich ihm lassen, aber er wird doch elend zu Grunde gehen." —

Die Prophezeiung traf leider nur zu balb ein. Das Jahr darauf kam List dahin, seinem Leben ein Ende zu machen. Die deutsche Gleichgiltigkeit hatte ihn in den Tod gejagt.

Wir sprachen auch von Oesterreich. Ich erwähnte der süddeutschen Sympathien für mein Vaterland, die unsere Machthaber wenig benützten, eigentlich Alles thäten, um ihnen entgegenzuwirken. Die Slaven, die man gegen die Magyaren hetzen will, erkräftigten sich so auf Kosten des deutschen Stammlandes!

„Das ist's auch!" rief Grund lebhaft aus. „Ihr zerstückelt euch selbst und arbeitet den Russen in die Hände!"

Ich konnte in Augsburg auch erfahren, wie die Journal=Artikel und Notizen entstehen. Es kam die Nachricht

des Anschlusses von Texas an die Sternen=Union.
Grund war entzückt darüber, schrieb noch in der Nacht
einen Artikel für die „Allgemeine", aus Newyork datirt.
Texas sei beiläufig so groß wie ganz Frankreich, wird darin
erzählt. In fünfzig Jahren werde Amerika eine Population
von zweihundert Millionen aufweisen können. Ein popu=
läres Buch trage dann dem Verfasser etwa eine Million
Dollars ein.

Sо rechnen die Yankees! Es ist was Dämonisches in
der neuen Welt. Wie keusch war unser Deutschland dagegen,
noch vor 1848!

Ich schied ungern von den Augsburgern, allein
Grund mußte nach Antwerpen, seines Consulats wegen, so
zog ich heimwärts über München. Auch hier hatte die Politik
bereits die Oberhand über die Kunst. Bei einer „Liedertafel",
wo viel Deutschthum consumirt wurde, brachte man meine
Gesundheit aus, aus Veranlassung der Schriftsteller=Petition
und anderer meiner liberalen Bestrebungen. Als echter
Wiener redescheu, des Wortes wenig mächtig, dankte ich
ziemlich unbehilflich. Einige Professoren gaben mir ein
Diner, wo ich zumeist dem trefflichen und höchst lebendigen
„Fragmentisten" Fallmerayer nahe kam. Auch Hofrath
Thiersch war zugegen. Der Philologe bezeichnete den
Fürsten Metternich als: „Μεσονύκτιος."

Gegen Ende August nach Hause zurück, nach einer
Abwesenheit von vollen drei Monaten.

Bald war ich in den alten Pferch wieder eingewöhnt,
fing meine Arbeiten an. Wer sich dem Theater ergibt, dem
läßt es nimmer Ruhe. Ein Stoff hatte mir längst vor=
geschwebt. In der anscheinend harmlosen Form eines ge=

wöhnlichen bürgerlichen Lustspiels sollte dem „österreichischen
Systeme" selber zu Leibe gegangen werden. Das Ding war
unter den gegebenen Censurverhältnissen nicht so leicht zu
machen. Ich arbeitete „Großjährig" im Laufe eines
Jahres drei=, viermal um, schrieb es erst in vier Acten, dann
in drei, zuletzt in zweien. In dieser Gestalt lernte es
Alexander Baumann kennen. Er diente im Bureau des
Grafen Kolowrat, der ihm ungemein gewogen war, ihn
auch auf das Landgut mitnahm, wohin sich der Staats= und
Conferenz=Minister zur Sommerszeit gewöhnlich für einige
Monate cum otio et dignitate zurückzog. Zur Erheiterung
des Staatsmannes wurde dort bisweilen auch von Dillet=
tanten Comödie gespielt. Baumann ersuchte mich nun,
ihm das Lustspiel für die gräfliche Hausbühne zu überlassen;
er selbst wollte den Schmerl spielen, Mathilde Wildauer
werde die Rolle der Liebhaberin übernehmen. Und so geschah
es auch. Der Graf fand das Stück „charmant", und die
Privat=Aufführung bahnte der Satyre im November 1847
den Weg auf die Bretter des Hofburgtheaters.

Eine Anecdote, die mir Graf Kolowrat mitgetheilt
mag hier ihren Platz finden. Wenige Tage nach der ersten
Aufführung des Lustspiels, hatte sich Erzherzog Ludwig, als
er ins Theater ging, gegen den Grafen geäußert: er höre,
daß er (der Erzherzog) in dem Stücke vorkomme. Der Graf
versicherte hoch und theuer, daß in dem harmlosen bürger=
lichen Lustspiele von derlei Anspielungen durchaus nicht die
Rede sei. Wieder einige Tage darauf sagte ihm der Erzherzog,
der einen gewissen trockenen Humor besaß: „Ich hab' das
Stück gestern gesehen — ich komm' doch darin vor und Sie
eigentlich auch!" —

jener bewegten Tage und Stunden einige Tinten- und Pinselstreiche beizutragen. —

Am 15. März wurde die ungarische Deputation erwartet, Koſſuth an der Spitze, von ihrem ſtürmiſchen Landtage geſendet. Die ungariſche Conſtitution mußte zur Wahrheit werden, war es bereits! Daß die Ungarn für uns gleichfalls gewiſſe politiſche Begünſtigungen anſprechen würden, verſtand ſich von ſelbſt. Welche Schmach aber für uns Deutſch-Oeſterreicher, wenn wir die neue Freiheit als Gnaden (vielleicht Danaer-) Geſchenk von Buda-Peſt davon tragen, uns bei den ſtolzen Magyaren zuletzt noch dafür bedanken müßten, daß wir ſtaatlich weiter exiſtiren dürfen! —

Dieſe und ähnliche Gedanken wälzte ich in der Seele, theilte ſie auch meinem Freunde Auersperg (A. Grün), mit welchem ich in dem Menſchengewoge zuſammen traf, überſchwellend mit. Wir kamen auf den Michaels-Platz. Es war etwa um die Mittagsſtunde. Ein Redner war auf eine Tonne getreten und haranguirte das Volk, im Angeſicht des Militärs, der Kanonen. Die auf dem politiſch-jung-fräulichen Wiener Boden bisher noch nie vernommenen Ideen der Social-Democratie ſchlugen an unſer Ohr und fanden an der naiven Bevölkerung gläubige, ja entzückte Hörer. Ich läugne nicht, daß mich das überraſchte, ja erſchreckte. Wer kann berechnen, wie weit die Utopien von Aufhebung des Eigenthums, von Gütergemeinſchaft und der-gleichen, eine wild aufgeregte und ungebildete Maſſe führen mögen! Kurz, die Anarchie ſtand mir auf dem Michaels-platze klar und deutlich vor Augen — meiner Empfindung nach das ſcheußlichſte Ungeheuer, welches ſich erdenken läßt! — Der Verfaſſer der „Geneſis der Revolution" macht

# XI.

## (Die Märztage.)

Osez! Voilà tout le secret des révo-
lutions.                    St. Just.

In der zweiten Hälfte der vierziger Jahre hatte sich
der Wiener Oppositionsgeist immer lebhafter zu regen und
zu rühren begonnen. Das Meeting zu Ehren Friedrich
List's, die Schriftsteller-Petition, die Broschüren von An-
brian und Möhring, die ungarischen Gravamina, die stets
drängenderen Vorstellungen der böhmischen und n. ö. Stände,
der passive Widerstand im lombardisch-venetianischen Königreich, selbst gewisse Regungen in dem sonst ziemlich harmlosen
„Gewerbeverein" wie im „juridisch-politischen Leseverein"
waren lauter Anzeichen eines herandrohenden Sturmes. Der
„liberale" Wiener entzückte sich an der wackeren parlamen-
tarischen Haltung des preußischen Landtages, der merkwürdigen Thronrede vom 11. April 1847 gegenüber; auch der
Ausgang des „Sonderbund-Krieges" rief in Wien Jubel hervor, sowie Pio nono's „consulta"; Lamartine's
„histoire des Girondirs" (sogar in's Böhmische über-

setzt!) wurde verschlungen, die feurigen Kammer=Reden des
poetischen Historikers rissen alle Welt hin, und als er sich in
der letzten Stunde für die „Reformbankette" erklärte, galt
er den Wienern für den wahren politischen Messias, welcher
da gekommen war, um den Segen der Freiheit über ganz
Europa zu verbreiten, Rußland und die Türkei mit einge=
schlossen. — Man muß aber nicht glauben, daß diese
österreichische Begeisterung Hand in Hand gegangen wäre
mit irgend einem greifbar=praktischen Plane oder daß man
dabei ein bestimmtes politisches Ziel in's Auge gefaßt hätte.
Der Wiener ist nichts weniger als revolutionär, wohl aber
eine Art gemüthlicher Frondeur, der gegen Alles und Jedes
Opposition zu machen bereit ist, was „Regierung" oder
„Gesetz" heißt. „Es muß anders, es muß besser werden!"
rief Einer dem Andren zu — um das wie fragte Niemand.
Man sah die Völker ringsumher ihre Fesseln abstreifen —
da wird auch für uns etwas „herausschauen!" meinte man.
Damit hatte sich die Oppositions=Seligkeit beruhigt und
war unser Wien ganz gemüthlich dem allgewohnten Leben und
Treiben nachgegangen; man bewunderte den Virtuosen Liszt
Férenz, der damals noch keine Kutte trug und für nichts
weniger als für den „Peterspfenning" musicirte, man gab
Festessen für Meyerbeer und seine „Vielka", bereitete
Jenni Lind wahre Triumphzüge. —

So war inzwischen das Jahr 48 heran gerückt, so
kam der Februar, die französische Republik und die deutsche
Revolution. Wien war in höchster Aufregung. „Metternich
muß abdanken!" lautete die Losung. Damit glaubte man
Alles gethan und abgethan. — Dieser Sorglosigkeit der
Regierten gegenüber, wie benahmen sich die Regierenden? —

Man ernannte ein neues „oberſtes Cenſur=Collegium", man
ließ durch „Hans Jörgel" gegen die Juden ſchreiben und
das Burgtheater durfte keine „aufregenden" Stücke wie
„Tell" oder „Fiesko" bringen. Auch meinem „Großjährig"
und „deutſchen Krieger" wurde die Ehre angethan, vom
Repertoir geſtrichen zu werden. Das Merkwürdigſte war
aber ein Circulare an ſämmtliche Behörden, worin den
Beamten unterſagt wurde, über — Mailand zu ſprechen,
welches man mit „adminiſtrativen Verbeſſerungen" zu be=
glücken gedachte. Die Leute verlangten Brod des Lebens und
man gab ihnen einen Stein! —

Am 11. März 1848 war die Petition um Conſtitu=
tion, Preßfreiheit u. ſ. w. (von Alexander Bach und mir
entworfen und von mir redigirt), mit tauſenden von Unter=
ſchriften bedeckt, dem ſtändiſchen Ausſchuß durch eine Bürger=
Deputation überreicht worden — am 12. März brachte die
Wiener Zeitung einen ſalbungsvollen, von Ruhe und
Ordnung triefenden Artikel — da kam der 13. März,
Fiſchhoff, die Studenten, das Ende der Stände=Herrlich=
keit, die Abdankung des Fürſten Metternich. — Der
„juridiſch=politiſche Leſeverein" hatte ſich wie von ſelbſt zu
einer Art improviſirten Behörde conſtituirt, durch bürger=
liche Elemente verſtärkt; die „Aula" war ſeit ihrem erſten
Auftreten eine ſtolze kleine Macht für ſich, die ſich bald ver=
größern ſollte. —

Die Geſchichte der Wiener Märztage iſt bereits wieder=
holt und ausführlich erzählt worden; ich muß mich hier
damit begnügen, gewiſſe Details und kleine Züge mitzu=
theilen, welche bisher nicht zur allgemeinen Kenntniß gelangt
ſind, wohl aber geeignet ſein dürften, zur richtigen Färbung

jener bewegten Tage und Stunden einige Tinten= und
Pinselstreiche beizutragen. —

Am 15. März wurde die ungarische Deputation
erwartet, Kossuth an der Spitze, von ihrem stürmischen
Landtage gesendet. Die ungarische Constitution mußte zur
Wahrheit werden, war es bereits! Daß die Ungarn für
uns gleichfalls gewisse politische Begünstigungen ansprechen
würden, verstand sich von selbst. Welche Schmach aber für
uns Deutsch=Oesterreicher, wenn wir die neue Freiheit als
Gnaden (vielleicht Danaer=) Geschenk von Buda=Pest davon
tragen, uns bei den stolzen Magyaren zuletzt noch dafür
bedanken müßten, daß wir staatlich weiter existiren dürfen! —

Diese und ähnliche Gedanken wälzte ich in der Seele,
theilte sie auch meinem Freunde Auersperg (A. Grün),
mit welchem ich in dem Menschengewoge zusammen traf,
überschwellend mit. Wir kamen auf den Michaels=Platz.
Es war etwa um die Mittagsstunde. Ein Redner war auf
eine Tonne getreten und haranguirte das Volk, im Angesicht
des Militärs, der Kanonen. Die auf dem politisch=jung=
fräulichen Wiener Boden bisher noch nie vernommenen
Ideen der Social=Democratie schlugen an unser Ohr
und fanden an der naiven Bevölkerung gläubige, ja entzückte
Hörer. Ich läugne nicht, daß mich das überraschte, ja
erschreckte. Wer kann berechnen, wie weit die Utopien von
Aufhebung des Eigenthums, von Gütergemeinschaft und der=
gleichen, eine wild aufgeregte und ungebildete Masse führen
mögen! Kurz, die Anarchie stand mir auf dem Michaels=
platze klar und deutlich vor Augen — meiner Empfindung
nach das scheußlichste Ungeheuer, welches sich erdenken läßt!
— Der Verfasser der „Genesis der Revolution" macht

sich zwar über mein Entsetzen lustig, indem er meint: ein
Lustspieldichter, selber von Seelenangst erfüllt, habe sich
bemüht, auch dem a. h. Hofe ähnliche Aengsten einzujagen
— sei's darum! Ich bin kein lederner Bureaukrat, welcher
Ausflüchte sucht, abwartet und hin hält, sondern ein Mensch,
der fühlt und denkt, und sich in einem bedeutenden Momente
an Herzen und Geister wenden wollte, nicht an Registraturen
und diplomatische Actenstücke! —

Einen Aufsatz über die gegenwärtige Sachlage in der
Tasche, beschloß ich nach Hofe zu gehen. Wie aber in die
militärisch verbarricadirte Hofburg gelangen? Da stieß ich
auf einen Schulkameraden. Besque von Puettlingen
(Hoven), damals Staatskanzleirath im Ministerium des
Aeußern, bahnte mir und Auersperg (den ich gebeten
hatte, mir zur Seite zu bleiben, was er auch redlich gethan),
den Weg zu einem der Vorzimmer des Staats= und Con-
ferenz=Saals. Wir fanden dort Hofleute, Kammerherrn,
darunter Graf Ottokar Czernin, auch höhere Officiere.
Es war ein Ab= und Zu=Gehen, ein Flüstern, geheimes
Melden — es schien etwas im Werke. — Ich nannte meinen
Namen, fragte nach dem Erzherzog Franz Carl. —
Mein Aussehen mochte nicht eben einladend erscheinen. Ich
hatte mehrere Nächte nicht geschlafen, war unrasirt, trug
über dem Leibrock eine Art grauer Blouse, dazu schmutzige
Stiefel, einen Stock und einen Proletarierhut — durchaus
keine Audienz=Toilette! — Die Antichambre war überaus
artig, ließ sich in Gespräche mit uns ein. Nur von einem
einzigen Gedanken erfüllt, sprang ich gleich medias in res.
Ich schilderte die allgemeine Auflösung, sprach von Freiheit
und Menschenrechten, hieb wohl in der Fieberhitze hie und

der pelzverbrämten Husarenjacke mit verschränkten Armen
finster und starr wie ein kleiner Alba auf und ab schritt. —
Ich sah nach der Uhr. Es ging auf vier. Die Conferenz
muß längst vorüber sein, dachte ich. Was schadet's, wenn du
in der Kammer des E. H. Franz Carl um das Resultat
nachfragst! —

Ein alter und steifer Kammerdiener wollte mich
durchaus nicht anmelden. Da ich ihm aber dringend versicherte, der Erzherzog habe mich bestellt, um mir eine wich-
tige Nachricht mitzutheilen, so ließ sich der Mann endlich
erbitten. Er kam mit der Botschaft zurück: Seine kaiserliche
Hoheit geruhe mir sagen zu lassen, es stehe Alles gut und
ich solle nur bei Graf Kolowrat nachfragen. —

Ich eilte beflügelten Schrittes nach dem Schweizerhof.
Baron Ransonet, Protokollführer der Conferenz und
gleichfalls einer meiner Schulkameraden, theilte mir nun die
erfreuliche Nachricht mit, die Constitution sei bewilligt
worden. Ich wollte das Manifest mit eigenen Augen sehen.
— Das sei unmöglich! Das hochwichtige Schriftstück sei
eben erst in die Staatsdruckerei gesendet worden, da man
keine Handpresse besitze! —

Nicht einmal eine Handpresse! Und die langsame
Staatsdruckerei! — Ransonet beschwichtigte mich. In ein
paar Stunden, vielleicht noch früher, werde das Manifest
gedruckt erscheinen. — Und wenn die Ungarn kommen, bevor
es publicirt ist! — „Sie werden wohl nicht! Und wenn auch
— die a. h. Entschließung Sr. Majestät sei noch zu rechter
Zeit erfolgt.“ — Der brave Mensch theilte mir noch den
Hauptinhalt des Manifestes mit und verschwor sich hoch und
theuer, daß es auf's Jota so laute, wie er es mir angegeben. —

Gegen fünf Uhr lief ich nach dem Leseverein. In einen Fiaker zu steigen lohnte nicht der Mühe — ich flog mehr als ich ging. — Ich fand die Freunde in Permanenz, ließ die Thüren schließen, verkündigte die große Neuigkeit. Ungeheurer Jubel! Ich sprang auf den Tisch, erklärte, daß unsere halb=amtlichen Functionen mit dem Erscheinen des Manifestes zu Ende seien. —

Des Abends war die Stadt beleuchtet. Tausende von Menschen aller Nationen und Sprachen, Deutsche, Ungarn, Italiener, Böhmen, Polen wogten durcheinander, wie in brüderlicher Eintracht. Man sang „Gott erhalte" in allen Zungen und ließ den Kaiser hoch leben, nebenbei auch uns, wenn sich Einer von uns auf dem Balkon des „Lesevereins" zeigte, der sich übrigens am 15. März ausgelebt hatte. —

Am 16. besuchte mich Kossuth. Ich wohnte damals noch im Ständehaus, bei meinem Freunde Doblhoff. Der Agitator hatte mich nicht zu Hause getroffen. Ich ging daher in sein Hôtel, wo er mitten unter einer Schaar von reich und bunt gekleideten Magyaren eine Rede in ungarischer Sprache hielt. Jubel von allen Seiten. Ich stand lauschend an der Thür, ohne ein Wort zu verstehen. Da mir die Scene zu lange währte, schlich ich im Stillen davon, ließ nur meine Karte zurück. Ich bedaure hinterher, daß ich den merkwür= digen Mann nicht kennen gelernt. — Tags darauf kam ein Abgesandter des Volksmannes zu mir. Mitglieder der Stände, der Bürgerschaft und des Lesevereins sollten ge= meinschaftlich mit der magyarischen Deputation zum Kaiser gehen, gewisse deutsch=magyarische Postulate stellen. Ich selbst sollte die Männer der deutsch=liberalen

17*

Partei zu dem gemeinschaftlichen Schritte vereinigen, ver=
langte Kossuth. —

Ein wunderlicher Vorschlag! Ich erwiederte dem
Botschafts=Ueberbringer: der Leseverein habe aufgehört zu
fungiren und sei kein politischer Körper; — wie die Stände und
die Bürgerschaft über den Antrag denken, wisse ich nicht und
möge man sich bei den Herren durch Anfrage selbst überzeugen.
Als Private sprach ich die Meinung aus: es scheine mir
nicht passend, für zwei Nationen ein besonderes Begehren
zu stellen, da dieselbe Constitution bestimmt sei, alle
Völker Oesterreichs zu vereinigen. Auf dem künftigen all=
gemeinen Reichstage (constituirend oder nicht) sei der
geeignete Platz, sich über politische Separatwünsche zu
verständigen. —

Ich war im Herzen voll Seligkeit, schwelgte in der
neuen Gegenwart, dachte kaum an die Zukunft. — Die
Ständemitglieder sahen etwas trüber d'rein. — Ob sie denn
in den Reichstag kommen würden? fragten mich die Herren.
— „Als Stände gewiß nicht!" erwiederte ich ihnen munter.
„Aber wenn Ihr sonst tüchtige Männer seid, wird man
Euch gerne wählen." —

Mein politischer Jubel hielt nicht lange an. Die
Anarchie war freundlicher worden, aber es ging noch immer
hübsch toll und rathlos zu. Auch ein neues Ministerium
wollte sich nicht gleich gestalten, die alten Machthaber saßen
noch immer am Bret, vor Allen Erzherzog Ludwig. —
In ewiger Unruhe, ohne Appetit, ohne Schlaf, entwarf ich
ein Straßen=Placat mit der verrückten Aufschrift: „Provi=
sorische Regierung." — Es war aber nicht so schlimm
gemeint! Ich verlangte nur die Entfernung aller Männer

s alten Systems, die Ernennung eines neuen liberalen
Ministeriums. — Ich hatte die Schrift mit meines Namens
Unterschrift drucken lassen, holte die mehreren hundert
Exemplare im Fiaker ab. Ein Wort des Druckers machte
mich stutzen. — „Wenn Sie das auf der Straße anschlagen
lassen, werden die Leute nur noch toller werden!" sagte der
Mann mit einer Art Wehmuth. — Das kühlte mich ab. —
Ich fuhr nun zu den Ständen, überreichte jedem der Herren
ein Exemplar, drohte die Schrift zu veröffentlichen, wenn sie
nicht bis morgen die Abdankung des alten Erzherzogs zu
Stande brächten. Die übrigen Exemplare nahm ich mit nach
Hause, wo man sie während meiner bald darauf ausge=
brochenen Krankheit vertilgte. Nur wenige Sammler mögen
das unterdrückte Placat besitzen — mir selbst ist nur ein
einziges Exemplar übrig geblieben. —

Am 18. März hatte ich frühmorgens zu Graf
Kolowrat gesendet, der freiwillig abgetreten war und von
dem ich mir's versah, daß er den Erzherzog zu dem gleichen
Schritte bewegen würde. — Später kamen viele Stände=
mitglieder, auch Alexander Bach und andere politische
Freunde, die ich zum Frühstücke geladen hatte. Während
einer Rede, die ich ihnen über die Ministerfrage hielt und die
immer verwirrter klang, verlor ich Kraft und Bewußtsein
und mußte zu Bette getragen werden. Eine heftige Gehirn=
haute=Entzündung war ausgebrochen.

Ich lag drei Tage und Nächte mit der Eiskappe auf
dem Kopf und Senfteig auf den Beinen, heftig phanta=
sirend, wenn auch immer bei halbem Bewußtsein. So fragte
ich die Aerzte wiederholt, ob ich verrückt geworden sei oder
nicht. Auch über die Ereignisse des Tages wollte ich Auf=

schluß — man versicherte mich, es stünde Alles zum Besten.
— Die verschiedensten Persönlichkeiten hielten abwechselnd
bei mir die Nachtwache: Doblhoff, Bach, Dessauer,
Alexander Baumann, Alfred Becher, der Hofschauspieler Fichtner. Auch Tausenau hatte sich zu diesem
Freundschaftsdienste gemeldet, war aber nicht angenommen
worden. Sonst durfte überhaupt Niemand zu dem Kranken,
doch wurden durch acht Tage Bulletins ausgegeben. Ich fand
später hunderte von Namen auf dem Bogen. Auch Erzherzog Johann hatte mehrmals nachfragen lassen. —

Am zehnten Tage der Krankheit war ich wieder auf
den Beinen. Als ich zum erstenmal auf die Straße kam,
fand ich die alte friedliche Anarchie und den alten Erzherzog Ludwig noch immer an der Spitze der Geschäfte! —
Die Wahlen zum Frankfurter = Vorparlament kamen in
Zug. Aus Wien, wurden einstimmig gewählt: A. Grün,
Schuselka, Kuranda und ich, gegen den die Aerzte pro-
testirten. Ich müsse fort auf's Land, mich durch geraume
Zeit von aller Politik ferne halten, wenn die Krankheit nicht
auf's Neue und weit heftiger ausbrechen sollte. So wurde
Freund Endlicher mein Ersatzmann. —

Schon damals waren Aller Augen, der deutschen
Sache gegenüber, auf Erzherzog Johann gerichtet. Der
deutsche Kaiserthron stand ihm möglicher Weise in Aussicht.
Die Artigkeit erforderte, daß ich dem Prinzen, welcher dem
Kranken nachgefragt, meine Aufwartung machte. Sein gemüthlicher Secretär, Zahlbruckner, der mich angemeldet
hatte, flüsterte mir zu: „Der Herr ist äußerst niedergeschlagen
— suchen Sie ihn aufzuheitern." — Das lag weder in
meiner Macht, noch in der Zeit. —

Ich fand den Erzherzog allerdings gedrückt. Wir
sprachen von den letzten Ereignissen, auch von der Mailänder-
Revolution. Auch Tirol sei dadurch bedroht. Ich fragte
den Prinzen, wohin er sich zu wenden gedächte. „Wohin mich
mein kaiserlicher Herr sendet!" wurde mir erwiedert. — Ich
erlaubte mir zu bemerken: wir seien in eine Zeit gelangt, wo
eigene Sendung und Selbstbestimmung zu entscheiden hätten,
auch wäre, bei der allgemeinen Rathlosigkeit, zuletzt jeder
Mann willkommen, der im Stande sei, eine mächtige Partei
zu bilden, als Führer etwas auszurichten. Auch die Dinge in
Deutschland seien zu bedenken — dort gähre es mächtig,
allein wer kühn zugreife, durch Stellung und Ansehen begünstigt und dazu berechtigt, dem sei es vorbehalten, dort
eine große und segensreiche Rolle zu spielen. Im Laufe eines
Tages, einer Stunde lasse sich jetzt eine K r o n e gewinnen —
oder verlieren! —

Diese kühne Anspielung schien dem Erzherzog wenig
zu behagen. — „Was wollen Sie?" sagte er ausweichend
— „ich bin ein alter Mann, über Sechzig, ohne Ehrgeiz,
und den Kämpfen, die sich vorbereiten, kaum mehr gewachsen.
Ich werde übrigens mein Möglichstes thun, jedenfalls meine
Pflicht erfüllen. Vermuthlich wird mich mein kaiserlicher
Herr nach Tirol senden — ich will Alles aufbieten, was in
meinen Kräften steht, um das theure und schöne Land zu
schützen und zu wahren." —

Die Audienz hinterließ mir einen betrübenden Eindruck. Ich fand in der That den alten, gebrochenen, ängstlichen und unsichern Mann, als welchen sich auch der
künftige „Reichsverweser" in der Folge darstellen sollte. Ist

das aus dem Jüngling geworben, über den sich Johannes
Müller seiner Zeit mit so viel Begeisterung ausgesprochen?

Ich sollte auf's Land und aus dem Rummel fort. In
den ersten Tagen des April begab ich mich über Baden und
durch's Gebirge langsam nach Graz, zu einer befreundeten
Familie.

Durch ein paar Tage hatte ich eine Art politische
Rolle gespielt und war in ganz Wien „populär" geworden,
eine Local=Celebrität. — Doch schied ich nicht ungern von
dem Schauplatz meines sogenannten Wirkens — nur Eir's
schmerzte mich: daß ich die Frankfurter=Sendung hatte auf=
geben müssen. Im Herzen segnete ich aber meine Krankheit,
jetzt, und noch mehr in der Folge. Mehrere meiner Freunde
wurden später erschossen, Andere wurden reactionär, noch
Andere Minister — mein Kopfleiden hatte mich vor allem derlei
Unheil bewahrt! So ließ ich die politischen Phasen an mir
vorüber streichen und schrieb und schreibe annoch — andere
Komödien. In so fern ich politischer Zuschauer bin und
geblieben bin, konnten meine Freunde mit Recht von mir
behaupten: ich sei im Grunde der freieste Mensch in ganz
Oesterreich. Das ist, weil ich nichts bin und nichts werden
will — nicht einmal Verwaltungsrath, am allerwenigsten
Beamter.

En me créant, Dieu m'a dit: ne sois rien!
singt Béranger.

# XII.

Graz. — Die Mai- und Octobertage. — Brünn und Wien.)

Der Weltgeist macht die Politik.
Doblhoff.

Die Kunde von dem großen politischen Ereignisse der
ärztage war durch Freund Auersperg zuerst nach Graz
ngt und zwar bereits am 16. März 1848. Erst vier
ge darauf erfolgte die officielle Mittheilung. Der alte
üthliche Schlendrian! Oder war's Widerwillen der Be=
ben gegen die neue constitutionelle Aera?

Im April kam ich nach Graz. Auf den Wiener
mult wirkte die Ruhe der anmuthigen Provinzstadt doppelt
lthätig. Der Grazer Liberalismus war damals noch im
en Grade kindlich und unschuldig, und man durfte sich
eischig machen, die ganze Steiermark mit leichter Mühe
„Ruhe und Ordnung" zu erhalten. An den gefürchteten
emocraten" fehlte es zwar durchaus nicht, an ihrer Spitze
berüchtigte Emperger. Er schwärmte für Deutschland und
igte auf entschiedenes constitutionelles Regiment — bei=
ig wie meine Wiener Freunde. In diesem Sinne stellte

er sich auch häufiger beim Gouverneur ein, als diesem erwünscht war, wollte ihn zu „energischen Schritten" veran= lassen, die eben nicht in der Natur des überaus humanen und liebenswürdigen, nur etwas unentschiedenen, ja ängstlichen Grafen Wickenburg gelegen waren. Er hatte viel für die Provinz gethan, dabei einen Theil seines Vermögens auf= geopfert, sich auch bisher einer großen Beliebtheit erfreut. Allein die neue Bewegung war ihm über den Kopf gewachsen, wie später dem Volke, das er im Geleise erhalten sollte. —

Die Grazer Ruhe wurde bald gestört. Mitten in der Nacht ertönte Feuerlärm. Es brannte in irgend einer Fabrik, in der Nähe der Stadt. Mein Hausherr als „Garde" mußte hinaus. Oft war's nur blinder Lärm, aber nicht selten auch Ernst, und mein gequälter Garde kam erst gegen Morgen völlig erschöpft nach Hause zurück. — Kein Zweifel, diese Feuer waren gelegt! Man rieth daher dem Gouverneur, sogleich das Standrecht zu verkündigen. —

„Wie kann ich? Ohne Weisung aus Wien?" —

„So telegraphiren Sie!" —

„Was hilft's? Wenn ich bei Pillersdorf anfrage, so kommen lauter glatte, ausweichende Antworten. Ich soll mich mit den Leuten verhalten, jedes Aufsehen vermeiden. Dabei macht man mich verantwortlich für die Ruhe der Provinz. Kann man da scharf auftreten? Und soll ich den letzten Rest meiner Popularität in die Schanze schlagen, da ich zuletzt doch nur auf gütlichem Wege das Ganze noch im Geleise erhalte?" —

So konnte man den armen, mehr gubernirten als gouvernirenden Gouverneur in jenen Tagen bitter klagen hören.

Die nothwendig geworbene Maßregel kam dem=
ungeachtet zur Ausführung. In einer Nacht stand abermals
eine Fabrik in Flammen. Der mehr erschrockene als schreck=
liche Emperger lief zum Gouverneur.

„Excellenz, wir müssen Standrecht haben!" rief er
ihm von weitem zu. So ward nun das Auskunftsmittel nach
den Willen der Democratie in's Werk gesetzt, ohne weitere
Anfrage nach Wien. Von der Stunde an konnten wir ruhig
schlafen, mein „Garde" und ich. —

Die Pillersdorf'sche Constitution hatte sich in dem
inzwischen bereits „fortgeschrittenen" Graz nur geringen
Antheils zu erfreuen. Auch Wien verhielt sich gleichgiltig
gegen eine Urkunde, welche mehr freiheitliche Grundsätze und
Bestimmungen enthielt und in Aussicht stellte, als man sich
noch vor sechs Wochen nur jemals konnte träumen lassen.
Man wollte aber noch mehr und immer mehr! Der Appetit
kommt mit dem Essen. — Mit dem alten Oesterreich stand
es übrigens schlimm genug. Ungarn hatte sein eigenes
Ministerium und war schon damals so gut wie losgerissen,
Böhmen verfolgte ähnliche Ziele, in der Lombardei war
offener Krieg, in Galizien ein Aufstand vor der Thür —
und die deutsch=österreichischen Provinzen prangten wohl=
gemuth in den „deutschen Farben", denen, so oft sie sich
blicken lassen, nach Heine's Bemerkung, stets eine neue
Dummheit auf dem Fuße nachzufolgen pflegt. — Wo war
nun das Gesammt=Vaterland? In gewissem Sinne hatte
Grillparzer (damals) recht, wenn er von der Armee
gesungen:

„In Deinem Lager ist Oesterreich!" —

Allein die democratisirenden Oesterreicher wollten v[on]
der Soldateska, die im Dienste der „Reaction" stünde, nu[n]
einmal nichts wissen! So kam es zwei Monate später na[ch]
Radetzki's Siegen in Italien dahin, daß der Antrag i[m]
Wiener Reichstage auf ein Vertrauens-Votum für d[ie]
österreichische Armee: „sie habe die Ehre des Vaterland[es]
gerettet" — wegen Zischens der Linken fallen gelassen wurd[e.]
Jedenfalls eine Kurzsichtigkeit und folglich ein politisch[er]
Fehler! Denn die Armee hatte ja damals gegen die Fein[de]
Oesterreichs, gegen Piemont und die päpstlichen Croccia[ti]
gestritten. —

In den ersten Tagen des (sonst) Wonnemonats M[ai]
begab ich mich durch's Gebirge über Mariazell zu dem alt[en]
Castelli nach Lilienfeld. Dort erhielt ich einen Bri[ef]
meines Freundes Doblhoff, vom 9. Mai datirt, doch [an]
verschiedenen Tagen mit Unterbrechungen geschrieben. D[ie]
öffentlichen Dinge werden darin eben nicht im rosenroth[en]
Lichte geschildert und die feste Begründung unserer constit[u-]
tionellen Freiheit stark angezweifelt. —

„Unser Zustand hier" — heißt es in dem Schreibe[n]
— „ist Anarchie, unser Zustand draußen Verfall der öste[r-]
reichischen Monarchie; wir werden hin und her gerissen, u[m]
zu helfen oder abzuwehren, allein das Wasser bringt vo[n]
allen Seiten ein. Ich werde genöthigt, ein Ministerium zu[-]
sammen zu setzen und ich bin auch bereit, auf dieses Schaffo[t]
zu steigen, allein ich besorge, daß es mir nicht gelingen wird
ein Ministerium zu bilden, das kein todtgebornes ist." —

„Abermals unterbrochen melde ich dir, daß ich ohn[e]
meine Zustimmung zum Minister des Ackerbaues, de[s]
Handels und der Gewerbe ernannt wurde. Mit peinlich[em]

Gefühle und nur den Vorwurf widerlegend, daß ich mich von Anderen in der Bereitwilligkeit, dem Vaterlande Alles auf= zuopfern, übertreffen laſſe, habe ich angenommen; allein ich habe die Bedingungen meines Verbleibens geſtellt, und werden ſie nicht erfüllt, ſo trete ich aus und die Zurückbleibenden mögen ſehen, daß ſie ſich in dieſer Unentſchiedenheit und Schwäche erhalten. Bedaure mich, daß ich Einer der Erſten politiſch begraben werde; bedaure Jeden, der verpflichtet iſt, ſeine Rolle auf dieſer ſchwankenden Bühne auszu= ſpielen." — —

In dieſen Zeilen gibt ſich der Charakter des ehrlichen, biebern Mannes kund, welcher, ohne allen Ehrgeiz, des eigenen Vortheils uneingedenk, nur darauf bedacht iſt, ſeine Pflicht zu erfüllen, dabei raſtlos zu arbeiten, und ſo bis in ſein Alter, bis zu ſeiner letzten Stunde, welche ihm am 16. April 1872 ſchlug. Ehre ſeinem Andenken! Zum Miniſter in ſo bewegter Zeit hatte er freilich kaum das Zeug, auch waren ihm die Hände nach Oben beiläufig gebunden und von Unten gähnte das Chaos. —

Der eigentliche politiſche Hexen = Sabbat hatte am 15. Mai 1848 begonnen. Syſteme und Miniſterien wech= ſelten ſeitdem in raſcher Folge bis zum heutigen Tage. Kein Mann hielt Stand, keine Idee — leider auch keine Armee. Der letzte und ſchlimmſte Wirrwarr vom Februar bis October 1871 lenkte im November in eine beſſere Phaſe ein. Möge ſie ſich dauernd erhalten! Bisher konnte man aber mit Proudhon ausrufen:

„Car en verité nous ne pouvons plus dire le soir, par qui nous aurons l'honneur d'être gouvernés le matin!" —

Am 16. Mai kehrte ich nach Wien und zu Freund Doblhoff zurück, den ich so entmuthigt fand, wie sein Brief ihn darstellt. Die Stimmung der Wiener wechselte zwischen Uebermuth und Hoffnungslosigkeit oder Abspannung. Die plötzliche Entfernung des Kaisers nach Innsbruck brachte zuerst eine wunderliche und unerwartete Wirkung hervor. Man hatte Unruhen befürchtet — und siehe da, Militär, Nationalgarden und akademische Legion machten gemeinschaftliche Patrouillen durch die Straßen Wiens, mit ernsthaften, ja ängstlichen Mienen, allein nichts regte und rührte sich; das Proletariat, dieser beständige Wiener Cauchemar, war wie verschwunden, es herrschte allenthalben „Ruhe, Ordnung und Sicherheit." Am 19. Mai finde ich hierüber die Stelle in meinem Tagebuche: „Heute sind die Wiener wieder so niedergeschlagen, daß sie sich zur Abwechslung nach Metternich sehnen."

Das hielt aber nicht an, und der 26. Mai und die Baricaden blieben nicht aus. „Democratische Monarchie" war damals das Losungswort. Die Wiener Zeitung, einen Tag ohne Adler, nahm ihn aber gleich wieder auf, erschien in der Folge als Staatszeitung.

Inzwischen hatte die Frankfurter Deputation dem Erzherzog Johann seine Wahl zum Reichsverweser überbracht.

Mit dem liebenswürdigen Raveaux und dem grundgescheiten Heckscher kam ich bald in ein vertrautes Verhältniß. Am 8. Juni machten die Deputirten eine halbofficielle Lustfahrt nach Reichenau auf erzherzogliche Kosten und unter Führung meines Freundes Gutherz, der in Frankfurt mit ihnen getagt hatte. Jucho, Saucken-

Tarputschen aus Preußen, Rottenhan aus Bayern, Schilling und Mühlfeld aus Oesterreich fuhren mit mir und Anderen in offenen Hofequipagen, Cigarren rauchend, zum Bahnhof. Von da eine Art Triumphzug. Auf jeder Station prangten Blumenkränze und Guirlanden und eine Unzahl deutscher Fahnen; die Bürgermeister und die Nationalgarden machten die Honneurs, eine Masse Volkes hatte sich allenthalben eingefunden, und die tönenden Reden der Deputirten von deutscher Einheit und vom freien Oesterreich erregten einen weithin schallenden Enthusiasmus. Bei Waißnix war Festdiner. Natürlich wieder Reden und Toaste auf den Reichsverweser, auf die Constitution u. s. w.

Beim Nachhausefahren unter Fackelbeleuchtung abermals Reden auf jeder Station. Ich hatte bereits an die dreißig derlei Speeches gezählt, vermochte kaum mehr zuzuhören, noch konnten sich die Redner vor Heiserkeit verständlich machen. Vor dem Wiener Bahnhofe, der festlich beleuchtet war und von Garden und Bürgern wimmelte, erwarteten uns die längst sehnlichst von mir herbeigewünschten Hofequipagen — doch das Vivatgeschrei und die Aufforderungen zum Reden wollten auch dort kein Ende nehmen. Wir saßen bereits im Wagen, da erhob sich Mühlfeld an meiner Seite und brachte mit seinem gewaltigen Organe die deutsche Begeisterung noch ein letztesmal zum vollgiltigen Ausdruck. Nun fuhren wir um eilf Uhr Nachts davon, und die jubelnde Menge eilte uns nach. Ich fiel todesmüde in mein Bett. Aber man mußte sich sagen: Wien fühlte sich an diesem Tage wirklich als eine deutsche Stadt!

Beim Erwachen aus dem Begeisterungstaumel fand man die alte gemüthliche Anarchie auf den Straßen wieder;

Niemand wußte, wer uns eigentlich regierte, und so bekam der spätere Ausspruch, daß der „Weltgeist" die Politik mache, gewissermaßen seine Berechtigung und Bestätigung.

Der 8. Juli 1848 war ein heißer Tag! Erzherzog Johann, seit Kurzem als Alter ego des Kaisers in Wien, wurde dringend in Frankfurt verlangt, die Eröffnung des Wiener Reichstages stand vor der Thür, Pillersdorff war allgemein mißliebig geworden und man wußte, daß der democratische Club und der „Ausschuß" auf die allsogleiche Entfernung des Ministers und auf Ernennung eines neuen „volksthümlichen" Ministeriums bei dem Stellvertreter des Kaisers antragen würden — und zwar heute noch. — An demselben Tage gab Eduard Todesco den Frankfurter Deputirten ein Festmal, an welchem ich mit Bach, Mühlfeld, Hornbostel und anderen Freunden theilnahm. Auch Damen waren zugegen. Die Stimmung war demungeachtet begreiflicherweise eine nicht besonders heitere. Da kam plötzlich die Nachricht, der Erzherzog habe der Democratie nachgegeben — Pillersdorff war im Handumdrehen gestürzt, Doblhoff zum Minister-Präsidenten ernannt und beauftragt, ein Ministerium zusammenzustellen. Wir erwarteten den neuen Dignitar, der sich hatte ansagen lassen. Freund Bach war in sichtbarer Aufregung, zappelte auf seinem Sessel — der Moment schien gekommen, sein Ehrgeiz sollte nun bald die lange gesuchte Befriedigung finden. —

Wenige Tage darauf brachte Doblhoff sein Ministerium Bach-Schwarzer-Hornbostel zu Stande. Der neue Reichsverweser hatte sich quasi re bene gesta nach seinem Frankfurt begeben, wo ihm bald Schmerling zur Seite stand.

Die Eröffnung des Wiener Reichstages, wie Alles, was später erfolgte, gehört der Geschichte an. In den ersten Tagen des October kam ich (aus Baden, wohin mich mein, noch immer nicht völlig bezwungenes Kopfleiden verwiesen) nach Wien und in das halb verlassene Landhaus zurück, mit der Idee zu einem Drama: „Ulrich v. Hutten" be= schäftigt. Eine mir besonders werthe Freundin begab sich mit ihrem Töchterlein nach Brünn zu ihren Eltern, ich hatte versprochen, mit Anderen nachzukommen; wir träumten von einem gemüthlichen Zusammenleben in der ruhigen Provinz= stadt — da brach der 6. October herein. Bach und Dobl= hoff waren auf der Flucht, Hornbostel verschwand später, zuletzt blieben nur Philipp Krauß und der Reichstag, die ihr wunderliches Spiel mit einander trieben. An die 20,000 Wiener, von den Ausharrenden als „Schwarz = Gelbe" bezeichnet, verließen in wenig Tagen die ihnen unheimlich gewordene Stadt.

Aber nachdem die erste Aufregung vorüber war, herrschte hier mehr Ruhe und Eintracht als die ganze Zeit her, besonders nachdem man dem beständigen Glockenläuten und Zu=den=Waffen=rufen Einhalt gethan und als man die bis jetzt müßigen, von Pillersdorff für ihr Nichtsthun bezahlten Arbeiter in die Mobilgarde gesteckt hatte und sie zu schaffen bekamen. Die Kerle waren tollkühn genug und ließen sich in der Folge, als die Vorposten der Croaten sichtbar wurden, durchaus nicht abhalten, mit ihnen anzubinden. Die so verschrienen „Proletarier" verübten sonst bis zum halben October schlechterdings keine bösen Streiche, auch muß man der gleichfalls vielgeschmähten „Aula" nachsagen, daß sie als einzige Behörde, welche noch Gehorsam fand, ihrer

lockern beginne, und doch müsse man bei einzelnen Excessen durch die Finger sehen, um nicht böses Blut zu machen.

Diese Schilderung war nicht eben anmuthend. Diese und jene Meldung über Mangel an Waffen und Munition, über Eigenmächtigkeiten von Officieren und dergleichen, von den Adjutanten Messenhauser's ganz ungenirt in meinem Beisein vorgebracht, ließ mich die Jeremiaden des poetischen Commandanten mehr als begreiflich finden. Ich beklagte ihn und seine Sendung, äußerte meine Zweifel und daß er wohl kaum im Stande sein dürfte, es mit Windischgrätz, Jellacic und ihren Heeren aufzunehmen; „er werde im Einvernehmen mit dem Reichstage seine Pflicht thun und fallen, wenn es ihm bestimmt sei" — erwiederte mir der schwärmerische Mann.

Niemand durfte mehr aus dem Weichbilde der Stadt heraus. Da ich aber intra muros genug gesehen und erfahren, und durchaus keine Lust hatte, mich von den Croaten und Seressanern erobern zu lassen, nahm ich das Anerbieten des dienstfertigen Commandanten an, der mir sogleich einen Paß ausfertigen ließ. Mich überkam ein eigenes Gefühl, als wir uns zum Abschiede die Hände reichten. Auch diese ehrliche Seele wird ihrem Verderben entgegengehen! rief es in mir.

Am 15. October im Abenddunkel warf ich mich mit einigem Gepäck in den Fiaker und fuhr dem Rothenthurmthore zu. Mobilgarden hielten dort Wache, ließen Niemand ohne Paß hinaus. Ein Arbeiter mit der Fackel trat an meinen Wagen, prüfte Paß und Unterschrift. „Verzeihen Sie!" sagte er mit ernsthafter Artigkeit, — „aber für die Freiheit muß man sich schon etwas gefallen lassen!" — Die Köhler=Einfalt des Mannes rührte mich. Ich übernachtete

in Floridsdorf, fuhr mit dem Morgenzuge nach Brünn, sah
unterwegs Cavallerie und Infanterie in Massen heranrücken,
als gälte es einen gewaltigen Eroberungszug. In Lunden=
burg standen Truppen, das Gewehr bei Fuß. Mit dem
Brünner Zuge kamen Garden, die den Wienern zu Hilfe
eilten. Soldaten und Garden sprachen und tranken mit=
einander, händeschüttelnd, trotz ihrer höchst divergirenden
Sendungen; die Officiere sahen schweigend zu. Sollte
Schuselka Recht haben? „Du bist kein politischer Kopf!"
hatte er mir in Wien lachend zugerufen, — „wie kannst du
glauben, daß Windischgrätz ernsthaft daran denkt, Wien
zu belagern? Er will nur drohen und schrecken, und zuletzt
wird sich Alles ausgleichen." —

Brünn war nicht minder democratisirt als Wien. Am
18. October war aber Wien beiläufig völlig cernirt und die
Lundenburger Gemüthlichkeit war bereits zu Ende. Das
Militär hatte dort den aus Wien zurückkehrenden Brünner
Garden, sowie den dahinziehenden die Gewehre und das Ge=
päck abgenommen, sie auch dabei nicht eben auf das artigste
behandelt. Das machte in Brünn böses Blut. Der democra=
tische Club declamirte, das Volk demonstrirte, die Brünner
Garnison mußte in die Kasernen abziehen, die Nationalgarde
bezog die verlassenen Posten. Nun ein paar Tage Ruhe,
obwohl die Hiobsposten aus Wien immer dicker kamen, oder
auch nur Gerüchte, denn die Postverbindung war bereits
unterbrochen, und so fehlten zuletzt auch die Zeitungen. —
Am 29. October sollte der Brünner Landsturm nach Wien
aufgerufen werden. Allarm, Läuten mit allen Glocken. Auf
dem Marktplatz Tausende von Bürgern, Arbeiter, auch
Bauern. Ich drängte mich durch, gelangte bis zu den demo=

cratischen Führern. — Was sie sich denn von dem Landsturme
erwarteten? fragte ich die Herren. Ein Vielbebarteter ant=
wortete mir: „Da liegen die Bogen zum Einschreiben. Noch
steht kein Name darauf. Wenn aber Baron Rothschild
eine Million beisteuert, so werden sich vielleicht ein paar
Dutzend ködern lassen." — Wozu also der viele Lärm und
das Krakehlen? — Man müsse doch dergleichen thun, hieß
es, das Volk in Athem erhalten.

Des Abends kam eine telegraphische Depesche: „Win=
dischgrätz vor den Mauern Wiens, neunstündiger Barricaden=
kampf, Waffenstillstand. Es wird verhandelt." — In der
Nacht vom 29. zum 30. große Unruhe. Ein paar Kramläden
wurden demolirt und ausgeraubt. Die Brünner Proletarier,
etwas wilder als die Wiener, rumorten auch am Morgen des
30. October, drohten Bracegirdle's Waffenfabrik zu
stürmen. Ich hatte den wackeren Mann Tags vorher besucht,
fand ihn und seine Arbeiter bis an die Zähne bewaffnet.
Auch eine Art Handkanonen waren am Gartenthor aufge=
stellt. „Die Bursche sollen nur kommen", sagte der Waffen=
schmied, „wir werden sie gehörig empfangen!" —

Inzwischen hatten die ängstlich gewordenen Bürger=
garden das vor ein paar Tagen heimgeschickte Militär wieder
zum eigenen Schutze herbeigerufen. Ich wohnte im „Hôtel
Padowetz" und las gegen Mittag eben die Volksscenen im
„Julius Cäsar" — da, großer Tumult, Trommeln, ein
paar Schüsse, ich eilte an's Fenster, das nach der Hauptwache
sah — die Soldaten schleppten ein paar Rädelsführer hinein,
die Posten wurden militärisch besetzt wie früher, die Menge
verlief sich nach und nach, die democratischen Führer wurden
plötzlich unsichtbar, die Brünner Revolution, der Sturm im

Wasserglas war zu Ende — und ich las weiter in meinem Shakspeare. —

Die Nachrichten aus Wien lauteten höchst betrübend. Der Kampf war durch Mißverständnisse auf's neue losgegangen, die Wiener wurden furchtbar bombardirt; weit ärger als im Jahre 1809 von Napoleon und den Franzosen! Am 1. November hieß es, die Stadt brenne an allen Ecken, die Hofbibliothek sei ein Schutthaufen. Ich beklagte den unersetzlichen Verlust dieser Schätze, betrachtete die paar Bände, die ich als unlängst ernanntes „correspondirendes Mitglied" aus der Bibliothek mitgenommen, mit Wehmuth, wie theure Reliquien. Zum Glück hatte sich das düstere Gerücht nicht bestätigt, man that dem Feuer noch zu rechter Zeit Einhalt, obwohl es nicht von dem wendischen Omar und Eroberer des Burgtheaters abhing, daß nicht noch mehr des Unheils verübt worden. Fürst Windischgrätz war zu vorsichtig, zu schlecht berichtet, oder er traute den besseren Berichten nicht, wenn er es für nöthig hielt, ganze Armeen gegen Messenhauser, Schuselka und die Aula aufzubieten! Ein kurzes Verhandeln und rasches Einrücken konnte viele Opfer hüben und drüben ersparen, ohne die Schlußdecoration mit dem Feuerwerk à la Stuwer. —

Am 6. November kehrte ich nach Wien zurück, welches einem Feldlager glich. Die Reaction hatte begonnen, ich ließ meinen politischen Dilettantismus völlig fahren und vertiefte mich dafür in die „Geschichte des deutschen Bauernkrieges" und in ein Drama: „Franz von Sickingen."

Die große Bewegung des Jahres 1848 war eine Art geistiges Naturereigniß. Die Machthaber wie das Volk wurden wie unwillkürlich in den freiheitlichen Strudel mit=

geriſſen, und die Profeſſoren wie die Studenten plätſcherten
in den wildſchäumenden Wellen, denen ſelbſt ein unfehlbarer
Papſt zu Anfang nicht völlig widerſtehen konnte.  Von
Organiſation kann in Zeiten, wo „Alles fließt" (παντα ῥει)
nicht wohl die Rede ſein, nur ſo viel ſtand feſt: daß ſich das
Alte und Ausgegoltene nicht länger erhalten laſſe und daß
das Werdende und Neue ſchließlich zu irgend einer vernünf=
tigen Geſtaltung gelangen werde und müſſe.  Und ſo ergaben
ſich zwei Parteien von ſelbſt: die früheren Machthaber und
ihre Anhänger, und die modernen Fortſchrittsmänner, oder
wie ſie ſich gegenſeitig zu ſchelten pflegten: die Umſturz= und
die Reactions=Partei.  Im Anfange wollte man von Oben
aufrichtig nachgeben, erſchrak aber, als das Drängen von
Unten gar zu gewaltſam wurde, ergriff, vielleicht ohne Ab=
ſicht, ohne Plan jede ſtarke Hand, die da ſchützen und helfen
wollte und konnte, und wär's nur für den Moment.  Die
andere Partei erblickte darin den feſten Vorſatz einer eigent=
lichen und vorbedachten Reaction.  Man will die ſchönen
Keime der jugendlichen Freiheit zertreten, hieß es; ſo gelte
es denn einen Kampf um die Idee, einen Kampf auf Leben
und Tod!

So ward der anfangs ideale Kampf zugleich zum
phyſiſchen, der Länder und Städte verwüſtet und zerſtört,
Tauſende von Menſchenleben gekoſtet.

Der Menſchen= und Völkerfreund blickt auf die
blutigen Kämpfe, die nimmer wiederkehren mögen, mit
Wehmuth zurück — auf die Jahre 1848 und 1849, wo
man um Dinge eingekerkert und erſchoſſen wurde, für
welche man zwanzig Jahre ſpäter mit Orden und Aus=
zeichnungen belohnt ward.

Der geistige Kampf, seit zwei Decennien fortge=
führt, war nicht vergebens; man muß nur den Muth haben,
ihn fortzusetzen, und zwar auf jedem Felde, wo uns ein
Gegner droht. Die Idee der Freiheit, mächtig genug, um
Siegerin zu bleiben, Millionen von Bajonneten gegenüber,
braucht auch nicht vor der schwarzen Rotte zu erschrecken, die
uns nur gar zu gern in den alten Geisteszwinger zurück
führen möchte.

# XIII.

(Die Reaction. — Alfred Becher. — Gustav Frank. — Welden. —
Graf Stadion. — Bach. — Schmerling und die Februar-
Verfassung.)

Was hilft der Schlendrian?
Ergreift den Augenblick!
Dummheit war stets die schlimmste Politik.

Wien wurde während des lange andauernden Belage-
rungszustandes und unter Welden's Gouvernement beiläufig wie eine eroberte Stadt behandelt. An Einkerkerungen
fehlte es ebensowenig als an Denunciationen. Auch die Hin-
richtungen ließen nicht lange auf sich warten!

General Bem, den man am liebsten gepackt hätte, war
verschwunden. Dieser polnische Revolutionär, tüchtige Soldat,
auch sonst bedeutende Mann wurde in Wien und Debreczin
(wo er die Honveds organisirte) kaum minder populär, als
er es seinerzeit in Warschau gewesen. Er schlug später den
General Puchner, ging dann mit Perczel nach dem Ba-
nate, drängte die Oesterreicher in die Walachei. Nach der
Affaire bei Schäßburg trat er auf türkisches Gebiet und
zum Islam über, hieß nun Murad Pascha. Am

16. Mai 1850 in Wien in effigie gehenkt, prangte sein
Name in der Folge gelegentlich auf den Theaterzetteln einer
Volksbühne, die den merkwürdigen Mann mit seinen wech=
selnden Schicksalen als Helden eines Spectakelstückes aus=
beutete.

Am 9. November 1848 fiel in Wien als erstes Opfer
Robert Blum. Er wurde erschossen, um dem Frankfurter
Parlamente ein Paroli zu bieten. Am 16. folgte ihm Me s=
senhauser in das Reich der Schatten, am 23. der musika=
lische Alfred Becher und der philosophisch=abstracte Jelli=
nek. Des Letzteren Verbrechen waren ein paar radicale,
nebenbei hegelisirende Journal=Artikel, die nur Wenige lasen
und Niemand verstand, er selber kaum, Fürst Windischgrätz
am allerwenigsten. Aber man brauchte auch einen Juden und
hatte sonst gerade keinen zur Hand!

Das Schicksal Becher's betrübte mich aufs höchste.
Der liebenswürdige Mensch hatte sich seit Jahren in un=
serem Freundeskreise eingebürgert und war mir treu und
ergeben, wie kaum ein Zweiter. Als ich im Anfang der
Vierziger=Jahre, wo meine eigene Productionskraft in ein
Stocken gerathen war, die Uebersetzung der Romane von
Boz=Dickens übernahm, hatte ich, mit Zustimmung des
Verlegers, dem Freunde einen Theil der Arbeit übertragen.
Doctor Becher, in Manchester geboren, hatte in Heidelberg
und Göttingen studirt, war abwechselnd Advocat (in Elber=
feld), Zeitungs=Redacteur, auch Professor einer musikalischen
Akademie in London. Im Jahre 1841 war er nach Wien
gekommen, wo er zumeist kritisch=musikalisch wirkte. Er war
ein fertiger Engländer, zugleich ein sprachgewandter deutscher
Stylist. Wir übersetzten mit einander partienweise, revidirten

uns gegenseitig, doch mußte sich Freund Alfred in meinen
Styl, in meine Darstellungsweise hineinschreiben, was ihm
auch völlig gelang, so daß ich in dem gedruckten Romane
hinterher kaum zu unterscheiden wußte, welche Capitel ur=
sprünglich von ihm herrührten, welche von mir. Zwar von
mir sind die meisten, daran ist kein Zweifel! Denn der
treffliche Mann war Alles, nur nicht ausharrend fleißig, wie
ich zu meinem Schrecken erfahren sollte. Im Sommer 1844
hatte ich mich nämlich für sechs Wochen aufs Land zurück=
gezogen, um den „deutschen Krieger" fertig zu bringen;
Becher sollte inzwischen mein Boz=Pensum übernehmen,
was er auch hoch und heilig zusagte. Nach meiner Rückkehr
waren zwar die laufenden Correcturen zur Noth besorgt
worden, sonst aber so gut wie nichts geschehen, wie ich's
beiläufig vorausgesehen. Der gute Mensch war ein Schlen=
derer und ließ sich gerne gehen, wenn man ihm nicht be=
ständig auf der Ferse saß. Freilich lagen ihm auch die Musik
und seine Compositionen weit näher am Herzen, als die
Geistesarbeit, die er mit mir theilen sollte. — „Wir Beide
sind zu was Besserem geschaffen, als zum Uebersetzen!" Das
war seine ganze Entschuldigung, als ich ihm seine Trägheit
vorwarf.

Der originelle Mensch, lang, eckig, hochblond, nicht
ohne Humor, dabei unstet, ohne rechten Lebenszweck, ohne
eigentliches Ziel in den Tag hineindämmernd, hatte die
Alluren eines ewigen Studenten, der Sinn für eine geregelte
Thätigkeit fehlte ihm gänzlich. Dabei besaß er hübsche litera=
rische, auch theoretisch=musikalische Kenntnisse, und dem=
jenigen, was er Eigenes schuf, Anerkennung zu erringen,
gebrach es ihm vielleicht nur an dem mehr als kühnen Auf=

treten eines Richard Wagner. Die demokratische Reclame
und der junge königliche Gönner in München sind das halbe
Talent dieses musikalischen Zukünftlers! — Becher lebte
und webte eigentlich nur in der Musik. In der Kunst galt
ihm Charakter und „Gesinnung", wie er's nannte, weit mehr
als Melodie und Wohllaut, ja als die eigentliche Poesie der
Sache, wenn er auch nicht ausschließlich für Contrapunkt
und Fugen schwärmte wie der kleine (Musik=) Graf Lauren=
cin. So waren ihm Rossini und die Italiener geradezu
verhaßt, Beethoven's neunte Symphonie und große Messe
seine Ideale. In der Oper: „Fidelio". Wir geriethen häufig
in Streit über musikalische Dinge, obwol ich mich, ihm
gegenüber, eigentlich nur als Dilettant und Schüler zum
Meister verhalten konnte. Als er mir aber die dramatische
Charakteristik des „Fidelio" himmelhoch über die in der
„Zauberflöte" erheben wollte, da riß mir der Geduldsfaden.
„Du verstehst die Musik, aber du begreifst sie nicht!" rief ich
ihm zu — „Du hast den musikalischen Verstand, nur keine
rechten Ohren! Du hörst mit dem Kopfe, nicht mit der Seele,
und humpelst an der Krücke des Systems und der Kritik!
Mit Einem Wort: Du bist der, von welchem Shakspeare
spricht:

„The man that hath no music in himself!"

Freund Becher ließ sich Alles sagen und lachte dazu.
Auch wenn man sich über seine eigenen Compositionen lustig
machte, nahm er das nicht übel. Eines seiner wunderlich klin=
genden, vielmehr ganz und gar nicht klingenden Streichquar=
tette kam zur Production. In der zweiten Hälfte des letzten
Satzes streicht das Violoncell vom Anfange bis zum Ende
ohne Aufhören nichts als die Tonica und Dominante. Das

erstaunte und summende Publicum konnte kaum das Lachen
unterdrücken. Die Freunde hänselten den Compositeur über
seine Schrulle. „Das versteht ihr nicht!" sagte er gut-
müthig-geheimnißvoll mit dem feinen hannoveranischen „st".
Der Mann glaubte an seine Sendung. Er war der eigentliche Zukunftsmusiker. Grillparzer beschreibt Becher's
Quartettleistungen in dem Epigramme:

> „Dein Quartett klang, als ob Einer
> Mit der Axt in schweren Schlägen,
> Sammt drei Weibern, welche sägen,
> Eine Klafter Holz verkleiner'!"—

Die etwas harten Verse mögen als Analogon der
curiosen Musik gelten, welche hier auch rhthmisch, zugleich
mit einem höchst glücklich gewählten Bilde wiederzugeben versucht wird. Helmesberger wollte in der Saison 1871/72
das verrufene Quartett als Curiosität wieder zur Aufführung
bringen — allein bei den Proben gab man den Gedanken
auf. —

Der gute Becher brauchte immer Geld. Noch im
Juni 1848 kam er zu mir und verlangte einen Beitrag zur
Gründung einer musikalischen Zeitung. Ich mußte ihm ins
Gesicht lachen. „Du bist praktisch wie immer!" bemerkte ich
ihm. „Jetzt, wo die Wogen der Politik himmelan schlagen,
wo man nichts singt als: „Was ist des Deutschen Vaterland?"
und „Was macht der lederne Herr Papa?" jetzt träumst du
von einer musikalischen Zeitung!"

Becher meinte, die Sache würde sich machen, viele
Freunde interessirten sich dafür, und ich sollte nur ausrücken.
— Ich gab dem Freunde und ehemaligen literarischen Mit-
arbeiter, obwohl er längst über und über bezahlt war, noch

eine allerletzte Abfindungsfumme. Bereits im Juli erschien der „Radicale". Becher's Name stand an der Spitze des Blattes. Er stürmte und raste wie kein Zweiter. Merk= würdig genug, daß der harmlose, kindliche Mensch im Laufe weniger Wochen ohne besondere Vermittlung aus dem Phan= tasienreiche der Töne plötzlich in das wild=phantastische Gebiet der Straßenpolitik übergegangen war. „Der ist zum Er= s.chießen gut!" soll sich einer der Mitarbeiter des „Radi= calen", von Wien scheidend, geäußert haben. — Becher war gut versteckt und konnte sich retten — das Verhältniß mit einer Frau, von der er sich nicht zu trennen vermochte, führte seinen Untergang herbei. Wer ihn kannte, wird ihn bedauern, das ehrliche Herz, die schönen geistigen Gaben, die mit so vielen anderen Blüthen des „Völkerfrühlings" sanken und verwehten!

Das Militär=Gouvernement forschte allen politisch schwer Beinzichtigten nach, die sich, wie Kolisch, verborgen hielten, in der Folge glücklich entkamen. Unter denen, die dem Tode im vorhinein geweiht waren, befand sich einer meiner besten Kameraden, Gustav Ritter v. Franck (der Bruder des Generals), seinerzeit ein wohlhabender Mann, Schriftsteller, Doctor juris, abwechselnd Redacteur und Theater=Director, auch Lieutenant in der Armee, zuletzt einer der Hauptleute der Mobilgarde. Auf ihn wurde besonders gefahndet und die Polizei=Direction von der Militär=Behörde wiederholt aufgefordert, den gefährlichen Menschen „zu Stande zu bringen", wie der amtliche Ausdruck lautet. Polizei=Director war damals der wohlwollende und humane Noë v. Nordberg, mir aus alter Zeit wohlgeneigt und verbunden. Er kannte mein Verhältniß zu Franck, der ihm selber nicht unbekannt war und den er höchst ungern „zu Stande" gebracht hätte. „Wir sehen hundertmal durch die Finger," sagte mir Noë im Vertrauen, „aber auf den Franck hat man's abgesehen, und es wäre mir äußerst unlieb, wenn ihn meine Spione entdecken müßten." — „Seien Sie unbesorgt," versetzte ich; „unser Freund war sehr wohl geborgen, ich weiß auch wo. Uebrigens hab' ich ihn seit acht Tagen nicht wieder gesehen — er ist im Besitze eines wohlconditionirten Passes und muß längst den Belagerungs-Rayon überschritten haben."

Desselben Tages, als ich im halben Abbenddunkel nach Hause gehen wollte, trat in der Wallnerstraße ein großer stämmiger Mann auf mich zu. Er trug einen fest zugeknöpften Rock, den Cylinder de rigueur auf dem Kopfe. Das Gesicht war voll und frischroth, aber bartlos. Der Mann fixirte mich, vertrat mir den Weg. „Was wollen Sie von mir?" fragte ich, einen Schritt zurückweichend.

„Du kennst mich nicht?" sagte der Fremde, — „nicht wahr, ich bin gut verkleidet?" setzte er mit einer gewissen eitlen Befriedigung hinzu. Es war Franck, der sich den Vollbart abgeschoren hatte und der ohne Stürmer, Schärpe und Schleppsäbel, im Philisterrocke und mit dem runden Hute sich selber als eine andere Person erschien, sich auf die theatralische Metamorphose nicht wenig zu gute that. Ich war auf den Tod erschrocken, erzählte ihm von Noë, auch daß man auf ihn fahnde, beschwor ihn um des Himmels willen, sich nicht auf der Straße blicken zu lassen.

„Ich weiß Alles!" erwiderte der Freund mit Gemüthsruhe, — „kehre eben in mein Versteck zurück. Morgen Früh gehts nach Leipzig. Auf Wiedersehen!"

Wir schieden, sahen uns nicht wieder. Der Exilirte verkümmerte in der Folge in London mit Frau und Kind.

Inzwischen war das neue Ministerium zu Stande gekommen, mit dem Fürsten Felix Schwarzenberg an der Spitze. Stadion hatte das Innere übernommen, Bach die Justiz, Bruck den Handel. Eröffnung des Reichstages in Kremsier am 22. November. Am 2. December abdicirte Kaiser Ferdinand zu Gunsten seines achtzehnjährigen Neffen Franz Josef; der ungarische Krieg machte bald die russische Hilfe nöthig, die octroyirte Charte vom 4. März 1849 erfolgte — die Geschicke Oesterreichs fingen an, sich zu erfüllen.

Ich ließ die große Politik an mir vorübergehen, arbeitete im Stillen an meinem „Sickingen". Daneben entstand ein kleines Lustspiel: „Ein neuer Mensch", als Nachspiel zu „Großjährig", durch die Stimmung und Strömung des Tages veranlaßt, sonst ohne Bedeutung. Holbein wagte nicht, das Stück zur Aufführung zu bringen, wies es einfach zurück. Ich beklagte mich über diese Engherzigkeit in einem mir befreundeten Hause, schimpfte weidlich über die Theatercensur und Polizei, auch über die Militär-Dictatur. Der Hausherr, zugleich Hausarzt bei Welden, fragte mich, ob er mit dem Feldmarschall-Lieutenant über die Sache sprechen solle. „Was wird das helfen?" meinte ich verdrießlich, schlug mir die Sache aus dem Kopfe.

Am nächsten Morgen trat eine Ordonnanz zu mir ins Zimmer. Will man mich verhaften? dachte ich. Der Mann brachte aber ein Schreiben des Gouverneurs, welches ich leider als Autograph an einen der leidigen Sammler verschenkt habe. — „Der Feldmarschall-Lieutenant vernehme,

daß ich mich beklage" — hieß es in dem Schreiben — „er
nehme aber durchaus keinen Einfluß auf Theater und Censur
— von seiner Seite sei also kein Hinderniß gegen die Auf=
führung meines Zeitgemäldes. Er sei übrigens immer bereit,
sich mit einem verständigen Manne über die Sache zu be=
sprechen" u. s. w. Dieser halben Einladung folgend, steckte
ich mein Theater=Manuscript zu mir und suchte den Dictator
sogleich in der Hofburg auf. Ich fand ihn von Ordonnanzen
umgeben und von Bittstellern aller Art umstürmt. Doch ging
es strammer und sicherer, kurz soldatischer zu, als damals bei
Messenhauser in der Stallburg! — Welden ersuchte
mich, ein wenig zu warten, expedirte die Leute, nahm dann
den Hut — ob ich ihn begleiten wolle? — Wir gingen erst
durch eine Reihe Prunkzimmer auf und ab. Ich sagte ihm:
Wenn der Feldmarschall=Lieutenant als Gouverneur etwas
gegen mein Stück einzuwenden habe, so müsse ich mich na=
türlich fügen, gegen die Censur Holbein's und der Polizei
jedoch schlechterdings Einspruch thun. Welden gab mir
Recht. Er kenne zwar das Lustspiel nicht, stellte es mir aber
vollkommen frei, es aufführen zu lassen, wenn ich es für
passend hielte. Ich versicherte dagegen, die Kleinigkeit sei
zwar in freiheitlichem, jedoch zugleich in versöhnendem Sinne
geschrieben — die Excellenz möge sich selber davon über=
zeugen, übrigens an dem Manuscript streichen lassen, was
ihr beliebe. Welden betheuerte wiederholt, daß er an Cen=
suriren nicht denke und die Sache vollkommen meinem Gut=
dünken überlasse. Er wolle das Lustspiel erst bei der Auf=
führung kennen lernen.

Wir sprachen dann von Oesterreich, dem zweifachen
Kriege mit Ungarn und Italien, von der gegenwärtigen

Situation. Ich muß es dem Soldaten zur Ehre nachsagen, daß er sich ziemlich correct constitutionell geäußert. Nur die Wiener, die ich nach Kräften zu vertheidigen suchte, schienen dem Haudegen ein Gräuel.

Wir waren gesprächsweise in den Schweizerhof und auf den Josephsplatz gelangt. „Ich gehe jetzt einen schweren Gang," sagte mir Welden, — „ich muß einem Vater mit= theilen, daß sein Sohn in Italien gefallen ist. Daran sind zuletzt auch die vermaledeiten Wiener und ihr Krakehlen schuld!"

Noch einmal übernahm ich die Vertheidigung meiner Landsleute, erinnerte den strengen Richter an die alte Zeit unter Kaiser Franz und Metternich, an die Unterdrückung des Geistes und Fortschrittes, an die darauffolgende schwache Regierung der alten Herren u. s. w. „Sie haben Recht!" versetzte der barsche Soldat — „wir waren im Grunde lauter Sch—kerle!" — „Das möge ein Jeder mit sich und seinem Gewissen ausmachen, ich für meinen Theil müsse gegen diese Bezeichnung protestiren," versicherte ich dagegen. So schieden wir lachend und händeschüttelnd, gegenseitig mit einander zufrieden. —

Der „neue Mensch" kam am 17. April 1849 zur Aufführung. Beim Aufziehen des Vorhanges saßen Wil= helmi als „Blase" mit weißem Schnurbart, Mama Hai= zinger mit schwarz=gelber und Louise Neumann als frei= heitlich gesinntes deutsches Mädchen mit der rothen Cocarde auf der Bühne, welche stummen Gegensätze sogleich ein lautes Lachen hervorriefen. Die Scene, in welcher Beckmann= Schmerl das unter der Weste versteckte schwarz=roth=goldene Band hervorzieht und das verpönte Lied: „Was ist des

19*

Deutschen Vaterland?" verstohlen sotto voce intonirt,
machte Furore, wie auch alle Ausfälle auf die „Gutgesinnten",
nicht minder die versöhnenden ernsthaften Tiraden. Bei den
Wiederholungen des Lustspieles machten aber die Galerien
solch radicales Spectakel, daß es der oberste Kämmerer in
der Folge für gerathen fand, das Anhängsel mitsammt dem
Vorspiel für immer von dem Repertoire zu streichen. —

Im Mai 1849 hatte ich eine Unterredung mit dem
Minister des Innern, dem Grafen Stabion. Dieser, zwar
adelig, doch nicht hochtoryistisch gesinnt, war zugleich ehrlich
constitutionell, dabei ein rastloser Arbeiter; auch besaß er die
für einen Minister jener Zwitterzeiten gewiß seltene Eigenschaft, daß er nicht blos vom Tage auf den Tag bedacht war,
sondern auch die Zukunft und die künftige Gestaltung des
Reiches vor Augen hatte, dem er seine Dienste und seine
leider nur zu früh erschöpften Kräfte aufopfernd geweiht. Er
hatte die Organisation seines Ministeriums in einfachen,
aber festen Zügen entworfen, dabei nichts übersehen, was
immer in sein Ressort gehörte.

„Ich werde ungeheuer gehetzt, von Oben wie von
Unten," sagte er mir in vertraulichem Gespräche bei der
Cigarre, — „aber das soll mich nicht mürbe machen! Seit
der Schlacht von Novara ist der italienische Krieg so gut wie
zu Ende, auch die Ungarn sammt ihrem Görgey können sich
nicht lange mehr halten, so bekommen wir Luft bis zum
Herbst. Ich bin fest entschlossen, die Theaterfrage bis dahin
in die Hand zu nehmen. Das Theater ist wichtig und gehört
unter's Ministerium. Wir brauchen auch zwei neue
Häuser für Schauspiel und Oper und gescheitere Directoren
als dieser zopfige alte Holbein. Hätten Sie Lust zu einer

derlei Stellung? Aber vor allen Dingen: haben Sie Organi=
sations=Talent?" —

Ich erwiederte dem Grafen eben so offen als er mich
fragte. Unter einem Hofamte zu bienen, wäre nie mein Ge=
schmack gewesen, unter dem Ministerium, das sei ein Anderes!
Allein das eigentliche Regiewesen und tägliche Probehalten,
das Theaterhandwerk überhaupt habe gleichfalls wenig Reiz für
mich. Dagegen ließe ich mich gerne im Ministerium selbst
für die Sache der Kunst verwenden, sei auch erbötig, einen
tauglichen Director oder obersten Regisseur aufzufinden. Der
Minister war damit einverstanden, und ich mußte noch ver=
sprechen, bis zum Herbst eine Denkschrift über das Theater=
wesen vorzubereiten, auch das dermalen bestehende deutsche
und ausländische Repertoire zu verzeichnen und was etwa
darin noch aufzunehmen wäre.

Den ganzen Sommer und Herbst 1849 brachte ich in
Stuppach nächst Gloggnitz bei meinem Freunde Gutherz
(früher Deputirter des Frankfurter Parlaments) im Kreise
einer Familie zu. Inzwischen war der arme Stadion be=
deutend erkrankt. Bereits im August übernahm Bach das
Innere, Schmerling die Justiz, Leo Thun Cultus und
Unterricht.

Das Scheiden Stadion's, mir persönlich höchst un=
erwünscht, war auch für's Allgemeine ein wahrer Verlust.
Man muß die Dinge nehmen wie sie sind. Ein liberal ben=
kender und constitutionell gesinnter Aristokrat war in der Lage,
nach Oben Manches durchzusetzen, weil man ihm Vertrauen
entgegenbrachte und im vorhinein überzeugt war, daß er
nichts Ungebührliches verlangen würde, sondern nur das
Nothwendige und Unabweisliche, wenngleich Unliebsame.

„Nichts durch das Volk, Alles für das Volk!" ist
eigentlich die Devise der Besseren aus den Adelskreisen, wie
mir Fritz Schwarzenberg (der Landsknecht) vor dem
Jahre 1848 wie oft vorgepredigt! Ein reiner Parvenu dagegen, der nicht nur aus dem Volke hervorgegangen, sondern
sich auch mit Hilfe des Volkes emporgeschwungen, bleibt
immer verdächtig, selbst wenn er den Machthabern dienen
will. Ein derlei homo novus muß sich nicht selten versagen,
eine liberale Maßregel anzurathen, um das kaum einge-
schlummerte Mißtrauen gegen sich selbst und seinen dunklen
Ursprung nicht aufs neue wachzurufen, und so ist er häufig
gezwungen, zu laviren, einen günstigen Moment abzuwarten,
inzwischen melden sich aber andere und dringendere Bedürfnisse, die erst halb begonnene, im besten Sinne unternommene
Arbeit wird einstweilen zurückgelegt, verschleppt, ad calendas
graecas verschoben. Die unteren Kreise, die von dieser
schwierigen Stellung des Volksministers, auch von den In-
triguen in den höheren Regionen keine Ahnung haben,
schmollen nun mit ihrem ehemaligen Liebling, die Journale
machen erst leise Anspielungen auf gewisse Wandlungen und
Sinnesänderungen, die Andeutungen nehmen eine drohendere
Gestalt an, verwandeln sich mälig in harte Vorwürfe und
directe Anklagen — zuletzt wird der ehemalige Abgott der
wankelmüthigen Menge offen und rücksichtslos angegriffen,
geradezu als Abtrünniger und Verräther bezeichnet. „Du
siehst nun, was an dem Volke ist, für welches du schwärmtest!"
ruft man ihm höhnisch von Oben zu. Der Volksmann, er-
bittert über die Undankbarkeit seiner früheren Genossen, von
seiner neuen Umgebung gehätschelt und angeschmeichelt, vergißt seinen Ursprung, seine früheren Pläne, seine vermittelnde

Stellung zwischen Volk und Krone, er gibt sich, ja muß sich
der Partei in die Hände geben, die ihn am Ruder erhält, mit
deren Beihilfe er, wie er sich in verzeihlicher Selbsttäuschung
vorsagt, noch manches Gute und Vernünftige durchsetzen und
durchführen wird; er geht schließlich durch Dick und Dünn
mit denen, die er anfangs bekämpfen wollen — und die
Wandlung ist vollbracht, bevor man sich's versieht!

Ein ähnlicher Proceß ist leider mit einem meiner Ex-
Freunde vorgegangen, der sein Portefeuille, von den Barri-
caden empfangen, im Bunde mit dem Clerus festzuhalten
bemüht war — ·mit der neuen Devise: „In cruce spes
mea!“ Seine Hoffnung hatte ihn in der Folge getäuscht —
er ist seit lange gezwungen, das freilich nicht schwer drückende
Kreuz eines reichen Pensionsgehaltes auf sich zu nehmen. —

Im August 1849 hatte sich Görgey den Russen
ergeben, Komorn capitulirte im September mit Bedingungen
à la Venedig; im October erfolgte die Hinrichtung Bat-
thyanyi's in Pest und die der ungarischen Generäle in
Arab; durch die neue „Organisation“ Ungarns wurde das
Königreich beiläufig in eine österreichische Provinz umgewandelt. Auch ein neues Anlehen und die neue Gendarmerie
waren glücklich zu Stande gekommen, das Ministerium
fühlte sich überaus kräftig! Der arme Graf Stadion mit
seinen theatralischen und anderen Oganisationsplänen siechte
dahin, sein glücklicher Nachfolger Bach, unter Schwarzenberg's Fittichen, arbeitete rastlos. Auch er hatte mir ange-
tragen, das Theater-Referat im Ministerium des Innern zu
übernehmen, ich lehnte ab. Die Dinge lagen jetzt anders.
Die Anstellung hatte einen Beigeschmack von Censur und
Polizei, der mir nicht recht munden wollte. Ueberdies war

die Stellung, welche das Ministerium in der Theaterfrage
den Hofämtern gegenüber einnahm, höchst schwankend und
unsicher. „Weit eher könnt Ihr Oesterreich in eine Republik
umwandeln, als Ihr die Hoftheater völlig unter euch be=
kommt!" sagte ich zu Bach, indem ich ihm zugleich eröffnete,
daß der oberste Kämmerer mein neuestes Schauspiel: „Franz
von Sickingen" zurückgewiesen habe. Ob das constitu=
tionell sei? — Der Minister suchte mich zu beschwichtigen,
Das Stück werde zur Darstellung gelangen, er verbürge sich
dafür. Das war meine letzte Unterredung mit dem Freunde,
den ich bald, nach seiner völligen Entpuppung, zu den ver=
lornen zählen sollte. Wir waren Beide verlegen, die Unter=
haltung stockte, war gezwungen, wir konnten gegenseitig kein
Herz mehr zu einander fassen.

Der oberste Kämmerer Graf Lanckoronsky schrieb
mir bald darauf eine lange Epistel (ohne Zweifel durch Bach
veranlaßt), worin er mich ersucht, „einige Aenderungen" in
meinem Schauspiele vorzunehmen, besonders in einer Scene,
„wo die beiden Domherren auf eine das Priesterthum tief
verletzende Art eingeführt werden." „Bedenken Sie, Herr
v. Bauernfeld — und ich in meiner Stellung muß es
berücksichtigen", heißt es weiter, — „daß Ihr Stück auf
der Hofbühne eines katholischen Kaisers gegeben werden
soll, wo solche Extreme doch vermieden werden müssen."

Ich änderte beinahe gar nichts, und das Stück kam
demungeachtet später zur Aufführung, mitsammt dem dicken
Domherrn Beckmann, mit Martin Luther und dem Choral:
„Ein' feste Burg ist unser Gott."

In Wien galt das Schauspiel für ungemein demo=
cratisch, in Frankfurt und sonst wurde der Verfasser als

alt=liberal oder reactionär verschrieen, weil „Sickingen", eine Art früherer Gagern, den ihm von „Jäcklein" ange= botenen Landsturm durchaus nicht annehmen will. — In politisch bewegten Zeiten ist schwer human oder auch nur historisch dichten.

Seit den Märztagen hatte ich mein Bureau bei der Lotto=Direction nicht wieder betreten, doch wurde mir im ganzen Verlaufe des Jahres 1848 mein Gehalt fortwährend ausbezahlt. Im Jahre 1849 erklärte ich meinem unmittel= baren Bureau=Chef und langjährigen persönlichen Freunde, dem wackeren Hofrath Spaun, zu wiederholtenmalen, daß ich jeden Dienst für immer aufgeben wolle, ließ auch von nun an meinen Gehalt zurück. Der Finanzminister Philipp Krauß aber, der mir wohlwollte, ließ mir fortwährend neue Urlaube ertheilen, mich auch durch die Lotto=Direction auf= fordern, meinen Gehalt weiterzubeziehen. Als ich endlich zu Anfang des Jahres 1851 mein Quiescirungs=Gesuch ein= reichte, ersuchte mich Hofrath Spaun, nur einstweilen ab und zu ins Bureau zu kommen, damit es nicht heiße, meine Dienstleistung habe seit Jahren völlig aufgehört. Ich aber war stützig, wollte nichts mehr von dem Beamtenwesen wissen. Mein Pensionsgesuch war in constitutionellem Sinne abgefaßt, auch fehlte es darin nicht an Rückblicken auf meine bisherige Laufbahn, wie an scharfen Seitenhieben auf das Protectionswesen und auf die Begünstigung, deren sich die Mittelmäßigkeit in Oesterreich von jeher zu erfreuen hatte und noch hätte. Der gute Philipp Krauß lachte dazu und trug in einem Vortrage an den Kaiser darauf an, mir „in Berücksichtigung meiner literarischen Verdienste" den ganzen Gehalt als Pension zu belassen.

Ich hatte als Concipist der Lotto-Direction achthundert Gulden CM. Gehalt bezogen, einhundertzwanzig Gulden Quartiergeld, nebst einigen Ziehungs-Emolumenten. Meine Dienstzeit betrug im Februar 1851 im Ganzen vierundzwanzig Jahre und einige Monate, und erst nach vollen fünfundzwanzig Dienstjahren konnte ich Anspruch auf den halben Gehalt als Pensionsbetrag erheben, bis jetzt nur auf ein Drittheil. Man bewilligte mir nun ausnahmsweise den halben Gehalt mit 400 fl., da der noch günstigere Antrag des Finanzministers im Staatsrathe nicht durchging. Ich erklärte dem Minister, daß ich die 400 fl. nicht annehmen, nicht mehr ansprechen wollte, als das mir gebührende Drittheil mit 266 fl. 40 kr. — Das ginge nicht an, meinte Philipp Krauß, da es gegen die a. h. Entschließung verstoße. — „Nun gut", erwiederte ich, „so weiß ich doch, was ein Schriftsteller in Oesterreich werth ist, nämlich 133 fl. 20 kr.!" Ich machte mich auch anheischig, eine ausführliche Denkschrift: „De stipendiis literariis" für die Akademie der Wissenschaften auszuarbeiten, die mich in einer freiheitlichen Anwandlung des Bewegungsjahres 1848 zu ihrem correspondirenden Mitgliede ernannt hatte. Der immer heitere Krauß mußte lachen. So ging meine Beamtenlaufbahn zu Ende. Ich darf nicht unerwähnt lassen daß mir (ohne mein Zuthun) zwanzig Jahre später meine Pension auf tausend Gulden österr. Währung erhöht wurde. —

Im Jahre 1850 hatte der Krieg mit Preußen gedroht, das Silber war auf 65 gestiegen, alle Kaufläden wurden förmlich belagert, die Wiener Hausfrauen versorgten sich mit Reis, Zucker und Kaffee, als stünde der Feind bereits vor den Thoren — allein Schwarzenberg siegte in Olmütz über Manteuffel, und so war diese Angst bald zu Ende. Zu gleicher Zeit strebte der Präsident Louis Napoleon entschieden auf das Kaiserreich hin. Diese zweifache Situation hatte mir bei einem Lustspiele vorgeschwebt, welches die Deutschen zur Einheit mahnen und gegen das werdende neue Cäsarenthum protestiren sollte.

Das Preislustspiel: „Der kategorische Imperativ" kam im März 1851 zur Darstellung, doch ohne rechten Erfolg. Logen wie Parterre des Burgtheaters verhielten sich ziemlich gleichgültig meinen politischen Lucubrationen gegenüber. Die Reaction feierte ihre Orgien; Litératur und Kunst standen im Hintertreffen. Unter dem Polizei-Director Weiß v. Starkenfels gab es große Juden- und Literaten-Verfolgungen, auch Ausweisungen. Gendarmen erschienen auf der Börse, um die Geschäfte zu überwachen, das Agio zu verbessern!? Man nahm auch einige Speculanten beim Kopf. Die Börse ist aber eine Macht für sich; sie macht zwar nicht Sonnenschein und Regen, sie zeigt das politische und finanzielle Wetter nur an. Und die guten Leute wollten das Barometer zerschlagen, um besseres Wetter herbeizuführen! Auch an anderen Thorheiten fehlte es nicht. Man machte sich viel mit Kopfbedeckungen und was darunter wächst zu schaffen, griff Leute auf der Straße auf, wenn sie lange Haare trugen, schnitt sie ihnen ab, setzte ihnen einen schäbigen Filz statt der Kappe oder des Calabresers auf das beschorene Haupt. Alle Maueranschläge waren streng verpönt, allein der Austritt Lord Palmerston's wurde demungeachtet durch ein Straßenplacat verkündet und an einem hohen Feiertag obendrein! Das geschah nicht von Seite des Mini-

steriums, wie seine Seïden wenigstens behaupteten; vermuthlich durch einen „gutgesinnten" Privaten, darum sah man
auch durch die Finger. Als am 1. Januar 1852 das Patent
erschien, welches die März-Constitution vollkommen aufhob
und wofür Bach das Großkreuz des Leopolds-Ordens
bekam, forschte man ängstlich jeder Aeußerung, ja den
Mienen jedes Privaten nach, und im Leseverein erschienen
Polizei-Commissäre, um sich Stoff zu Stimmungsberichten
zu holen. Dabei hatten wir zur Zeit von Schwarzenberg's Ableben so gut wie nichts erreicht! Weder in England
noch in der Türkei hörte man auf uns, mit Preußen standen
wir beiläufig auf dem alten Fuße der Entzweiung, der
russische Einfluß in den Fürstenthümern wurde immer
größer, und an unseren inneren Verhältnissen war seit viert-
halb Jahren fruchtlos herumorganisirt worden. Die Einheit
des Reiches stand nur auf dem Papier, zumeist bei dem
Schmollen der Ungarn, nirgends Vertrauen, schlechte Valuta,
beständiges Deficit. Die Ernennung des Grafen Buol-
Schauenstein zum Minister des Auswärtigen war eben
nicht geeignet, eine neue und bessere Aera herbeizuführen —
es scheint, daß im Stillen der alte und pedantische Kübeck
damals noch als geheimer Rathgeber fungirte. So kam der
zweite December heran, welcher in der Folge den berühmten Neujahrsgruß an Baron Hübner und Oesterreich
erließ, wodurch wir Mailands verlustig gingen. In meinem
Tagebuche finde ich im Frühjahr 1860 die Stelle: „Die
politische Situation weit schlimmer als vor einem Jahr.
Oesterreich droht zu zerfallen. Das Benetianische ist
meiner Meinung nach so gut verloren wie das Mai-
ländische. In Ungarn ist beinahe offene Revolution, die

Böhmen lauern, und die deutschen Provinzen sind unzufrieden — wo will das hinaus?" —

Dem Wiener Börsejubel, der im Jahre 1856 seinen
Culminationspunkt erreicht hatte, dem gemeinschaftlichen
Speculiren des Adels mit den Geldleuten wurde ein kleiner
Dämpfer aufgesetzt durch die tragischen Schicksale des
Directors der Creditanstalt, Richter, und des Finanz-
ministers Bruck. Des Generals Eynatten ist neben diesen
Männern wohl kaum zu erwähnen, da er sich eigentliche
Unterschleife zu Schulden kommen ließ. Jene beiden Männer
aber handelten bona fide und besaßen geniale Eigenschaften,
obwohl man sie von einiger Schwindelei nicht völlig frei-
sprechen kann.

Inzwischen hatte unser halbes Gehen mit den West-
mächten, welches uns alle Welt zu Feinden machte, zugleich
das ganze National-Anlehen verschluckt, und immer dro-
hender gähnte der finanzielle Abgrund, in welchen der „ver-
stärkte Reichsrath" als letzter Nothhelfer und als ein
zweiter Curtius sich stürzen, ihn schließen sollte. Die
geübte ungarische Suada trug dort den Sieg davon, und ich
fühlte mich in meinem Aerger gedrängt, sogar meinen Freund
und Gesinnungsgenossen Anton Auersperg politisch-
poetisch anzugreifen. Das Diplom erschien, welches Niemanden befriedigte, am wenigsten die Ungarn, die rastlos an
Bach's Sturze arbeiteten, welcher trotz Clerus und Concordat endlich fiel, aber ziemlich weich, in die Arme Roms.
Die Schiller-Feier gab Veranlassung zu einer ungeheuren
Demonstration zu Gunsten Schmerling's. Seit seinem
freiwilligen Austreten aus dem Ministerium zur Zeit der
heftigsten Reaction war er auf's neue populär geworden.

Das Ministerium Schmerling und die „Februar=Ver=
fassung" kamen nun zu Stande, der Reichsrath wurde
eröffnet (ohne die Ungarn), und im Herrenhause tagten Ge=
lehrte und Poeten mit Generalen, Fürsten und Grafen.
Berger, Brestel, Brinz, Giskra, Hasner, Herbst,
Kaiserfeld, Kuranda, Rechbauer, Schindler, meist
bereits bekannte Größen, machten sich auch bald im neuen
Abgeordneten=Hause bemerkbar.

Die Februar=Verfassung ist nicht ohne staatsmän=
nischen Blick entworfen, und mit Umsicht und rastloser
Thätigkeit war sie auch durchführbar, wenn man sich recht=
zeitig zu Concessionen an die Ungarn herbeiließ, anstatt ihre
Rechtscontinuität zu bestreiten und schlechterdings wegzu=
leugnen. Noch einmal, vielleicht zum letzenmale, war der
Moment gekommen, ein einiges Oesterreich zu schaffen.
Schmerling besaß anfangs eine unbestrittene Macht, und
es scheint, daß er nur zuzugreifen brauchte, um seinen Ent=
wurf ins Leben zu führen. An Energie fehlte es ihm nicht
— das hatte er in Frankfurt bewiesen. Da handelte es sich
freilich nur um die Energie zu einer einzelnen gewaltigen
That, um eine rasche und augenblickliche Kraftäußerung, wie
sie seinem eigentlichen soldatischen Naturell zusagte. Ein
Minister muß aber, wie Bismarck, ebenso zähe und rück=
sichtslos als energisch sein, er muß rastlos arbeiten, sein
festes Ziel stets im Auge haben, unablässig darauf hinsteuern,
vor keinem Hindernisse zurückschrecken. Das gilt nach Oben
wie nach Unten! Und ich glaube, nach beiden Richtungen —
der Freund möge mir verzeihen — hat es der sonst treffliche
Mann ein wenig versäumt. Er ist im rechten Augenblicke
nach Oben nicht und fest entschieden aufgetreten, er hat sich

im Abgeordnetenhause keine sichere und gegliederte Partei gebildet, er hat mit der Opposition geschmollt, sie theilweise geringschätzig behandelt, anstatt sie durch wahrhaft staatsmän= nische Handlungen zum Schweigen zu bringen. So wollte ein echtes constitutionelles Leben unter dem Regimente des Alt= liberalen nicht recht aufkommen, und Niemand wird be= haupten, daß der freiheitlichen Richtung vom Februar 1861 bis September 1865, wo die Sistirung der Constitution erfolgte, irgend ein Vorschub geworden. Dagegen fallen in diese Jahre große politische Fehler: der Versuch des ver= unglückten Fürstentages in Frankfurt, der Gasteiner Ver= trag, das Zusammengehen mit Preußen im schleswig=hol= stein'schen Kriege gegen alle Warnungen der vernünftigen Stimmen im Abgeordnetenhause. Daß Eszterhazy und die Ungarn längst insgeheim gegen Schmerling agitirten, ihm den Boden untergruben, hatte der offene Mann niemals glauben, noch auch zur rechter Zeit austreten wollen, wie ihm wohlwollende Freunde gerathen — so fiel er plötzlich ins Bodenlose, mußte doch die laufenden Geschäfte fort= führen, nachdem Belcredi bereits ernannt war, wurde sogar genöthigt, die Thronrede mitanzuhören, die seiner Verfassung den Garaus machte. Ich bedaure den gefallenen Freund, der freilich nicht tapfer genug seine Position vertheidigt hat — aber wogegen Götter selbst vergebens kämpfen — —

Der Dualismus, in welchem sich Oesterreich dermalen befindet, wird nicht selten als der „Anfang des Endes" be= zeichnet, und ein geistreicher Mann, zugleich witziger Kopf schlug deshalb vor, den Staatsmann, an dessen Namen sich die Zweitheilung des Gesammtreiches knüpft, zum Grafen „finis Austriae" zu ernennen. — Jedenfalls steht es außer

Frage, daß man den Ungarn in irgend einer Weise und
Form gerecht werden mußte, wie es andererseits unter
Hohenwart klar geworden, daß der Versuch: Oesterreich
föderalistisch und auf czechischer Grundlage gestalten zu
wollen, zu endlosen inneren, wohl auch äußeren Kämpfen
führen würde. Ein constitutionelles und freiheitliches Ge=
sammt=Oesterreich war unter Bach möglich, auch noch unter
Schmerling — doch nach mancher Verständigen Meinung
nur mit möglichster Schonung der Eigenheiten der verschie=
denen Kronländer und mehr oder minder unter deutscher
Führung. Wenn Nationalitäten mit einander verbunden sind,
die nicht auf gleicher Culturstufe stehen, dann ist es schlechter=
dings nothwendig, daß die vorgeschrittenste auch voran gehe.
Die sogenannte „Gleichberechtigung" bis zur äußersten Con=
sequenz durchgeführt, führt schließlich ad absurdum, und
den Staat, welcher den Theilen das Ganze opfert, seinem
unaufhaltbaren Verfalle entgegen.

# XIV.

(Die „Gnomenhöhle". — Alfred der Große. — Alexander
Baumann. — Wiener Geselligkeit. — Stimmungen.)

Wenn Einem der Kopf umgedreht
ist, so sitzt ihm Alles verkehrt.
Biel Lärmen um Nichts.

Im März 1862 bekamen wir in der „Wiener
Zeitung" Nachfolgendes zu lesen:

„An mein Regiment!

Ich kann die Welt nicht verlassen, ohne mein
tapferes Regiment zu grüßen. So wie ich hienieden stets
lebhafte Theilnahme für dasselbe gefühlt habe, so werde
ich auch jenseits, wenn dies möglich ist (sic!), seine
Thaten und Schicksale verfolgen."

Wien, 13. März 1862.

Alfred Fürst Windischgrätz, F.=M.

Ich gestehe, daß mich dieser militärisch = clericalisch=
mystische Abschied mit einiger Verwunderung erfüllte. —
Der Feldmarschall will die Thaten und Schicksale seines
Regiments auch jenseits verfolgen! Wie will er das an=
stellen? Der rechtgläubige Katholik (welchem der Papst

Bauernfeld. Gesammelte Schriften. XII. Bd. 20

feinen Segen in articulo mortis zugefendet) fetzt freilich mit
einer Art Skepfis hinzu: „wenn dies möglich ist." Mir
schien dies aber unmöglich. — Die wunderliche Expecto=
ration kam mir übrigens höchst gelegen. Der Wiener Humor
hatte sich nämlich auch in den schlimmsten Zeiten der Reaction
und des Concordats niemals völlig verleugnen können, und so
hat sich eine Narrengesellschaft, die „Gnomenhöhle", eine
Art Ableger der berüchtigten „Ludlam", bis zum heutigen
Tage erhalten. Auch ich war Mitglied dieses Narrenkreises
und als solches verpflichtet, von Zeit zu Zeit einen Auffatz
zu liefern. Wir waren gewohnt, uns in diesen Artikeln über
uns selbst, wie über Regierung, Gott und Welt in der
keckften Figur der Uebertreibung lustig zu machen. Und so
bot sich mir in den Eingangs citirten Zeilen der „Wiener
Zeitung" ein tauglicher Stoff zu der nachfolgenden kleinen
Poffe dar, die als Beitrag zur Schilderung der Stimmung
jener Tage, so wie des allerdings rücksichtslosen Tones, der
in unserem tollen Kreise herrschte, gelten mag. Ich schildere
übrigens nur die Schwächen einer politischen Persönlich=
keit, unbeschadet ihres höchst ehrenhaften Privat=
charakters. Darum glaube ich damit kein Aergerniß zu
geben. Der vorurtheilsfreie Lefer wird mit mir begreifen,
daß der freie Humor und die Form der Uebertreibung jede
Absicht eines ernsthaften Angriffs ausschließen.

# Alfred der Große.

## Scenen aus dem Jenseits.

### 1862.

### I. Scene.

(Ein Seliger klopft an die Himmelspforte.)

**Petrus.** Wer ist draußen?

**Alfred.** Machen Sie auf.  Ich bin's!

**Petrus.** Wer ist der Ich?

**Alfred.** Alfred der Große.

**Petrus.** Unsinn!  Den haben wir ja schon an die tausend Jahre im Himmel droben.

**Alfred.** Ich bin aber ein größerer Alfred, welchen man den Herrscher*) nennt, und erst unlängst gestorben mit Extra=Segen Seiner Heiligkeit des Papstes, wie Sie aus diesen Papieren entnehmen können, durch welche ich bei Seiner Majestät Gott Vater ganz besonders empfohlen werde.

**Petrus.** Laß der Herr sehen! (Liest.) Dieser alte Pio nono macht uns doch nichts als Verlegenheiten im Himmel wie auf Erden! — Die Papiere sind in Ordnung. — (Fixirt ihn.) Durchlaucht sind also Derjenige, welcher —? In Prag! Aha! Und in Wien! Aha! Hübsch bombardirt! Und hübsch belohnt worden dafür! Was? Schon auf Erden! Dotation von 400,000 Gulden! Dazu noch 48,000 Gulden Besoldung, 48 Pferdportionen, und nichts zu thun, gar nichts! Schmeckt nicht übel, wie? Und dabei noch ein so gutes Lotterie=Geschäft gemacht mit den beiden Todesco! — Was machen denn die Juden? Will sich keiner von ihnen taufen lassen?

---

*) Also wurde der Fürst von der Hofdienerschaft bezeichnet.

20*

**Alfred** (immer gravitätisch). Es scheint nicht. — Aber
Sie stellen sich mir da in den Weg! Wollen Sie mich nicht
gefälligst zur Himmelspforte hineinlassen, Herr von Petrus?

**Petrus** (mürrisch). Ich bin kein Herr von! —
Petrus schlechtweg. Früher Fischermeister, jetzt Hausmeister.

**Alfred.** Also nicht einmal geadelt? Nach einer
Dienstleistung von beinahe zweitausend Jahren!

**Petrus.** Ei was! Bei uns droben kennt man solche
Dummheiten nicht. — Geh' der Herr jetzt zurück in's
Fegefeuer.

**Alfred** (wie entsetzt über die Zumuthung). Wer? Ich?

**Petrus.** Ja, natürlich! Da muß Jeder erst hinein, sich
abwaschen, reinigen. In den Himmel darf kein Schmutzian!

**Alfred** (nach einer kleinen Pause). Ist eine Ritterstube in
diesem Purgatorium angebracht?

**Petrus.** Warum nicht gar! Beileibe! Alle armen
Seelen Crethi und Plethi, werden dort pêle-mêle durch=
einander abgestriegelt.

**Alfred.** So! Hm! Melden Sie gefälligst Gott Vater
meine Ankunft. Ich ersuche um eine Privat=Unterredung
unter vier Augen.

**Petrus.** Sonst haben's keine Schmerzen? Man soll
dem Herrn wohl gar eine Extra=Wurst braten?

**Alfred.** Mäßigen Sie sich in Ihren plebejischen Aus=
drücken, Herr Petrus, und bedenken Sie, daß Seine Heilig=
keit, Ihr Stellvertreter auf Erden, mich besonders im Himmel
empfohlen hat.

**Petrus.** Nichts als Protection! Nun gut! Ich will
den Herrn bei dem Herrn anmelden.

**Alfred.** Sagen Sie dem Schöpfer, ich wünsche ihn insgeheim zu sprechen, und er würde sich mir, dem Herrscher, ganz besonders verpflichten, wenn Er mir seine Antwort durch einen standesmäßigen Boten, etwa durch den Ritter Sanct Georg zukommen ließe, oder durch einen anderen himm= lischen Reichsbaron.

**Petrus.** Schon gut, will's ausrichten. (Im Abgehen.) So ein verrückter Seliger ist mir noch nie im himmlischen Leben vorgekommen! (Ab.)

**Alfred** (allein, spaziert mit verschränkten Armen gravitätisch auf und ab).

**Der Ritter Sanct Georg** (tritt auf). Gott Vater er= wartet Sie. Wenn's Eurer Durchlaucht gefällig wäre —

**Alfred.** Hier hinein? Folgen Sie mir, Herr Ritter Sanct Georg (tritt zuerst in den Himmel. Sanct Georg folgt ihm kopfschüttelnd).

## II. Scene.

**Gott Vater** (sitzt auf dem himmlischen Thron).

**Alfred** (steht vor ihm).

**Gott Vater.** Was wünschen Sie, mein Sohn? Be= decken Sie sich, nehmen Sie Platz. Was wünschen Sie also?

**Alfred.** Ich ersuche Sie, Sire, mich für's Erste von dem gemeinen Fegefeuer zu dispensiren.

**Gott Vater.** Das wäre eigentlich gegen alles himm= lische Herkommen, mein Bester!

**Alfred.** Mein Herkommen ist aber ein Besonderes. Ich bin Alfred der Große und stehe als reinster Repräsen= tant des Adels eine Ausnahme da, unter allen übrigen Sterblichen. Bevor ich mich mit dem Plebs amalgamire,

würde ich lieber auf die ewige Seligkeit verzichten und geradezu um allergnädigste gänzliche Vernichtung bitten müssen.

**Gott Vater** (sieht ihn verwundert an). „Stolz will ich
den Spanier!" — Also bewilligt.

**Alfred** (verneigt sich leicht). Alfred der Große, der
Herrscher, bedankt sich.

**Gott Vater.** Was wünschen Sie noch?

**Alfred.** Ich habe meinem tapferen Dragoner-Regi-
ment versprochen, auch jenseits, wenn dies möglich ist, seine
Thaten und Schicksale zu verfolgen.

**Gott Vater.** In der Wiener Zeitung hab' ich das mit
Verwunderung gelesen. Der Gedanke ist jedenfalls neu.
Weder Alexander dem Großen, noch dem Napoleon ist so
was in den Kopf gekommen.

**Alfred.** Ich erlaube mir Ihnen zu bemerken, Sire,
daß ein blinder Heide und ein Roturier unmöglich an den
erhabenen Sinn eines katholisch-hochadeligen Fürsten hinan-
reichen können.

**Gott Vater.** Zugegeben. Was kann ich aber für Sie
thun? Sie sind im Himmel, Ihr Regiment steht auf Erden.
Wie wollen Sie seine Thaten und Schicksale verfolgen?
Das ganze feste Firmament liegt dazwischen. Da kann nur
das Auge Gottes durchschauen.

**Alfred.** Lassen Eure Majestät ein Loch in das Firmament schlagen und ein Fenster für den Herrscher her-
richten, damit er bequem hinaus und auf die Erde hinunter
schauen kann.

**Gott Vater.** Ich weiß nicht, was mich bewegt, Ihnen
auch darin nachzugeben. Sie sind unwiderstehlich.

**Alfred.** Die Güte Eurer Majestät beschämt mich.

**Gott Vater.** Sie sind also mit mir zufrieden?

**Alfred.** Aufrichtig — bis auf Eins, Sire!

**Gott Vater.** Und das wäre?

**Alfred.** Wie haben Sie damals zugeben können, daß die heilige Jungfrau, die doch aus königlichem Geblüte stammt, einem Menschen von niederer Extraction, einem Zimmermeister ihre Hand reichen durfte?

**Gott Vater** (etwas verlegen). Das sind Geheimnisse, mein Bester, über die ich mich nicht näher erklären kann und die mit der sogenannten Dreieinigkeit zusammenhängen.

**Alfred** (fixirt ihn). Ich muß denn doch bitten, daß der Schöpfer dem Herrscher nichts verhehle.

**Gott Vater** (für sich). Sonderbarer Schwärmer! (Laut.) Sie vergessen, daß Sie mir gegenüber doch weiter nichts als Geschöpf sind.

**Alfred** (kalt). Sie können mich vernichten, wie gesagt, wenn Sie mir nicht Rede stehen wollen. Wählen Sie also.

**Gott Vater** (wieder für sich). Die Hartnäckigkeit dieses Menschen bringt mich völlig aus der Fassung. (Laut.) Hören Sie also, in Gottes Namen! Daß ich der Vater meines Sohnes bin, und zwar durch Vermittlung des heiligen Geistes, das wissen Sie! Der Zimmermann Josef gab nur so seinen Namen dazu.

**Alfred.** Einen bürgerlichen Namen, Sire! Der Welt=Heiland sollte aber adelig sein. Wie anders, wenn Sie einem Windischgrätz die Rolle des Vaters zugetheilt hätten! Die ganze christliche Religion hätte dadurch einen vornehmeren Anstrich bekommen, und von einem Socialis= mus, der nur durch diese Apostel vom tiers état beigemischt worden, wäre gar nicht die Rede.

**Gott Vater** (ablenkend). Sie mögen vielleicht Recht haben. Aber laſſen wir das. Ich bin kein Freund von Caſuiſtik und von theologiſchen Spitzfindigkeiten. Spazieren Sie jetzt in den inneren Himmel hinein, Sie werden dort gute Geſellſchaft finden. Da ſteht gleich ein Ritter, der Ihnen ebenbürtig iſt (ruft hinein). Sie dort! Kommen Sie einmal näher.

**Ritter** (tritt näher, mit ſchnarrender Stimme). Baso los manos. Meinen Euer Gnaden mich?

**Gott Vater.** Ja. Ich will die Herren miteinander bekannt machen. Durchlaucht Fürſt Windiſchgrätz, Ritter Don Quixote von la Mancha.

**Alfred.** Sie ſind der Ritter, der gegen die Wind= mühlen kämpfte?

**Don Quixote.** Aufzuwarten. Und Euer Gnaden ſind der Held, welcher das Burgtheater und die Hofbibliothek erobert hat?

**Alfred.** Zu bienen —

**Don Quixote.** Erlauben mir Euer Gnaden, Ihnen meine Bewunderung auszudrücken.

**Alfred.** Ich ſehe, daß Sie mich verſtehen, und bin erfreut über unſere Zuſammenkunft.

**Don Quixote.** Baso los stifelos a Vuestra dignidad. (Mit erhobener Stimme.) Wer es jemals leugnen wollte, daß Dulcinea von Toboſo die reizendſte Dame der Chriſtenheit und Fürſt Alfred von Windiſchgrätz der größte Fürſt von der ganzen Welt iſt, den fordert der Ritter Don Quixote de la Mancha von der traurigen Geſtalt zum Zweikampf auf Tod und Leben!

**Gott Bater.** Still, guter Freund! Hier wird nicht krakehlt. — Macht nähere Bekanntschaft, Ihr Herren! Adieu, lieber Fürst!

**Alfred.** Adieu, lieber Gott! (Ab mit Don Quixote.)

**Gott Bater** (allein). Dem Menschen kann man nicht imponiren! Ich werde nie wieder so ein Sujet auf die Welt setzen lassen. (Lärmen von außen.) Was gibt's denn? Kann man keine Ruhe im Himmel haben! Was ist denn wieder los?

**Ein himmlischer Gendarm** (tritt auf). Bitt' Euer Gnaden! Mit dem neuen Seligen ist's nicht länger auszu=halten. Er und der spanische Don machen mit einander den ganzen Himmel rebellisch. Von Karl dem Großen haben sie verlangt, daß er ihnen die Hand küssen soll, weil sie größere Helden wären als er. Die gewöhnlichen Seligen behandeln sie nur mit Fußtritten und Kopfnüssen, was gegen alle himmlische Gleichberechtigung ist — und zuletzt haben sie gar die Prätension, daß die himmlischen Heerschaaren vor ihnen präsentiren und „G'wehr 'raus" rufen sollen!

**Gott Bater** (steht auf). Das ist zu arg! Zieht ihnen die Zwangsjacke an. Oder halt! Ruft sie Beide her!

**Gendarm** (ruft hinaus). Zu Seiner Gnaden, Gott Bater, meine Herren!

**Alfred und Don Quixote** (treten auf).

**Gott Bater.** Ihr habt an einander Gefallen gefunden?

**Don Quixote.** Der Fürst ist der einzige Mensch, der mich hier versteht.

**Alfred.** Der Ritter ist der einzige vernünftige Mensch im ganzen Himmel.

**Gott Vater.** Dacht's ja! Gleich und gleich! — Hört mich an. Ihr sollt einen aparten Himmel haben. Ihr Beide ganz allein.

**Beide.** Wir verlangen es nicht besser!

**Gott Vater.** Wo ist mein Sohn? Schließe den beiden Herren das geheime Gemach auf.

**Gott Sohn** (kommt). In meines Vaters Hause sind viele Wohnungen. Kommt, liebe Leute! (Er schließt eine geheime Thüre auf, Alfred und Don Quixote treten Arm in Arm hinein.)

**Gott Vater** (allein). Diesen zwei närrischen Menschen genügt die gewöhnliche Seligkeit nicht. Meine Allweisheit hat da die glückliche Lösung gefunden — aber ich hätte nicht gedacht, daß ich den himmlischen Kotter jemals brauchen würde. — Schließ zu, mein Sohn! So. Jetzt ist wieder Ruh' im Himmel und auf Erden!

**Die sämmtlichen himmlischen Heerschaaren.** Alleluja! Gloria in excelsis Deo!

•

———

Die „Gnomenhöhle" hatte bis zu ihrer letzten Entpuppung die mannigfaltigsten Verwandlungen durchgemacht. In den vierziger Jahren führte sie den Namen: „Soupiritum" und stand unter Holtei's Leitung, wie bereits bei einer andern Gelegenheit erwähnt worden. Nach des geselligen Mannes Scheiden aus Wien trat der unvergleichliche Alexander Baumann als „König" an die Spitze der nun nach ihm genannten „Baumannshöhle." — Der Verfasser des „Versprechens hinter'm Herd" besaß so viel Mutterwitz und harmlosen Humor, dabei eine so liebenswürdige Persönlichkeit, daß er mit diesen Gaben allein im

Stande war, jede Gesellschaft zu beleben. Die Natur hatte
ihn aber auch mit einem nicht gewöhnlichen Darstellungs=
talente beschenkt, welches er fleißig übte. In der Kunst, das
Komische auf die natürlichste Weise zur Erscheinung zu bringen,
kam ihm Niemand gleich, Scholz und Beckmann kaum
nahe. Wer jemals eine „ungarische Rebe" von ihm ge=
hört oder ihn als dummen und verlegenen Bauernjungen ge=
sehen, wie er vor der Prüfungscommission „Kisuen" decla=
mirt und mit stets neuen Nuancen des Steckenbleiben's das
Gedicht mühsam zu Ende bringt, um mit einem unbeschreiblich
blöden Kratzfuß zu scheiden, der wird meinem Urtheile bei=
stimmen.

Von den geselligen Talenten Baumann's ist noch an=
zuführen, daß er vortrefflich Cither spielte und im Vortrage
von Volksliedern oder auch von ihm selbst verfaßten Couplets
ein unbestrittener Meistersinger war. Rechnet man die ange=
nehme Erscheinung, den liebenswürdigen Charakter und die
immer gleiche Heiterkeit des Geselligkeits=Virtuosen hinzu, so
darf es nicht Wunder nehmen, wenn sich sämmtliche Klassen
der Wiener Gesellschaft eifrig bemühten, den seltenen Mann
in ihre Kreise zu ziehen. Auch im Hause Metternich war
er beliebt und gefeiert und die stolze Fürstin unterließ es nicht,
bei Diners und Soupers für den verhätschelten Liebling
stets die gewohnte Lieblingsspeise zu bestellen. — Für unsere
„Höhle" war er als König unschätzbar. Er mußte immer
neue Possen anzugeben und schlug uns Uebrige, mit unsern
komischen Aufsätzen und Versuchen es ihm gleich zu thun,
jederzeit aufs Haupt. Daß die Lücke nach Baumann eine
unausfüllbare war, versteht sich von selbst. —

Im Winter 1847/48 war ein neues Mitglied in un-
fern Narrenkreis aufgenommen worden: mein damaliger
Freund und Genosse, Dr. Alexander Bach, welcher als
Neophit maskirt (mit einem Thierkopf) erschien. Castelli,
als Vorsitzender, richtete einige Fragen in Knittelverfen an
den Neuling, um seine Tauglichkeit zu erproben. Der Thierkopf antwortete gewandt und geiftreich. Auch der berüchtigte
Taufenau und der mufikalische Alfred Becher befanden
fich in dem luftigen Kreife. Nach Jahr und Tag war der Eine
von den Dreien Minifter, der Andere politifcher Flüchtling,
der Dritte „zu Pulver und Blei begnadigt." — Im
Februar 1848 unterhielt man fich (Bach miteingeschloffen)
mit burlesken Grabfchriften auf Metternich. Die politi-
fchen Narrheiten, die bald darauf erfolgten, ließen die „Gnomenhöhle" eine Weile paufiren. —

Unfer Wien war bald nach den Juli-Tagen 1830 in
die Reihen der „Oppofition" getreten. Die Wiener Gefellig-
keit, welche fich, wie die einer jeden großen Stadt, in Cotte-
rien bewegt, war lange Zeit harmlos und gemüthlich geblieben. Der gebildete Mittelftand hing einigermaßen
mit den höheren Finanzkreifen zufammen, denen fich hin-
wiederum ein gewiffer Theil des Adels zugefellte, der fich
nicht ungern als die „zweite Gefellfchaft" bezeichnen läßt.
Die eigentliche Ariftocratie (die „crême") exiftirte in unnah-
barer, olympifcher Höhe. Beinahe in jedem Lande hat der
Adel fein faubourg St. Germain — laffen wir ihm diefes
unfchuldige Vergnügen! Lammenais meint zwar: „Malheur à l'homme seul!" Diefes Wort, auf den Adel angewendet, hatte fchon Einmal gelautet: „Malheur à la caste
seule!" — Dagegen bemerkt ein norddeutfcher Hoch-Tory:

„Die Antichambre will durchaus in den Salon: das ist der
Hauptkampf unserer Zeit. Ein Parvenu will weiter par=
veniren." — Nun, die bürgerlichen Minister sind inzwischen
wirklich „parvenirt!" —

An literarischen Mittelpunkten fehlte es übrigens
in den 30er und 40er Jahren durchaus nicht. Bei Hammer=
Purgstall, später bei Endlicher, trafen sich an einem
bestimmten Wochentage Gelehrte, Schriftsteller, auch sonst
Fremde von Auszeichnung, und was damit zusammen hängt.
Die „Concordia und der „juridisch=politische Leseverein"
waren noch mehr geeignet, die zu einander gehörenden Ele=
mente zu sammeln und zu verknüpfen. —

Als den nieder=österreichischen Ständen die Errichtung
eines Lesezimmers von der Regierung untersagt wurde, bot
sich dafür eine eigene Auskunft und glückliche Entschädigung
dar. Doblhoff, der als ständischer Verordneter eine statt=
liche Wohnung im Landhause bezogen und mich als alten
Freund und Kameraden darin aufgenommen hatte, erklärte
sich nämlich bereit, seine Salons für eine Gesellschaft zu
eröffnen, welche aus ständischen Mitgliedern, literarischen,
industriellen und anderen Capacitäten sich zusammensetzen
sollte. Am siebenten Januar 1847 fand die erste Versamm=
lung statt. Von Seite der Stände waren nach und nach
erschienen: die beiden Colloredo's, Schmerling, Leo
Thun, Fries, Bräuner, Andrian, Hoyos, Stifft,
Kleyle. Von meinen Freunden: Ernst Feuchtersleben,
Alexander Bach, Seligmann, Frankl, Alexander
Baumann, Dessaner, Castelli, Adolf Herz, Horn=
bostel, Somaruga. Auch der einsiedlerische Grillparzer
hatte sich ein paarmal eingestellt, sowie Hammer=Purgstall

und Endlicher. Die Conversation war frei und ungenirt;
irgend ein Thema der National=Oekonomie, natürlich nicht
ohne politische Färbung, oder der Naturwissenschaften kam
wohl auf's Tapet, welches nach allen Seiten durchgesprochen
wurde, auch an freien Vorträgen fehlte es nicht. Die merk=
würdige Thronrede des Königs von Preußen vom 11. April
hatte bald alle Gemüther tief aufgeregt, auch im Salon
Doblhoff fielen darüber schwere und inhaltsreiche Worte —
die einheimischen Verhältnisse wurden einer scharfen Kritik
unterzogen (besonders von Seite des alten Baron Stifft),
und keiner der oben genannten Männer, so verschiedenen
Parteien und Schattirungen sie späterhin auch angehörten,
hatte damals im geringsten gezögert, die unabweisbare Noth=
wendigkeit einer Verfassung für Gesammt=Oesterreich
anzuerkennen und auszusprechen. —

Nach den Märztagen, als Alles gährte, brauste und tobte,
konnte natürlich von einer eigentlichen Geselligkeit kaum mehr
die Rede sein, und die bald darauf folgende „Reaction"
ließ in dem Mittelstande, noch mehr in den unteren Volks=
schichten, ein gehöriges Maaß von Erbitterung zurück. Man
konnte durch geraume Zeit seines Lebens nicht froh werden.
Wir zogen uns um so lieber in unsern engeren Freundeskreis
zurück, je unbehaglicher die Wiener=Stimmung in der langen
Reactionszeit sich zu gestalten begann. Auch die einheimische
Presse wurde unter meinem Ex=Freunde Bach auf das Ent=
setzlichste gemaßregelt, bereits vor, aber noch mehr nach
dem Abschlusse des unseligen Concordats. Frei (auch grob)
durfte von nun an nur die Kirchenzeitung schreiben; wir
Übrigen mußten den Mund halten, wenn wir nicht in das
Regierungs= und Kirchenhorn stoßen wollten. Ein Beispiel

für viele! Meine unschuldigen Gedichte (Leipzig, Brock=
haus, 1853), so wie das Buch von den Wienern (Leipzig,
Hirschfeld 1858) durften in Wien nicht einmal öffentlich
angezeigt werden! Ich, sonst nicht schreibefaul, verlor alle
Lust, mich an irgend einer literarischen Unternehmung zu
betheiligen. So lehnte ich es auch ab, zu einer, im Jahre
1858 neu gegründeten illustrirten Wiener Wochenschrift mein
Scherflein beizutragen. Der bezügliche und von mir längst
vergessene Brief an den Redacteur (Sigmund Schlesinger)
wurde von dem „Wiener Tagblatt" im Jänner 1872 abge=
druckt. Ich erlaube mir, diesen Brief hier mitzutheilen, da
er mir für die Stimmung jener Tage höchst bezeichnend er=
scheint.

Das Schreiben lautet:

Geehrter Herr!

Sie verlangen von mir Beiträge zu Ihrer neuen
Wochenschrift „für Belehrung und Unterhaltung." — Ich
bewundere Sie und Ihre Tendenzen — und Ihre Mitar=
beiter obendrein. Sie wollen die Leute belehren! Wie wollen
Sie das anfangen? Ich bin nun beinahe so alt und habe
beiläufig eben so viel erlebt, als das gegenwärtige Jahr=
hundert, allein ich gewahre nicht, daß wir Beide, das Jahr=
hundert und ich, durch unsere Erfahrungen viel klüger
geworden wären oder daß wir uns, sei's durch eigene Erleb=
nisse, sei's durch die Rathschläge Anderer, je hätten belehren
lassen. Und es hat an Beiden nicht gefehlt. Im Jahre meiner
Geburt hat das noch junge Jahrhundert den Frieden von
Amiens so wie auch ein Concordat zwischen Frankreich und
Rom abgeschlossen und durch den Mann des Jahrhunderts,
den es später zum Kaiser machte, mit Revolution und

Republik für ewige Zeiten, wie es hieß, gebrochen. Man muß eingestehen, für einen zweijährigen Anfänger von hoffnungsvollem Jahrhundert ist das nicht wenig geleistet! Der hinkende Bote kam freilich nach. Der große Napoleon artete in kürzester Frist zum Thrannen und Welteroberer aus; der alte Arndt, damals noch jung, und Görres, anfangs blutroth, später ultra-schwarz, lasen dem Liebling des Jahrhunderts den Text und suchten ihn zu „belehren", worauf dieser mit Erschießen drohte. Bald nachher machte man dem Jahrhundert (und auch mir) weiß, Deutschland müsse befreit werden, was auch wirklich durch die Schlacht bei Leipzig, durch den Wiener Congreß und durch die Rückkehr der Bourbonen mit Beihilfe der Censur ins Werk gesetzt wurde.

Es begann nun eine stille idyllische Zeit, bürgerlich glückliche Tage, ein wahres Schlaraffenleben! Das Jahrhundert und ich wuchsen im Schatten der neu-deutschen Romantik und des „österreichischen Beobachters" so friedlich-harmlos heran! Wie es aber allenthalben Störenfriede gibt, so machten uns nach und nach die deutsche Burschenschaft, die Carbonari's, das junge Frankreich, das junge Deutschland, Heine, Börne und andere Bösewichter viel zu schaffen. Das Jahrhundert fing zu grollen an, leitete verschiedene Congresse ein und setzte die Karlsbader Beschlüsse durch. Man suchte das Jahrhundert eines Besseren zu „belehren" — allein vergebens. Es blieb hartnäckig und mußte zu seinem Schmerz erleben, daß die Revolution, mit welcher es vor so viel Jahren für immer gebrochen hatte, im Jahre 30 und 48 auf's Neue los ging.

Das Jahrhundert stutzte anfangs, griff aber dann zu seinen alten, bereits bewährten Palliativen; es machte dort

ein Kaiserreich, hier ein Concordat. Ein Mann des Jahr=
hunderts, der eine neue Idee gegeben hätte, fehlte leider.
Das oft citirte: „L'empire c'est la paix!" war nur eine
Phrase. Die alten Hausmittel mußten aushelfen. Das
Jahrhundert, obwohl in den besten Mannesjahren, war ohne
Kraft und Mark, schwächlich, gebrochen, blasirt — es schleppt
sich jetzt so hin. Wie wenig es aber auch jetzt Lust hat, sich
belehren zu lassen, erhellt schon daraus, daß es seine früheren
Leiter und Lenker, die antiken und modernen Classiker, Plato
und Seneca, wie Voltaire und Rousseau, Kant und
Hegel, Goethe und Schiller in Pausch und Bogen
verwirft, und sich dafür an gewissen zelotischen, nicht ganz
höflichen Zeitungen und frommen Tractätlein erbaut. Ueber
diese Verhältnisse wollen Sie durch Ihre Wochenschrift
„belehren"? Ich wünsche Ihnen Glück dazu!

Doch halt! Da lese ich eben die Rubriken Ihrer
Probenummer durch und finde unter der Aufschrift „Ge=
meinnütziges" eine Art Aufschluß über Ihre praktische
Tendenz. Da wird ein „neues Polstermateriale" besprochen,
ein „englischer Briefhalter", „künstliches Rosenwasser"
u. s. w. Wenn das die „Belehrung" ist, welche Sie Ihrem
Publicum bieten wollen, so ist nichts dagegen einzuwenden
— nur daß ich mich, bei meinen ziemlich mangelhaften
technischen und chemischen Kenntnissen, ohne unverschämt zu
sein, unmöglich zum Mitarbeiter und „Mitbelehrer" auf=
werfen darf.

Wir kommen zu dem zweiten Theil Ihres Programms
— zur „Unterhaltung". Die Leute zu unterhalten, das
war im Grunde bisher mein Fach. Ich habe einige Dutzend
leichter Lustspiele geschrieben, welche sich, gut gespielt, mit

ansehen ließen. Ich habe auch bisweilen einige Körner
Ernst und Wahrheit beigemischt (denn et prodesse volunt
u. s. w.), ich weiß nicht, ob ich damit so „gemeinnützig"
gewirkt, als Ihr „neues Polster=Materiale" oder Ihr
„künstliches Rosenwasser". Gleichviel! Die Stücke sind ein=
mal da, das Publicum erwartet mich auf diesem Felde —
und ich selbst! Jung gewohnt, alt gethan! Das Theater übt
einen Reiz aus, dem man sich nicht leicht entschlägt, so
schwer es uns auch fallen mag, die Leute heutigen Tages mit
Hilfe der Bretter zu „unterhalten"; es ist fast noch un=
möglicher, als sie zu „belehren!" Und in Deutschland nun
gar! Das französische Theater=Publicum sitzt wie ein Kind
vor dem Vorhang und will wirklich nichts als sich amüsiren.
Corneille und Molière oder Ponsard und Dumas fils,
Helben, Marquis, Grisetten, filles de marbre, — es gilt
ihm gleich, wenn's nur packt, wenn's nur unterhält! Aber
der Deutsche! Er hat Julian Schmidt's Literaturgeschichte
gelesen und alle Bücher über Aesthetik von A. W. Schlegel
bis Rötscher, wenn nicht durchstudiert, doch durchgekostet.
Er sitzt kalt und lautlos bei einer ersten Vorstellung, ver=
gleicht erst das, was er sieht, mit dem, was er gelesen, und
wartet sein Morgenjournal ab, um zu erfahren, ob er sich
gestern unterhalten habe, sich unterhalten haben gedurft.
Wie packt man ein solches Publicum, wenn uns nicht das
neckische Wesen einer naturalistischen „Grille" oder die durch
Kritik und Democratie vorbereiteten Schmettertöne der Zu=
kunfts=Oper zu Gebote stehen? Aufrichtig, mein Herr, ich
zweifle daran, daß ein einfacher Stoff, ein paar gelungene
Situationen, etwas Charakteristik, ein Bischen Laune und
Witz im Stande sein dürften, neben Posse, Rührung und

Tamtam aufzukommen. Allein was hilft's? Ich bin's nun einmal so gewohnt, das Publicum ist mich gewohnt — und man versucht's. Soll ich in meinen alten Tagen ein neues Feld einschlagen? Und welches? Wovon soll ich schreiben? Sagen Sie selbst! Ich erinnere Sie an Beaumarchais. „Pourvu que je ne parle en mes écrits ni de l'autorité, ni du culte, ni de la politique, ni de la morale, ni de gens en place, ni des corps en crédit, ni de l'opéra, ni des autres spectacles, ni de personne qui tienne à quelque chose" u. s. w. Der Vogel singt, wie ihm der Schnabel gewachsen ist. Ich bin auch so ein Vogel. Soll ich nicht schreiben, wie mir um's Herz ist, so schreib' ich lieber gar nicht. Das Schreiben selbst muß eine Unterhaltung sein, wenn man die Anderen unterhalten will. Soll ich „künstliches Rosenwasser" schreiben? Das amüsirt mich nicht! Wenn ich noch in Paris lebte oder in Berlin oder in der Walachei — aber so! — Soll ich Ihnen ein Geheimniß anvertrauen? Aber sagen Sie's nur Niemandem. In Wien geht nichts vor. — Nun denn — aus Nichts wird Nichts, nicht einmal ein Feuilleton. Das alte Wien hat sich ausgelebt und das neue ist leider noch nicht fertig. Wenn das Jahrhundert und ich und Ihre Wochenschrift erst noch einige Decennien älter werden, so kann sich's vielleicht machen. Nehmen Sie mich also einstweilen als Mitarbeiter der Zukunft an. Bis dahin wird sich auch neuer Stoff finden und die Möglichkeit, sich seiner zu bemächtigen. Vor der Hand und in der leidigen Gegenwart gibt es hier gewisse Personen, denen es einzig und allein freisteht, die Zeit und den Stoff auszubeuten und uns täglich offen und ungestört anzugreifen, während uns ein Papageno=Schloß an den Mund gehängt wird. Oder

21*

mit einem anderen Bilde: Wir bekommen eine Ohrfeige und
sollen geduldig die Wange hinhalten, um eine zweite zu
empfangen. Ich gestehe, daß ich diese Art der Demuth nie
habe begreifen können. Am wenigsten in der Polemik.
Schon bei den alten Turnieren wurde Wind und Sonne
getheilt. Soll unsere Sonne der Wahrheit nicht leuchten?
Sollen nur die Anderen Wind machen dürfen? Nichts da!
Gleiches Recht, gleicher Wind, gleiche Schläge!

> „Auf groben Klotz ein grober Keil,
> Auf einen Schelmen anderthalbe!"

Das ist und bleibt mein Wahlspruch. Wo man aber
Keile und Ohrfeigen nur empfangen und nicht wiedergeben
soll, da hält sich billiger Weise vom Kampfplatz fern

> Ihr zukünftiger Mitarbeiter
>
> Bauernfeld."

Wien, im December 1858.

Mit Befriedigung darf man sich sagen, daß die hier
geschilderten, wie viele andere verrottete Zustände vorüber sind
und auch nicht so leicht wiederkehren können. Andere Uebel,
die längst im Keime lagen, wuchern dagegen rasch empor:
Geldsucht, Stellenjägerei, Reclame=Wesen. Auch hat das
einst naive Wien von dem Baume der Erkenntniß genascht
und sich dabei den Magen überladen, da es nicht im Stande
war, die gierig verschluckte, halb unreife Frucht gehörig zu
verdauen. Politische und religiöse Freiheit sind zwei schöne
Gaben — sie fallen Einem aber nicht von heute auf morgen
in den Schoß. Nur Bildung führt zum schönen Ziel, fort=
während e, unabläßige Bildung. Die Schul=Frage ist die

Existenz = Frage für Oesterreich=Ungarn. Leider hatte das unselige „System" ihre Lösung durch ein halbes Jahr= hundert hinausgeschoben, und große Kinder und alte Völker wollen nichts mehr lernen.

Gewiß, das einzig Unfehlbare
Ist nur das Gute, Schöne, Wahre —
Doch wollt Ihr Licht, vor allen Dingen
Müßt Ihr zum Quell des Leuchtens bringen;
Die Wahrheit kommt Euch nicht entgegen,
Sie liegt auf still verborg'nen Wegen,
Und eh' sie Euer Herz durchsprühe,
Braucht's ernste Arbeit, schwere Mühe.
Man sagt Euch tausend Dinge vor,
Will euch befrei'n von allen Banden —
Ihr hörtet zu mit halbem Ohr
Und habt zur Hälfte nur verstanden.
So spottet Ihr dem Glaubens zwang
Und scheut vor Beicht= und Predigtstuhle,
Doch fühlt Ihr nicht des Wissens Drang; —
Da hilft nur Ein's: Geht in die Schule!

Druck von Adolf Holzhausen in Wien
k. k. Universitäts-Buchdruckerei.

Lightning Source UK Ltd.
Milton Keynes UK
UKHW010606110219
337000UK00006B/341/P